Erhard S. Gerstenberger

Jahwe –
ein patriarchaler Gott?

Traditionelles Gottesbild
und feministische Theologie

Verlag W. Kohlhammer
Stuttgart Berlin Köln Mainz

Für Rita
esposa e companheira

CIP-Kurztitelaufnahme der Deutschen Bibliothek

Gerstenberger, Erhard S.:

Jahwe – ein patriarchaler Gott?: traditionelles Gottesbild u.
feminist. Theologie/Erhard S. Gerstenberger. –
Stuttgart; Berlin; Köln; Mainz: Kohlhammer, 1988
    ISBN 3-17-009947-7

Inhalt

Vorwort

Die tiefgreifenden Veränderungen unserer Lebensbedingungen wirken notwendig auf Kirche und Theologie zurück. Gehören die feministischen Anfragen an das traditionelle Gottesverständnis mit in den soziologisch beschreibbaren Umbruch unserer Zeit? Oder kommt – endlich unter annähernd gleichen Bedingungen – der uralte Kampf der Geschlechter zu einem (endzeitlichen?) Höhepunkt? Die Antwort laute, wie sie wolle: Theologie und Kirche haben sich in jedem Fall der beunruhigenden Frage nach der Männerherrschaft im Himmel und auf Erden zu stellen. Die Debatte kann nur schonungslos offen und in menschlicher Achtung vor allen Betroffenen, den lebenden wie den geistlichen Voreltern bis in die biblische Zeit hinein, geführt werden. Daß auch die elementarsten Glaubenssätze den kritischen Anfragen nicht entzogen werden können, liegt in der Natur der Sache: Auch Glaubenssätze sind zeitbedingt und zeitgebunden. Das gilt selbst für das Bekenntnis zu dem einen, ausschließlichen Gott. Ganz gewiß gilt es für alle bewußt und unbewußt männlichen Züge im Gottesbild.

Dieses Buch ist ein schmaler Beitrag zu einem sehr weitgespannten Dialog. Es ist aus Vorträgen, Seminaren und vielen Gesprächen mit Frauen und Männern entstanden. Ich weiß, wieviel wissenschaftliche Beweisführung noch fehlt. Doch hoffe ich, daß mein Reden und Schreiben nicht nutzlos ist. Vielleicht kann es helfen, Sackgassen zu vermeiden und neue, Frauen und Männer gleichberechtigt beherbergende Lebensformen in Kirche und Gesellschaft zu entwickeln.

Frau Silke Schrom danke ich für die sorgfältige und kritische Hilfe bei der Korrektur des Manuskripts.

Erhard S. Gerstenberger

Abkürzungen

RB	Revue Biblique
ThWAT	Theologisches Wörterbuch zum Alten Testament
ZAW	Zeitschrift für Alttestamentliche Wissenschaft

Woher die Frage?

»Papa«, sagte die vierjährige Tochter eines Pfarrers, »hat Gott auch
einen Penis?« Der Theologe war einen Augenblick sprachlos, dann
meinte er: »Natürlich nicht. Gott ist doch kein Mensch!« »Aber
warum sagen wir dann Vater zu ihm?« beharrte das Kind, und ihr
Vater konnte nur auf den Gleichnischarakter unserer theologischen Rede hinweisen. Wir schreiben Gott Eigenschaften und
Handlungsweisen zu, die den uns bekannten ähnlich sind. Im
Grunde ist er »ganz anders«. Aus unserer beschränkten Sicht
benimmt er sich eben »wie ein guter Vater«.

Die Kinderfrage legt die tiefste Schwierigkeit alles theologischen Redens bloß. Eigentlich ist die Gottheit unerkennbar und
unbenennbar. Ihr Dasein entzieht sich menschlichem Fassungsver-
mögen und übersteigt jede Vorstellungskraft. Was immer Gott an
Gutem repräsentiert, seine Fülle und Reinheit sind in der vergänglichen und unvollkommenen Welt nicht abbildbar. Die alten und
neuen Weltwunder, von denen Menschen träumen und zu denen
sie pilgern, sind aus der Ferne ebensowenig faßbar. Erst die unmit-
telbare Ansicht, die Gegenüberstellung, kann einen zutreffenden
Eindruck vermitteln. Die Gottheit müßte uns also leibhaftig
begegnet sein, wollten wir eine richtige Anschauung von ihrer
Wirklichkeit bekommen. Als Menschen erkennen wir sie höchstens »stückweise«, meint der Apostel Paulus. Erst in der unmittelbaren Gegenwart Gottes kann Gotteserkenntnis vollkommen werden (1 Kor 13,12). Die jüdisch-christlichen Traditionen und viele
andere Religionen und Philosophien wissen um die letzte Unbe-
greifbarkeit Gottes. Nicht selten haben Theologen darüber nachgedacht, ob es unter diesen Umständen nicht überhaupt verboten
sein müsse, von Gott zu reden. Alles, was Menschen über ihn aussagen können, müsse notwendig falsch sein. Sollten Menschen,
sollten Christen dann lieber nicht ganz darauf verzichten, Gott
einen Namen zu geben oder irgendwelche Eigenschaften beizule-
gen? Sind nicht ehrfürchtiges Schweigen und stumme Anbetung
die einzig mögliche Haltung gegenüber der unnennbaren Gottheit?

Die Menschen, die die biblische Tradition begründet haben und
darin aufgewachsen sind, haben sich jedoch immer wieder über
alle Bedenken hinweggesetzt, Gott auch »in den Mund zu nehmen«. Selbst die Juden, denen der Eigenname Jahwe seit dem 3. Jh.
v. Chr. sakrosankt und darum unaussprechlich wurde, ersetzten

ihn durch andere Begriffe wie »Herr«, »Einwohnung«, »Höchster«.
Sie konnten es nicht lassen, der Gotteserfahrung auch verbalen
Ausdruck zu geben. Der Glaube, der in dieser Tradition steht, wird
immer wieder angestoßen von dem Wunderbaren, Übermächtigen,
das sich in den alltäglichen Lebensverhältnissen zeigt. Geschichte
und Natur weisen im normalen und außergewöhnlichen Ablauf
Ereignisse auf, die unmittelbar die Transzendenz der Gottheit
signalisieren. So wie die Sonne hinter Wolken- und Nebelschich-
ten erfahrbar bleibt, so gibt das Alltagsleben hier und da den Blick
auf das Göttliche frei. Darum müsse man – so die jüdisch-
christliche Theologie – von Gott reden trotz der Unvollkommenheit unserer Sprache und Vorstellungen.

Ob diese Argumentation heute überzeugen kann, sei dahingestellt. Fest steht, daß der Mensch nach der biblisch begründeten
Anschauung vom Wesen und Sein der Gottheit eigentlich seine
Möglichkeiten übersteigt, wenn er von Gott redet. Oder anders
ausgedrückt: Jede Gottesrede bringt begrenzte und unvollkom-
mene, darum irreführende Vorstellungsgehalte in das Gottesverständnis hinein. Der Mensch redet von Gott und setzt dabei
bewußt oder unbewußt ständig seine eigenen Verhältnisse und
Möglichkeiten voraus. Der Mensch redet von Gott nach seinem
eigenen menschlichen Bilde. Das gilt auch für die Auffassung,
Gott sei eine männliche Gestalt. Nicht als ob Juden und Christen
eine besondere Anstrengung unternommen hätten, Gott »er« zu
nennen. Die maskuline Bezeichnung hat sich, wie es scheint, auf
leisen Sohlen ganz »natürlich« eingestellt. Gott wurde zum Mann,
weil in der altisraelitischen Gesellschaft einschließlich der Kultge-
meinde die öffentlichen, dominanten Funktionen ausschließlich
von Männern ausgeübt wurden. Religion und Priestertum waren
den Männern vorbehalten, und die herrschenden Männereliten
stellten sich Gott fraglos, unangefochten, selbstverständlich nach
dem eigenen Bilde vor. Fast möchte man sagen: So ist es immer in
der Theologie. Es kann nicht anders sein. Wo immer Menschen
Aussagen über Gott machen, fließt die eigene Position mit in das
Gottesbild ein. Alter, Geschlecht, Beruf, soziale Stellung, die ganze
Lebenserfahrung des Theologen und der Theologin färben das
Gottesbild, auch wenn die Transzendenz, die Überweltlichkeit
und Unbedingtheit der Gottheit ständig beteuert wird.

Die Geschichte und die Folgen der maskulinen Gottesvorstellung müssen weitgehend noch erforscht werden, ebenso die vereinzelten Versuche von Frauen und Männern innerhalb der
jüdisch-christlichen Tradition, sexistische Vorstellungen zu überwinden und die Erfahrungen von Frauen, Kindern und sozial

Schwachen mit in die Theologie einzubeziehen. Jedenfalls beweisen Gemäldegalerien, Literaturwerke und die Bibelauslegungen der Jahrhunderte, daß das männliche Gottesbild als Spiegelung der gesellschaftlichen patriarchalen Zustände tief in das Bewußtsein von Juden, Christen und auch Moslems eingegraben ist. Zwar hat es innerhalb der patriarchalen Strukturen des Abendlandes sicherlich auch tolerante, umfassende, die Frau anerkennende Religionsausübung gegeben (vgl. einzelne, anerkannte Theologinnen; die Quäker). Insgesamt aber waren die Folgen eines maskulinen Gottesverständnisses verheerend. Nur zu oft projizierten Theologen ihre Erfahrung der Gegenpoligkeit der Geschlechter unreflektiert in das Gottesbild hinein. So wurde die Frau oft zur Gegenspielerin Gottes und damit zur Verführerin, Ketzerin und zum Menschen minderen Ranges. Ja, es wurde gelegentlich auch in Theologenkreisen laut darüber nachgedacht, ob Frauen (und Sklaven, Ungläubige, Abartige) überhaupt vollständige, gottebenbildliche Menschen seien (vgl. I. Raming).

Aus der heutigen Perspektive, d. h. auf Grund der jetzigen gesellschaftlichen und kirchlichen Situation, muß ein Bündel von Fragen auftauchen. Ist Gott wirklich nur in männlicher Gestalt vorstellbar? Wo sind die weiblichen Gottesvorstellungen geblieben, die sich in Israels Umwelt zu Göttinnengestalten verdichtet haben? Wie ist es möglich, daß in der biblischen Tradition das Problem des Geschlechts der Gottheit Jahrtausende fast unerkannt und unreflektiert blieb? Warum kommt gerade heute die offene Kritik am männlichen Gottesbild zu Wort?

Tatsächlich wird das christliche Gottesbild in der Nachkriegszeit von mehreren Seiten angegriffen. Das ist ein Zeichen für die allgemeine Umbruchsituation, in der sich die Menschheit aus verschiedenen Gründen befindet. In den Entwicklungsländern ist eine unabhängige Theologie entstanden, die – für europäische Christen überraschend und schmerzlich – den engen Zusammenhang zwischen wirtschaftlich-politischem Hegemoniestreben und weißem europäisch-amerikanischem Theologiemonopol herausgestellt hat. Die ökologischen und Friedensbewegungen haben herausgefunden, daß die rücksichtslose Ausbeutung der Natur und das militärische Vormachtdenken im Kern durch religiöse Vorstellungen, etwa durch den Herrschaftsauftrag eines exklusiven und für die eigene Gruppe mit Beschlag belegten Gottes, gestützt und motiviert werden. Rassische Minderheiten haben den weißen Gott für die Diskriminierung und Ausbeutung ganzer Bevölkerungsschichten verantwortlich gemacht. Und feministische Denkerinnen und Denker werden nicht müde, die enge Verquickung des noch gültigen patriarchalen Systems mit dem theologischen Überbau eines männlichen, einzigen, allmächtigen Gottvaters anzuprangern. Alle diese Anfragen an die herkömmliche Theologie müssen wir mit bedenken, wenn wir uns dem Problem der sexistischen Verfremdung Gottes stellen wollen.

Besonders die feministische Gotteskritik ist relativ jung und erst in unserer Zeit klar und in breiter Front zum Ausbruch gekommen. Bis vor 30 Jahren gab es noch kaum Anfragen aus dieser Richtung. Und wenn es sie gab, etwa in Randgruppen wie gnostischen »Sekten« oder den mittelalterlichen Beginensiedlungen, wurden sie in der Kirche einfach nicht gehört. Ob wir bei Karl Barth oder Paul Tillich, bei Dietrich Bonhoeffer oder Edmund Schlink oder bei einem anderen Theologen der 30er bis 60er Jahre nachlesen, Gott ist immer ein Wesen, dem das männliche grammatische Geschlecht fraglos zusteht und der nicht weiblich gedacht werden kann. Die traditionelle Theologie hat – wie die biblischen Autoren vor ihr – dieses Faktum nie besonders betont. Sie hat die Einstufung Gottes in die männliche Seinsweise einfach hingenommen, weil sie seit Jahrhunderten üblich war. Sie hat sie immer neu vollzogen, obwohl gleichzeitig die Transsexualität Gottes behauptet wurde. Die Zahl derer, die darin eine Nebensächlichkeit sehen, weil ja das zufällig vorrangige grammatische Geschlecht als Teil für das Ganze sicherlich auch den weiblichen Menschen mit umschließe, vermindert sich aber schnell. Das unbedachte Mannsein Gottes, das dann noch in eine unanschauliche Überlegenheit über alles Sexuelle umgedeutet werden soll, ist nicht Zufall, sondern symptomatisch für die religiösen Strukturen, die von Anfang an die jüdisch-christliche Tradition bestimmt haben.

Wie ist das »Geschlecht« Gottes dann aber überhaupt zum Problem geworden? Die Antwort muß ohne Zweifel lauten: Erst die Frauenbewegung hat das maskuline Gottesbild ernsthaft und umfassend in Frage gestellt. Wo die Wurzeln dieser Frauenbewegung liegen, braucht uns jetzt nicht ausführlich zu beschäftigen. Es genügt, darauf hinzuweisen, daß französische Revolution, amerikanische Unabhängigkeit, beginnende Industrialisierung gegen Ende des 18. Jh.s einen Umbruch des ganzen Lebens signalisieren. Neue Denk- und Produktionsweisen berühren die Existenz der Familie und verursachen eine Umgestaltung aller sozialen Strukturen und mitmenschlichen Beziehungen. Jahrtausendealte Rollenverständnisse, ständische Ordnungen, Rechtsgrundsätze und Verhaltensnormen beginnen sich zu verändern. Frauen kämpfen seit Mitte des 19. Jh.s auch in organisierter Form für Gleichberechtigung und Mitsprache in Wirtschaft und Politik. Luise Otto Peters und Helene Lange leiteten nacheinander den Allgemeinen Deutschen Frauenverein, der die Frauen zur Teilnahme am Geschick des Staates führen sollte. Und 1879 gibt August Bebel eine Programmschrift unter dem Titel »Die Frau und der Sozialismus« heraus. Darin heißt es: »Es handelt sich also nicht nur darum, die Gleichberechtigung der Frau mit dem Manne auf dem Boden der bestehenden Staats- und Gesellschaftsordnung zu verwirklichen, was das Ziel der bürgerlichen Frauenbewegung ist, sondern darüber hinaus alle Schranken zu beseitigen, die den Menschen vom Menschen, also auch das eine Geschlecht von dem anderen, abhängig machen. *Diese* Lösung der Frauenfrage fällt mit der Lösung der sozialen Frage zusammen.« Und wenig später: »*Es gibt keine Befreiung der Menschheit ohne die soziale Unabhängigkeit und Gleichstellung der Geschlechter.*« (A. Bebel, 5)

Es gibt also seit mehr als hundert Jahren eine bürgerliche und eine sozialistische Frauenbewegung, eine entsprechende kirchliche Strömung fehlt dagegen oder ist nur ein winziges Rinnsal (vgl. E. Moltmann-Wendel, Frauenbefreiung, 48 ff). Bis heute sind Kirche und Theologie fest in der Hand der Männer, auch wenn hier und da einzelne Frauen sich immer schon Gehör verschafft und auf die theologische Begriffsbildung Einfluß zu nehmen versucht haben. Die großen Impulse für die Frauenemanzipation sind aus verschiedenen politischen und gesellschaftlichen Strömungen außerhalb der Kirche gekommen. Sie haben erst mit einer Verzögerung von mehr als hundert Jahren auf die Kirche übergegriffen und zurückgewirkt und damit die Gottesfrage in unserer Zeit neu aufgeworfen. Bis in die 60er Jahre war es in Kirche und Theologie noch sehr still im Blick auf die Gleichstellung der Frau und das patriarchale Gottesbild. Sogar in den USA war im kirchlichen Raum noch wenig von Frauenfragen die Rede. Der Kampf um die Bürgerrechte der schwarzen Bevölkerung nahm alle Kräfte in Anspruch. Dann aber regten sich im Gefolge des 2. Vatikanischen Konzils, des Kampfes um die Rassenintegration, der steigenden Erkenntnis einer wirtschaftlichen Nord-Süd-Abhängigkeit und der damit gegebenen Ausbeutung die Frauen und die Theologinnen. Betty Friedan entmythologisierte in »The Feminine Mystique« (1963) die männliche Idealisierung des Weiblichen als Kehrseite von Menschenverachtung und als Herrschaftsinstrument. Das in den 50er Jahren »neue Image der Frau als Hausmütterchen war weitgehend eine Kreation von Schriftstellern und Publizisten«. Die Männer waren aus dem Krieg heimgekehrt, wo sie »vom trauten Heim und einem gemütlichen häuslichen Leben geträumt hatten« (a.a.O. 47 f). Nun drängten sie die Frau in Küche und Kinderzimmer zurück, schwärmten von Fraulichkeit und Sex und nahmen die öffentlichen Aufgaben rigoros in die eigenen Hände.

Mary Daly nahm dann in ihrem Buch »The Church and the Second Sex« im Jahre 1968 die kirchliche Diskriminierung der Frauen aufs Korn. Mit ihrer zweiten Schrift »Beyond God the Father«, deutsch: Jenseits von Gott, Vater und Co., ließ sie eine radikale Absage an die jüdisch-christliche Theologie folgen (1973). Dieses Buch wurde ein Meilenstein in der Entwicklung der feministischen Theologie. Es lehnt von Grund auf die biblische Vater-Gott-Vorstellung als Ausgeburt patriarchaler Überheblichkeit und Machtgelüste ab. Mary Daly hat damit die religiösen Wurzeln des männlichen Vorherrschaftsstrebens schonungslos aufgedeckt. Sie will mit der christlich-jüdischen Religion nichts mehr zu tun haben, weil nach ihrer Meinung der biblische Gottesglaube im tiefsten Kern ein exklusiver Männerglaube ist, zu dem Frauen keinen Zugang haben können. Darum, so sagt sie, solle man auch nicht mehr versuchen, die biblischen Vorstellungen zu reformieren. Sie sind nicht heilbar, es gibt keine Chance, sie zu vermenschlichen und Frauen eine Teilhabe an der männlichen Religion zu verschaffen. Der biblische Vater-Gott muß »kastriert« und durch ein neu zu entdeckendes dynamisches, integrierendes Gottesverständnis ersetzt werden. Wie vorher schon Malcolm X sich im Namen der Schwarzen Amerikas von dem unverbesserlich weißen Gott der Unterdrückung losgesagt hatte, so sagt sich Mary Daly von dem im Kern sexistischen Gott der Bibel und der ganzen jüdisch-christlichen Tradition los.

Damit ist unser Thema in aller Schärfe gestellt. Offizielle kirchliche Verlautbarungen der Nachkriegszeit, wie z. B. die Studie des Weltkirchenrates über »Sexism in the 1970« (Genf 1975) oder die von der EKD-Kirchenkanzlei in Auftrag gegebene Untersuchung über »Die Frau in Familie, Kirche und Gesellschaft« (Gütersloh 1979) weichen schon in der Themenstellung der eigentlichen theologischen Frage nach dem Gottesbild aus. In der Diskussion der theologischen Systematiker der Gegenwart scheint die feministische Gotteskritik (noch?) nicht übermäßig ernst genommen zu werden. Vielleicht wird sie nicht einmal wahrgenommen. Liegt das daran, daß die Theologen immer noch nach dem alten Grundsatz verfahren: Die Frau schweige in der Gemeinde? Daß man in der Kirche immer noch Frauen für unfähig hält, an theologischen Lehraussagen mitzuwirken? Es könnte ja durchaus sein, daß Frauenmehrheiten ernst machen mit ihrer Absage an einen männlichen Gott. Dann aber stünde auch die Einheit, ja die Existenz der Kirche auf dem Spiel. Die brennende Frage lautet nämlich in der

Tat, ob unsere biblische Tradition ein exklusiv maskulines Gottes-bild, herausgewachsen aus einer hoffnungslos patriarchalen Gesellschaft, anbietet und notwendig voraussetzt. Oder: Hat es vor und neben dem israelitischen Jahwe und dem griechischen Kyrios Muttergottheiten gegeben, die dann zum Teil in die patriarchalen Gottesbilder eingeschmolzen worden wären? Müssen wir heute im Zuge der Frauenbefreiung und einer immer bewußter vorangetriebenen weiblichen Suche nach gültigen theologischen Erkenntnissen die Muttergottheit über oder neben dem christlichen Vatergott aus der Tradition zurückgewinnen?

Das theologische Anliegen, das sich in diesen feministischen Anfragen ausspricht, ist voll berechtigt. Ob es in dem Kampfruf »Zurück zur Göttin« oder »Bahn frei für weibliche Spiritualität« eine echte, zeitgemäße Antwort findet, muß sich noch erweisen. Meines Erachtens geht es darum, ob weibliche Erfahrung, weibliches Menschsein in der Gottesvorstellung, im theologischen Reden und damit auch in der kirchlichen Wirklichkeit gebührend Platz findet. Die Frauenemanzipation unserer Zeit muß auch in der Ausgestaltung theologischer Symbole und Zentralbegriffe zum Ausdruck kommen. So wie Bürgerinnen und Bürger eines Staates mit Recht beanspruchen, im Verfassungswerk ihres Landes berücksichtigt zu werden, so müssen auch bei der Formulierung einer kirchlichen Lehre die gesammelten Erfahrungen aller Gläubigen Aufnahme finden. Das Gottesbild entsteht ja als Antwort der Gemeinde, des Volkes Gottes, auf die Ansprache des unbedingten, unbenennbaren, absoluten Gottes. Die Antwort spiegelt aber die konkreten Lebensbedingungen der Antwortenden. Und weil Frauen nicht mehr von der gesellschaftlichen und kirchlichen Verantwortung ausgeschlossen sein dürfen, muß die theologische Antwort auch weibliche Erfahrung mit einschließen. Das Gottesbild ist immer im Wandel und im Werden begriffen. Welche Vorstellung von Gott ist heute wahr, ehrlich, gerecht, lebens- und gemeinschaftsfördernd?

Woher das Gottesbild?

Wie können und wollen wir zu einer Antwort auf diese theologischen Anfragen und Kritiken kommen? Wer gegenwärtige Theologie verstehen will, muß notwendig nach ihren Ursprüngen fragen. Wer theologische Fehlentwicklungen korrigieren will, muß die Krankheitsgeschichte erheben und eine Diagnose stellen. Die Fachleute sind sich darüber einig, daß die entscheidenden Weichenstellungen für unser heutiges theologisches Verständnis im 1. Jahrtausend v. Chr. geschehen sind. Das biblische Volk Israel hat dabei für unseren Kulturkreis den entscheidenden Einfluß ausgeübt. Wir müssen also vor allem die biblischen Zeugnisse, wie sie uns im hebräischen Kanon vorliegen, befragen. Schließlich geht es entscheidend um das Problem, welches Gottesverständnis damals angelegt worden ist und unter welchen Bedingungen es sich bis heute hat durchhalten können.

Die erste und wichtigste Quelle für unsere Ursachenforschung ist also die Bibel. Wir wählen einige wenige, für unser Thema bedeutsame Texte des hebräischen Kanons aus und prüfen sie. Wie haben sich die damaligen Anschauungen über Sexualität und die Beziehung der Geschlechter in theologischen Aussagen niedergeschlagen? Seit wann ist eine Konzentration auf ein einseitig und ausschließlich männliches Gottesbild festzustellen? Es ist sehr gut möglich, daß sich die altisraelitischen Autoren der von uns aufgeworfenen Fragestellungen überhaupt nicht bewußt waren. Außerdem sind Texte ja wie Spuren im Schnee. Sie sagen nicht alles. Mehr noch, Texte verschweigen und verschleiern unliebsame Tatbestände und Entwicklungen. Und Aussagen über das Geschlecht Gottes gehörten sicherlich immer schon zu den heikelsten theologischen Themen. Die ureigensten Interessen von Geschlechts- und Berufsgruppen waren davon berührt. Wir können darum nicht einfach die kanonischen Texte für normativ erklären und eventuell widersprüchliche Zeugnisse, die von den biblischen Autoren denunziert werden, als häretisch ignorieren. So leicht und uniform ist die Bibel nicht zu interpretieren. Die kanonischen Texte sind ja auch selbst unter sich nicht spannungsfrei. Vielmehr sind sie jeweils vor dem konkreten Hintergrund der Entstehungs- und Überlieferungszeit zu sehen und im Wechselspiel mit den damals herrschenden Anschauungen, Interessen und gesellschaftlichen Strukturen zu interpretieren.

Bei der kritischen Lektüre der biblischen Texte leisten nun außerbiblische Zeugnisse eine wichtige Hilfestellung. Dazu gehören in erster Linie Inschriften und Artefakte, die durch archäologische Ausgrabungen im Gebiet Israels oder seiner Nachbarn ans Licht gekommen sind. Diese Dokumente haben die Jahrtausende unberührt überdauert und sind gewöhnlich im Gegensatz zu den biblischen Zeugnissen nicht durch nachfolgende Generationen uminterpretiert und angepaßt worden. Sie gestatten uns also einen direkten Einblick in die religiösen Verhältnisse der Entstehungszeit. In zweiter Linie ist für Alttestamentlerinnen und Alttestamentler der vergleichende Rundblick auf die Götterwelten der Israel umgebenden Völker außerordentlich wichtig. Ist es nicht seltsam und für unser Thema vielleicht entscheidend, daß alle Nachbarkulturen Israels eine geschlechtliche Differenzierung der Gottheiten als vollkommen natürlich und theologisch notwendig ansahen, während allein in Israel, zumindest in der Spätphase, Jahwe als der einsame, alleinige Himmelsgott über sein ihm angetrautes oder durch Bundesschluß verpflichtetes Volk herrschte? Die biblischen Zeugen wissen sehr genau um die Verzahnung des israelitischen Gottesglaubens mit dem Götterglauben der Umwelt. Also dürfen auch wir unsere Kenntnis der altorientalischen Kulturen als Interpretationshilfe benutzen, insbesondere dann, wenn es darum geht, den Alleinherrschaftsanspruch Jahwes zu verstehen.

Es geht aber bei unserem Thema nicht an, unsere ganze Energie ausschließlich auf die Analyse von antiken Texten und Ausgrabungsergebnissen zu richten. Ebenso wichtig oder wichtiger ist es, untereinander im Gespräch zu bleiben und die Anfragen aus unserer Zeit, besonders von den durch patriarchale Gottesbilder und Kirchenpraktiken betroffenen Frauen, zur Kenntnis zu nehmen, zu diskutieren und so unseren eigenen Standort ständig zu überprüfen. Allein so kann ein echter Lernprozeß stattfinden. Das objektivierende Studium alter Quellen ohne den Rückbezug auf unsere eigene Situation würde nur zu einer Ansammlung musealer Kenntnisse führen. Wir haben die Wirklichkeit von heute kritisch mit in unsere Interpretationen und Reflexionen aufzunehmen. Folglich geht es um weit mehr noch als die Beachtung theologischer Traktate über den sachgemäßen Gottesbegriff in unserer Zeit. Es geht um die Stellung der Frau und des Mannes heute, um die Auswirkungen patriarchaler Glaubensvorstellungen im gesellschaftlichen und kirchlichen Leben. Es geht um den intimen Zusammenhang von ungerechter Gesellschaftsordnung und falschem Gottesverständnis. Es geht um die Befreiung aller, die unter patriarchalen Herrschaftsansprüchen zu leiden haben.

Das Gottesbild, das wir gemeinsam suchen, hängt auch mit dem Standort des oder der einzelnen Suchenden zusammen. Deshalb ist es recht und billig, daß der Autor einer Studie seinen spezifischen Ausgangspunkt definiert.

Als Bibelexeget und Theologe folge ich der historisch-kritischen, der formgeschichtlichen und der sozialgeschichtlichen Arbeitsweise. Ich will diese Begriffe nicht in aller Ausführlichkeit erklären. Es genüge der Hinweis, daß die historische Distanzierung und Analyse von Geschichtsdokumenten zu unserem kulturellen Wesen gehört und nicht leicht durch eine wie immer geartete Unmittelbarkeit zum Text oder zum biblischen Ereignis abgelöst werden kann. Wir sind gewohnt, die Dinge objektivierend zu betrachten, und diese Sichtweise hat gewisse Vorzüge, wenn man sich bewußt bleibt, daß in aller erstrebten Objektivität ein guter Rest Subjektivität erhalten bleibt. Auch als ein wissenschaftlich engagierter Mensch bleibe ich meinen Ursprüngen und Verflechtungen verhaftet. Die beiden anderen methodischen Ortsbeschreibungen, Formgeschichte und Sozialgeschichte, fließen für mich ineinander. Formgeschichte bedeutet, daß jedes antike Textzeugnis ein Sprachmuster aufweist, welches die Lebenssituation verrät oder doch verraten kann. Dieser Sitz im Leben eines Textes ist aber in jedem Fall ein gesellschaftlich geprägter Haftpunkt, und ohne einen solchen sozialen Haftpunkt ist ein Text weder verständlich noch interpretierbar. Also frage ich gern über die Form und Gattung eines Textes zurück nach seinem gesellschaftlichen Ort und versuche von dort aus, im Sinne der Sozialwissenschaften jede sprachliche Aussage in ihrem gesellschaftlichen Kontext zu begreifen.

Als Bürger und Mensch lebe ich auf der wirtschaftlich und politisch ungeheuer privilegierten Nordhalbkugel dieser Erde. Ich bin nicht in Favelas oder Slums großgeworden, sondern in einer Industriegesellschaft, die trotz eines verlorenen Krieges an den Gewinnen eines raffinierten, globalen Herrschaftssystems teilhat. Der europäische Wohlstand wird von der Mehrheit der unterbezahlten, hungernden, analphabetischen Weltbevölkerung produziert oder finanziert. Die Folgen für die gängigen Gottesvorstellungen und wahrscheinlich auch für meine eigenen Gottesideen sind unschwer auszumalen und in der kirchlichen gesellschaftlichen Wirklichkeit unserer Tage deutlich zu erkennen. Der herrschende, richtende und die Feinde vernichtende Gott, der gelegentlich in Supermanoder Rambomanier auftritt, hat in unserer Zeit und in unserer Gesellschaft einen hohen Beliebtheitsgrad.

Als Mann, dem patriarchale Einstellungen vor allem durch die eigene Mutter mitgegeben wurden, bin ich in der traditionellen Hierarchie der Geschlechter großgeworden. Die Gefangenschaft in ererbten und tief eingeschliffenen Rollen ist sehr stark und vielleicht nie völlig abzuschütteln. Doch haben Erfahrungen in anderen Ländern, in der eigenen Ehe und im Gemeindepfarramt mir einige selbstkritische Einsicht vermittelt. Und wenn ich von Natur aus nicht in der Lage bin, die Erfahrungen der Frau in die theologische Diskussion einzubringen, so kann ich doch versuchen, das männliche Imponiergehabe, das hinter vielen theologischen Äußerungen steckt, zu enttarnen. Überdies scheint mir in der gegenwärtigen theologischen Diskussion um die feministischen Anfragen an das Gottesbild der kritische, offene Beitrag von Männern noch gefährlich unterrepräsentiert zu sein. Der theologischen Wahrheit kommen wir aber nur durch ein offenes Gespräch aller Betroffenen näher.

1. Jahwe, der Vater

Israels Geschichte hat irgendwann im 13./12. Jh. v. Chr. mit der Einwanderung nach Kanaan angefangen. Sie war in ihrer politischen Form 600 Jahre später zu Ende. Wir versuchen, von diesem Endpunkt aus, der gleichzeitig eine theologische Markierung darstellt, die Entwicklung des israelitischen Gottesglaubens nach rückwärts in die Geschichte hinein zu verstehen. Dabei unterscheiden wir die folgenden Hauptperioden israelitischer Geschichte: die exilisch-nachexilische Zeit (587–200 v. Chr.), die Königszeit (1000–587 v. Chr.) und die Stammeszeit (1300–1000 v. Chr.).

Fast alle Experten sind sich darüber einig, daß erst nach dem Verlust der staatlichen Eigenständigkeit, also mit der Unterjochung des Volkes Jahwes unter die Großmächte Babylonien und Persien, die alttestamentliche Theologie in ihre Hochzeit und formative Phase eintrat. Die Rückbesinnung auf die Vergangenheit, die Sammlung der religiösen Traditionen auch in schriftlicher Form, die Ausrichtung auf die geistliche Hauptstadt Jerusalem, der Gottesdienst der Daheimgebliebenen und der Versprengten, die einheitlichen Feste, Sitten und Gebräuche schufen jenes Phänomen, das wir am besten mit Theokratie, d. h. Gottesherrschaft, und das ist die spezifisch »kirchliche« Organisationsform Israels, bezeichnen können. Die Religionsgemeinschaft des Volkes Jahwes hatte die Katastrophe überdauert und schuf sich in jenen kritischen Jahrzehnten nach 587 v. Chr. eine gemeinsame Glaubensgrundlage, ein gemeinsames Gottesbild und zahlreiche religiöse Kommunikationsweisen. Sie ermöglichten das Überleben des Volkes auch unter fremder Herrschaft und in der Zerstreuung über die ganze damals bekannte Welt.

Weniger einig sind sich die Forscherinnen und Forscher in der Frage, ob die ausschließliche Verehrung des einzigen männlichen Gottes Jahwe auch ein Ergebnis des 6. Jh.s gewesen ist. Manche möchten die Wurzeln des Ausschließlichkeitsanspruches Jahwes in den allerersten Anfängen der Geschichte Israels sehen, wenn nicht schon vorher in der Patriarchenzeit. Das feste Anfangsdatum sei mindestens die Gottesoffenbarung an Mose auf dem Berg Sinai gewesen (2 Mose 3 und 6). Die Religionsgeschichte Israels seit etwa 1300 v. Chr. müßte dann so verlaufen sein, wie es mehrere biblische Geschichtsentwürfe darlegen. Israel hätte danach (vgl. z. B. 5 Mose 1–3; 2 Kön 17; Ps 106) den allein wahren und einzigen Gott Jahwe immer wieder verlassen, bei der Wüstenwanderung, in der Richterzeit, während der Monarchie, um erst ganz am Ende der selbständigen Geschichte, nämlich zur Zeit Josias, das Programm »ein Gott, ein Tempel, ein Gesetzbuch« wieder zu entdecken. Das sei dann allerdings, so besonders im deuteronomistischen Geschichtswerk aus dem 6. Jh. v. Chr., ein hoffnungslos später Termin gewesen (2 Kön 22–23), und das lange angekündigte Strafgericht Jahwes habe hereinbrechen müssen. Israel habe nur eben noch den Eingottglauben durch die Katastrophe hindurchretten und nach dem Untergang neu festigen können.

Dieses Geschichtsbild erscheint mir nur unter der Voraussetzung stimmig, daß man es als wertende Verarbeitung der Vergangenheit, d. h. als systematisierende Rückprojektion, erkennt. Natürlich sind alle Geschichtsbilder in diesem Sinne Rückprojektionen und Bewältigung von Vergangenheit. Dennoch müssen wir immer wieder versuchen, Geschichtsepochen aus ihren eigenen Voraussetzungen zu begreifen und einen Schritt für Schritt sich entfaltenden Geschichtsablauf nachzuzeichnen. Wenn wir das im Falle der Geschichte Israels tun, kommen wir aufgrund von verschiedenen Quellen (z. B. die ältesten Schichten der Geschichtsbücher und Prophetenschriften) zu der Erkenntnis, daß Israel vor dem Exil unterschiedliche Stadien von Polytheismus, Vielgötterei, und Henolatrie, die bevorzugte Verehrung einer Gottheit, durchlaufen hat, bevor es schließlich zum patriarchalen Monotheismus des normativen Exilsjahrhunderts kam. Freilich müssen wir das mit der nötigen Vorsicht sagen. Wir wissen, daß auch diese angeblich so objektive Geschichtsschau wiederum Elemente unserer heutigen Systematisierung und Rückprojektion enthält und zweitens, daß die verschiedenen erkennbaren Stadien des Weges zum Eingottglauben des 6. Jh.s nicht zielstrebig aufeinander folgten, sondern nach dem unergründlichen Gang der Geschichte in höchst widersprüchlicher und spannungsvoller Weise sich nacheinander, mit- und ineinander entwickelten. Die Diskussion um diese neue Sicht der israelitischen Religionsgeschichte ist erst vor einigen Jahren in Gang gekommen. Drei von den katholischen Alttestamentlern O. Keel, B. Lang und E. Haag herausgegebene

Sammelbände sind bislang das greifbarste Resultat dieser Diskussion. Soviel man auch im einzelnen gegen die Darstellungen der in diesen Bänden zu Worte kommenden Wissenschaftler einwenden kann, eine Grundthese erscheint mir richtig: Die ausschließliche Verehrung des einen und einzigen Gottes Jahwe ist in dieser Form erst im Exilsjahrhundert als Antwort auf die besonderen Probleme und Erfahrungen Israels entstanden. Der patriarchale Monotheismus ist eine eigenartige Schöpfung eben dieses Jahrhunderts und mit den vorlaufenden Erscheinungsformen der vorzugsweisen Verehrung eines Nationalgottes nicht zu vergleichen. Die Exilstheologen haben zwar Elemente früherer Tradition aufgenommen, wie sollten sie das nicht tun, aber aus diesen vorgegebenen Elementen entstand erst ein radikaler Eingottglaube, der vorher so nicht existiert hatte.

Wenn das richtig ist, dann können wir das Exil als einen tiefen Einschnitt im Glauben unserer geistlichen Voreltern ansehen. Wir können diese späte Phase israelitischer Theologie, die Ende einer Epoche und Anfang einer neuen ist, gesondert betrachten und unsere Fragen an die auf uns gekommenen Zeugnisse dieser Periode richten. Warum ist Jahwe damals zu dem dominant patriarchalen Gott geworden? Sind andere, vor allem weibliche Gottheiten, verdrängt oder in den Untergrund abgeschoben worden?

Aus der Fülle des zeitgenössischen biblischen Materials greifen wir zunächst einen Abschnitt heraus, der eine klare Antwort zu geben scheint. Dann hinterfragen wir diesen Text ein wenig im Blick auf seinen Kontext und das Alte Testament.

Jes 63,7 – 64,11 ist eine Volksklageliturgie. Sie stammt aus Bittgottesdiensten der exilischen Gemeinde und will Jahwe nach der Zerstörung des Tempels und nach dem Triumph der Feinde zur Aufgabe seines Zornes, zur Rückkehr nach Israel, zu Hilfe und Gnade für sein Volk bewegen. Die hymnischen, klagenden und bittenden Elemente dieser Liturgie gipfeln in der dreimaligen beschwörenden Anrede »Du bist unser Vater«. Die Hervorkehrung der Vaterschaft Jahwes steht überall im Kontext der stürmischen Bitte: Kümmere dich um uns, so in Jes 63,15–16:

>»So schau nun vom Himmel und sieh herab von deiner heiligen, herrlichen Wohnung. Wo ist nun dein Eifer und deine Macht? Dein Mitleid und dein Erbarmen verschließen sich gegen mich. Aber du bist unser Vater! Ja, Abraham kennt uns nicht und Israel kümmert sich nicht um uns. Du, Jahwe, bist unser Vater. Von altersher heißt du unser Erlöser.«

Und am Schluß der Liturgie wird ein neuer Bittanlauf eingeleitet mit dem gesteigerten Ausdruck »Nun, Jahwe, du bist doch unser Vater« (Jes 64,7). Die Anrede, der Aufschrei der Gemeinde »Unser Vater«, hat im vorliegenden Klagegebet anscheinend programmatische Bedeutung. Jahwe wird bei seiner Verwandtschaftspflicht festgehalten. Die menschlichen Ahnen, nämlich Abraham und Jakob, können nicht mehr helfen, aber Jahwe, der göttliche Ahnherr, hat die Kraft und kann in der Geschichte Israels entsprechende Befreiungstaten vorweisen, so daß von ihm auch jetzt Befreiung und Segen erwartet, ja gefordert werden muß. Denn als Vater, als nächster und wichtigster Anverwandter, ist er zum Loskauf der in Schuldabhängigkeit gefallenen Söhne verpflichtet. Moralische und rechtliche Bindungen zwingen den Vater, auch den göttlichen Vater, einzugreifen. Was läßt sich aus der Verwendung des Vaternamens in unserem Text für unser Thema erkennen?

Jahwe wird bei seinem Vatersein für Israel behaftet, und das geschieht relativ selten im Alten Testament (vgl. Hos 11,1–3; Jes 1,2; 45,9–11; Jer 3,19, 31,9). Die betende Gemeinde will anscheinend seine überlegene Macht aktivieren. Warum geschieht das nicht in den gängigen Vorstellungen des kriegerischen Königs? Der Königstitel Jahwes wird doch auch nach dem Zusammenbruch von 587 v. Chr. in den Gemeinden noch frei verwendet, so in den Jahwe-Königshymnen, Ps 47, 93, 96–99 und in Jes 41,21; 43,15; 44,6. In Jes 56–66 dagegen, dem dritten Teil des Jesaja-Buches (Tritojesaja) wird Jahwe nicht mit diesem vertrauten Titel belegt. Das Wort König bleibt für die Fremdherrschaft reserviert (Jes 60,10 f; 62,2). Und Jahwe erhält nur Beinamen wie der »Heilige«, »Starke«, »Herrscher«. Die Sache, um die es geht, die herrschaftliche Machtentfaltung zugunsten seines Volkes Israel, ist aber im Buche Tritojesaja ganz gegenwärtig. Es mißfällt Jahwe, daß seinem Volk kein Recht geschieht, und er verspricht, diesem seinem Volk mit Macht zu helfen (Jes 59,16–20). Und in Jes 63,1–6 ist der Krieger Jahwe in voller Aktion »ich habe sie (die Edomiter) gekeltert in meinem Zorn und zertreten in meinem Grimm, da ist ihr Blut auf meine Kleider gespritzt und ich habe mein ganzes Gewand besudelt«. Daß dieser kriegerische Gott in unserem Text mit dem familiären Namen »Vater« angerufen wird, hat sicherlich mit der Struktur der betenden Gemeinde zu tun, die keinen König mehr kennt und für die der Familienvorstand die wichtigste und alltäglichste Autorität ist.

Die Vatervorstellung, übertragen und angewendet auf Jahwe, nimmt gerade bei Tritojesaja den Gedanken der biologischen Mutterschaft in sich auf. Im letzten Kapitel des Jesajabuches findet sich der heute viel zitierte Satz: »Ich will euch trösten, wie einen seine Mutter tröstet« (Jes 66,13). Die nach unserem Verständnis unnatürliche und unbiologische Redeweise von Gott als dem, der zeugt und gebiert, läßt sich auch aus zwei anderen Stellen des Alten Testaments erschließen, nämlich 4 Mose 11,12 und Hos 11,3. Es handelt sich dabei um eine im alten Orient sehr verbreitete religiöse Anschauung. Die Gottheit, gleich welchen Geschlechtes, kann kraft ihrer über menschliches Verstehen hinausgehenden Fähigkeiten die Funktionen beider Menschengeschlechter wahrnehmen. So werden die ägyptischen Götter Amon und Aton in Gebeten gelegentlich als Vater und Mutter der Menschen bezeichnet. Ähnliche Vorstellungen lassen sich auch aus Mesopotamien belegen. Die Gottheit muß trotz Anwendung dieser ambivalenten Titulaturen nicht als Zwitterwesen vorgestellt worden sein. Ebensowenig läßt sich aus dem religiösen Sprachgebrauch des Alten Testamentes oder der altorientalischen Literaturen entnehmen, daß ältere gegengeschlechtliche Vorstellungen im doppelt bezeichneten Gottesbild zu biologischen Zwittervorstellungen geführt hätten. Es handelt sich einfach um eine kumulative Redeweise, die nur auf die »ganz anderen« Gottheiten, nicht aber auf menschliche Erfahrungsbereiche zutrifft.

Wenn die Gottesbezeichnung Vater bei Tritojesaja sich aus den bestehenden Sozialverhältnissen und der anerkannten kultischen Rangordnung ergibt, wenn ferner im Vaternamen für Jahwe vor allem die Schutzfunktion Gottes für seine Gemeinde angesprochen ist, dann wird verständlich, daß es in unserem Text weder um die Geschlechtlichkeit Gottes an sich noch um die Stellung der Frau in der Gemeinde geht. Jahwe wird als Vater angerufen, weil die Vaterfigur in der zeitgenössischen Gesellschaft die maßgebende und verantwortliche Gestalt ist. Für die Israeliten und Israelitinnen der Exilsgenerationen bleibt neben den allgemeineren Bezeichnungen Gott, Retter, Erlöser aus dem Bereich der gesellschaftlichen Institutionen für Jahwe eigentlich nur der Vatervergleich übrig. Im Buche Tritojesaja ist keine Spur davon zu entdekken, daß diese Nomenklatur polemisch gegen andere Gottesbezeichnungen durchgesetzt werden müßte. Für die Beter der Klageliturgie gibt es nur einen ausschließlichen Gott, und er wird »logischerweise« mit dem männlichen Familienoberhaupt verglichen. Die Konkurrenz einer Göttin kommt in unserem Text nicht in Sicht. Auch die Götzenpolemik in Jes 65,3–5 meint kaum einen Kult für eine weibliche Gottheit. Die dort vorgetragenen Anschuldigungen lassen Züge eines Natur-, Toten-, Schweineopferrituals sichtbar werden, aber die Angeredeten und Angeklagten sind eindeutig Männer. Bei den Rechtgläubigen, die der uns unbekannte

Verfasser des Buches Tritojesaja vertritt, ist Jahwe als männliche und einzige Gottheit unumstritten. Die Abtrünnigen haben sich nicht näher definierbaren Fremdkulten zugewendet.

Die Gemeinde – und das ist bemerkenswert – fühlt sich als Sohn oder Kind des göttlichen Vaters. Häufiger wird sie in der hebräischen Bibel als Frau, ja als Geliebte, des männlichen Gottes dargestellt (vgl. Hos 2,16–22; Jer 3,6–10; Ez 16), mit besonderem Nachdruck in unmittelbarer Nähe unseres Klagegebetes: Jes 62,4–5. Beide Bilder stammen aus dem Familienleben und sind von da aus in die theologische Sprache übernommen worden. Beide signalisieren der Gemeinde Abhängigkeit und Geborgenheit. Beide rufen die gegenseitigen Verpflichtungen von Familienangehörigen wach, wie sie in Recht und Sitte der Zeit festgelegt sind. Die Bildrede vom Vater Jahwe und dem Sohn Israel hebt stärker hervor, daß Gott dieses sein Volk ins Leben gerufen hat. Sie kehrt auch die Tatsache heraus, daß die Gemeinde ständig der Weisung und Führung Gottes untersteht. Andererseits läßt sie aber auch die Möglichkeiten des kindlichen Widerspruchs durchblicken. Israel kann, wie das im normalen Familienleben schon damals der Fall war, seiner Sohnespflicht ausweichen, aus der Art schlagen und gegen den eigenen Vater rebellieren (Jes 1,12; 5 Mose 32,6.18; Jer 3,19). Vor allem aber scheint die theologische Bedeutung des Vaterbegriffes für Israel in der damaligen kritischen Zeit darin zu bestehen, daß dieses geschundene Volk im Vater-Sohn-Verhältnis die Bindung an den alten Gott aufrechterhalten will. Das Bundesverhältnis zu Jahwe, von dem viele alttestamentliche Autoren sprechen, wird einmal in der Geschichte durch Willensentscheid Jahwes und des Volkes begründet. Das Sohnesverhältnis dagegen ist, fast möchte man sagen »naturhaft«, vorgegeben und kann von keiner Seite leicht widerrufen werden. Der Klageliturgie Jesaja 63/64 liegt daran, die Sohnschaft der Gemeinde Israel festzuhalten. Sie appelliert mit der Vateranrede genau wie im Bilde des göttlichen Bräutigams und Eheherrn nicht an die Willkür, sondern die Fürsorgeverpflichtung Jahwes.

In einer späteren kleinen Sammlung von Diskussions- und Predigtworten taucht das Problem des Vatertitels für Jahwe noch einmal auf. »Ein Sohn soll seinen Vater ehren und ein Knecht seinen Herrn. Bin ich nun Vater, wo bleibt die mir zustehende Ehre? Bin ich Herr, wo fürchtet man mich? spricht der Herr Zebaoth zu euch Priestern, die meinen Namen verachten« (Mal 1,6). Die ganze unter dem Namen oder Titel Maleachi (= mein Bote) überlieferte Schrift spiegelt die tiefgehenden Unsicherheiten der Gemeinde im Blick auf richtige Kultpraxis und Lebensführung. Ständig setzt sich der anonyme Redner oder Schriftsteller mit rebellischen Fragen und abweichendes Verhalten rechtfertigenden Einwänden auseinander. In diesem Zusammenhang wird auch der Vatername für Jahwe aufgegriffen. Er scheint in der Gemeinde gängige Münze gewesen zu sein, nur entspricht das Verhalten, zumindest der Priester, nicht der Behauptung: Gott ist unser Vater. Kinder schulden dem Vater Unterordnung und Ehrerbietung. Gerade sie wird Jahwe verweigert. Geringschätzung seiner Autorität hat sich breitgemacht. Der Berichterstatter dieser theologischen Auseinandersetzung läßt Jahwe immer schärfer reagieren (vgl. Mal 1,10–11) und immer höhere Ränge einnehmen. Gott bewegt sich in diesen Predigtfragmenten aus dem vertraulichen Vaterverhältnis heraus und übernimmt wieder die Rolle eines absoluten Herrschers. »Ich bin ein Großkönig« – wie die zur Zeit herrschenden persischen Imperatoren – »und mein Name ist gefürchtet unter den Völkern« (Mal 1,14).

Um so bemerkenswerter ist, daß nach einer gezielten Auseinandersetzung mit den Priestern die Vaterbezeichnung für Jahwe in einer (reuigen?) Gemeindeantwort erneut Verwendung findet. »Haben wir nicht alle einen Vater, hat uns nicht ein Gott geschaffen?« (Mal 2,10). Die Themenstellung ist ganz anders als in Mal 1,6: Die Abstammung von einem Vater sollte unter den Kindern, d. h. der Gemeinde der Jahwegläubigen, zu solidarischem Verhalten führen. Die Sprecher beklagen, daß dies nicht der Fall ist. Die selbstverständliche Verwendung des Vaterbegriffes für Jahwe unterstreicht hier noch einmal den Gebrauch dieses Namens in der populären Theologie und Frömmigkeit. Weiter ist mit der kollektiven Aussage noch einmal eine dritte Bedeutung der Vatervorstellung in Israel belegt. Neben der Schutz- und Fürsorgefunktion und der damals unbestrittenen Autorität des Vaters wird hier ganz klar die väterliche Zeugungsfähigkeit zum theologischen Vergleichspunkt (vgl. Jer 2,27; 5 Mose 32,18).

Es wären jetzt zwei Fragenkomplexe zu besprechen, einmal: Wie ist es in Israel zur Verwendung des Vaternamens für Jahwe gekommen? Und zum zweiten: Welches Patriarchatsverständnis liegt in der damaligen Zeit vor?

In den nachexilischen Textsammlungen Tritojesaja und Maleachi wird die Vaterbezeichnung für den Gott Israels mit Nachdruck und zum Teil problematisierend gebraucht. Das führt zu der Vermutung: Die nachexilische Zeit war die eigentliche Ursprungssituation für die theologische Anrede »unser Vater«. (Die Verwendung des Vaterbildes für Jahwe bei Hosea und Jeremia müßte gesondert untersucht werden.) Das wäre sehr gut verständlich: In der Zeit der getrennten und vereinigten Monarchie(n) hatte Israel eine Staats- und Gesellschaftsform, in der sich königliche Titulaturen für Jahwe nahelegten. Nach dem Zusammenbruch von 587 v. Chr. dagegen tauchten alte, vielleicht längst vergessene Gottesbezeichnungen wieder auf – darunter der Vatername –, die eindeutig aus Familien- und Sippenverhältnissen stammten. Zahlreiche Personennamen der Bibel und der altorientalischen Umwelt Israels bezeugen die Anschauung, daß innerhalb der Familie auch der Einzelmensch als Sohn (Kind) einer Gottheit, d. h. zu ihm bzw. zu ihr, in einem Schutz-, Pflicht- und Geschöpfverhältnis stehend angesehen werden konnte. Eliab (= Gott ist Vater), Abiel (= Vater ist El), Abijah (= Vater ist Jahwe), Joab (= Jahwe ist Vater): Das sind nur einige Beispiele für derartige Kindschaftsnamen. Sie waren geschlechtsneutral und konnten neugeborenen Jungen oder Mädchen verliehen werden. Allerdings sind fast nur männliche Träger von derartigen Gottesnamen bekannt, denn schon die Familienreligion folgte der männlichen Linie. Dem einzelnen Mitglied der Gruppe wurde damit über die biologische Abstammung hinaus ein ganz persönliches Kindesverhältnis zur Familienschutzgottheit zugesprochen. Wir gehen sicherlich nicht fehl in der Annahme, daß die gesamte Familien- oder Sippengemeinschaft sich analog dazu in einem kindlichen Abhängigkeitsverhältnis zur väterlichen (und/oder mütterlichen?) Gottheit fühlte. Die Gottesanreden, die eine singularische Beziehung ausdrücken: mein Gott, mein König, mein Erlöser, spielen darum in der familiären Kultausübung im alten Orient eine große Rolle (vgl. H. Vorländer), und vereinzelt findet sich auch im Alten Testament die Gottestitulatur »mein Vater« (Ps 89,27; vgl. Hi 17,14). In der israelitischen Glaubensgeschichte ist also seit Urzeiten und vorzugsweise im Bereich des Familienkultes die Gottheit im Rahmen von Verwandtschaftsbeziehungen gesehen worden. Die Vaterbezeichnung für Gott ist wegen der damals vorherrschenden patriarchalen Struktur von zentraler Bedeutung. Der Vatername Jahwes wurde in der nachexilischen Gemeinde mit Bedacht aufgegriffen, möglicherweise in bewußter Distanzierung zu nationalen Metaphern wie König, Herr Zebaoth usw. Die alttestamentliche Theologie der Spätzeit orientiert sich damit an den kleinen, familiären Kultverhältnissen der Frühzeit, die zum Teil von der zentralisierten, monarchisierten Theologie der staatlichen Epoche überrollt und unterdrückt worden waren.

Damit gewinnt der Vaterbegriff für Jahwe im alttestamentlichen Kontext ganz andere Dimensionen, als wir das aufgrund der heutigen Patriarchatsdiskussion auch nur ahnen könnten. Vater und väterlich waren damals weder Schimpf- noch Reiz- und sicher keine Witzwörter. Der Grund dafür lag allein in der anderen Sozialstruktur. Die Familie war für die meisten Menschen der Antike de facto – als Idealbild sicherlich für alle Menschen, für Frauen, Kinder und Männer aller Altersstufen – der einzige Ort der Geborgenheit, der eigentliche Lebens- und Arbeitsraum. Nur innerhalb der Familie konnte sich der einzelne entfalten. Sie bot wirtschaftlich, seelisch, religiös das Gehäuse für sinnvolles, erfülltes Leben. Die Familie war überall, wenn auch mit örtlichen und völkischen Nuancierungen, patriarchal konstruiert. Nach außen hin vertrat der Vater oder Familienchef die Gruppe. Intern herrschte eine genau bestimmte Rangfolge mit den zugehörigen Aufgaben. Die Hauptfrauen hatten in der Regel einen nicht eng bemessenen, eigenen, häuslichen Verantwortungsbereich. Hier und da konnte die Frau auch öffentliche Aufgaben wahrnehmen (vgl. W. H. Ph. Römer). Verschleierungszwang und Ausgehverbot sind jedenfalls im Alten Testament unbekannt. Eine andere Gesellschaftsordnung als die männergeleitete, aber durchaus zweipolig aufgebaute Familiengemeinschaft gab es nicht. Sie war wohl auch nach der damaligen Lebensführung und Arbeitsteilung schlechterdings undenkbar (vgl. S. de Beauvoir, E. Badinter). Das Zusammenleben und die Zusammenarbeit in der Familiengemeinschaft – sie war ja in einem für uns unvorstellbaren Maße autonome Wirtschaftseinheit – waren durch Sitte und Normen in jeder Hinsicht streng geregelt. Jedes Familienmitglied nahm einen durch Alter, Geschlecht und soziale Stellung definierten Rang ein. Diese Rangstufe verpflichtete zur Dienstleistung für das Ganze, gewährte aber auch Rechte der Persönlichkeitsentfaltung und der Mitsprache. Die Familie (wir würden heute sagen »Großfamilie«, weil verschiedene Generationen, Verwandtschaftsgrade und Bedienstete unter einem Dach wohnten) war die normale Lebensgemeinschaft. Von dauerhaftem Einsiedlertum hören wir im Alten Testament nichts, und andere Formen des Zusammenlebens sind höchstens im Extremfall und am Rande der normalen Gesellschaft möglich (vgl. 1 Sam 22,2; 2 Kön 6,1–2). Aus unserer heutigen Sicht muß uns die patriarchale Struktur der Familiengemeinschaft männerlastig, ungerecht und für Frauen diskriminierend erscheinen. Wir leben in einer Industriegesellschaft, die schon lange die alten Familienstrukturen und damit auch das Vaterbild (vgl. A. Mitscherlich) ausgezehrt hat. Klug geworden aus geschichtlicher Erfahrung, mögen wir auch so weit gehen und die antike, patriarchale Struktur in Bausch und Bogen verurteilen. Tatsache jedoch ist, daß im biblischen Altertum eine derartige grundsätzliche Kritik nirgends laut wird und daß die patriarchale Großfamilie eine aus den damaligen Produktions- und Lebensbedingungen herausgewachsene, stabile soziale Mikrostruktur war. Die heute mit Recht anstößige Verfügungsgewalt des Mannes über die Frau (und Kinder, Sklaven) wurde wahrscheinlich teilweise wettgemacht durch die dominierende Stellung der Frau im Hause (vgl. 1 Sam 25; 2 Kön 4).

Wir kehren zurück zu unserer theologischen Fragestellung. Wie ist die patriarchale Gottesvorstellung des Alten Testaments zu bewerten? Ist der Vatername für Gott, der die antiken Familienstrukturen voraussetzt, heute noch angemessene theologische Rede? Vorläufig können wir folgendes festhalten:

a) Wie alle anderen Gottesbezeichnungen in allen Sprachen und Religionen, so ist auch der Vaterbegriff im Alten Testament uneigentliche, indirekte theologische Redeweise. Sie spiegelt die besonderen patriarchalen Lebensverhältnisse des Vorderen Orients, die nur bedingt mit den unseren am Ausgang des 20. Jahrhunderts vergleichbar sind. Der Vatername wird für Jahwe grundsätzlich unreflektiert gebraucht, jedenfalls hinsichtlich seiner sexuellen Bezüge. Eine Frontstellung gegenüber dem Weiblichen ist in den Texten nirgendwo festzustellen. Vaterschaft Gottes schließt eher die gesamte elterliche Fürsorge mit ein (vgl. Ps 103,13). Eine Diskriminierung oder Ausgrenzung der Frau ist in dieser theologischen Redeweise nicht beabsichtigt. Das läßt sich von dem Bild Jahwes als Geliebtem und Eheherrn Israels nicht so ohne weiteres sagen. Doch davon später mehr.

b) Der Rückgriff der nachexilischen Gemeinde auf die alte, in den Familienkulten übliche Vatertitulatur hat ursprünglich positive Bedeutung. Er signalisierte nicht nur waches theologisches Wirklichkeitsbewußtsein, sondern auch die Abkehr von nationalem Größenwahn und eine theologische Relativierung der gesellschaftlichen Großorganisation (in Israel: der zusammengebrochenen Monarchie) überhaupt. Der Glaube an Gott, die Öffnung für das Unbedingte, geschieht in erster Linie und authentischerweise im kleinen Kreis der Intimgruppe. Religion auf der Grundlage jeder beliebigen Massenorganisation ist sehr schnell und in weitaus größerem Maße dem korrumpierenden Einfluß der Machtausübung ausgeliefert. Biblischer Glaube ist – so müssen wir als Christen heute nach Jahrhunderten triumphalistischer Kirchengeschichte urteilen – im wesentlichen Glaube innerhalb der unmittelbaren, mitmenschlichen Beziehungen. Er ist ganz besonders helfendes und befreiendes Angebot für die, die bedrängt sind. Gott wohnt bei den Geringsten und Verachtetsten, das will das »unser Vater« in den nachexilischen Texten ausdrücken. Der überraschend intensive Gebrauch des Vaternamens durch Jesus und die urchristliche Gemeinde liegt ganz auf dieser Linie (vgl. auch J. Jeremias).

c) Demnach ist das Vaterbild in der Theologie heute kaum mehr zu gebrauchen. Es weckt schon im Konfirmandenunterricht und erst recht bei nachdenklichen Frauen falsche Assoziationen von überholten Autoritätsansprüchen. In Wirklichkeit hat das Vatersein in unserer atomisierten Gesellschaft keine Leitbildfunktion mehr. »Vater arbeitet, ist nicht zuhause, versteht die Kinder nicht, stirbt vorzeitig am Streß« – das sind Kernelemente des Vaterbildes bei Schülerinnen und Schülern. Die Mutterschaft wird – aus anderen, aber sicherlich korrespondierenden Gründen – ebenfalls gering geschätzt. Brauchen wir heute Gottesbezeichnungen aus dem Bereich von Kleingruppen? Ich meine, ja. Prüfen wir unsere mitmenschlichen Beziehungen, unsere Lebensweise und unsere Sehnsüchte, dann kommen wir vielleicht zu folgendem Ergebnis: Wenn wir Gott heute in Analogie zu unseren mitmenschlichen Beziehungen benennen wollen, dann müssen wir zu den Ausdrükken »Schwester« und »Bruder«, »Freund« und »Freundin« greifen. In Metaphern, gewonnen aus diesen Beziehungen, käme vielleicht das Evangelium der Solidarität Gottes mit den Menschen heute am besten zum Ausdruck. Bildworte aus der Familienhierarchie dagegen sind unbrauchbar, weil diese Ordnung (besonders in ihrer im 19. Jh. ausgebildeten Form) inzwischen zumindest der Idee nach demokratisch überholt ist.

2. Ischtar, die Himmelskönigin

Im 6. Jh. v. Chr. konsolidierte sich in Israel der Glaube an den einen und ausschließlichen Gott Jahwe. Dieser eine Gott trug wie selbstverständlich männliche Züge. Im Vaterbegriff selbst schwingt, so sahen wir, keinerlei sexuelle Diskriminierung des Weiblichen mit. Auch in anderen Texten kommt die männliche Vorstellungsweise »natürlich«, als Reflex der herrschenden Gesellschaftszustände, zum Tragen. »Über dem Thron saß einer, der aussah wie ein Mensch/Mann«, sagt Ezechiel in seiner Thronwagenvision (Ez 1,26). »Dem Aussehen nach ein Adam« ist die hebräische Redewendung, und wir können sicher sein, daß an allen Stellen, an denen Adam in der Bibel genannt wird, vorzugsweise ein männlicher Mensch und kein Frauenbild gemeint ist. Die wenigen sonstigen Visionsschilderungen des Alten Testaments sprechen dann auch ohne Wenn und Aber von dem Herrn Jahwe. »Ich sah den Herrn sitzen auf einem hohen erhabenen Thron« (Jes 6,1). »Ich sah den Herrn sitzen auf seinem Thron« (1 Kön 22,19). Wenn Israeliten nach Analogie des Menschen von Gott reden, stellen sie ihn nicht als geschlechtsneutrales Wesen dar, sondern immer und ausschließlich als Mann. Diese Vorstellungsweise hat sich durch die Jahrtausende bis heute fast ungebrochen erhalten.

Der Befund macht stutzig. Sind weibliche Gottheiten trotz ihrer starken Verbreitung in allen umliegenden Kultur- und Glaubenslandschaften in Israel völlig unbekannt geblieben? Hat es in jenem formativen 6. Jh. überhaupt keine Anfragen an und Angriffe auf das sich bildende männliche Gottesbild gegeben? Sind die israelitischen Frauen von Anfang an und exklusiv auf den männlichen Gott Jahwe festgelegt gewesen?

Ein recht eigenwilliger und einzigartiger Text des Jeremiabuches berichtet von einer offenen Konfrontation des Propheten mit Anhängern und Anhängerinnen des Kultes einer Himmelskönigin. Trotz verschleiernder Schreibweise dieses Titels ist aus 1 Kön 11,5 und 2 Kön 23,13 klar, daß eine einzelne weibliche Gottheit, eben die »Königin der Himmel«, gemeint ist und nicht ein »Himmelsheer« oder ein »Schwarm von geschaffenen Himmelswesen«. Diese Göttin ist wahrscheinlich identisch mit der im Alten Orient seit uralten Zeiten angerufenen Astralgöttin Inanna oder Ischtar (vgl. D. Wolkstein). Wir betrachten zunächst den hauptsächlich in Frage kommenden Abschnitt aus Jeremia 44 und fragen dann nach Hintergründen und Begleitumständen.

In Jer 44,1 finden wir eine jener stereotypen Überschriften, die jetzt das Buch Jeremia in Verkündigungseinheiten aufgliedern: »Das ist das Wort, das zu Jeremia geschah«. Die Formel stammt von Theologen aus der Exilszeit (»Deuteronomisten«, weil sie das 5. Buch Mose, »Deuteronomium«, zur Grundlage ihrer Theologie machten). Sie deutet vielleicht schon auf eine gottesdienstliche Lesepraxis der gesammelten und kommentierten Prophetenworte hin. Wie gelegentlich auch an anderen Stellen folgt in Jer 44,1 eine genaue Situationsbeschreibung für das Offenbarungsereignis. Jeremia befindet sich mit einigen geflüchteten Judäern im ägyptischen Asyl. Die Flüchtlinge verteilen sich auf die Ortschaften Migdol, Tachpanches, Noph und die Landschaft Pathros (V. 2), d. h. auf Nieder-, Mittel- und Oberägypten. Der Berichterstatter sieht die Lage also sehr großflächig und summarisch. Allen Exulanten in Ägypten hält der Prophet eine eindringliche Rede mit dem Tenor: Die Katastrophe ist über euch hereingebrochen, Jerusalem ist zerstört, ihr wißt warum! Der Abfall zu anderen Göttern ist daran schuld. Wollt ihr, so ermahnt und warnt Jeremia nach dem vorliegenden Text, durch euren Götzendienst nun weiter eure Überlebenschance verspielen? Diese ermahnende und anklagende Rede ist ganz im deuteronomistischen Predigtstil gehalten und findet sich in V. 2–14.

Und nun kommt die erstaunliche Reaktion der Angeredeten. Es sind Männer, »die sehr wohl wußten, daß ihre Frauen anderen Göttern opferten« (V. 15), und die direkt beteiligten Frauen selbst (V. 19: »Wir tun nichts ohne den Willen unserer Männer«). Beide Gruppen sprechen unisono. Nirgends sonst im Alten Testament hat die außerjahwistische Opposition so eloquent ihren Standpunkt darlegen können:

»Wir wollen der Himmelskönigin opfern und ihr Trankopfer darbringen, wie wir und unsere Väter, unsere Könige und Oberen getan haben in den Städten Judas und auf den Gassen Jerusalems. Da hatten wir auch Brot genug, und es ging uns gut, und wir sahen kein Unglück. Seit der Zeit aber, da wir es unterlassen haben, der Himmelskönigin zu opfern und Trankopfer darzubringen, haben wir an allem Mangel gelitten und sind durch Schwert und Hunger umgekommen. Und wenn wir Frauen der Himmelskönigin opfern und Trankopfer darbringen, das tun wir ja nicht ohne den Willen unserer Männer, wenn wir ihr Kuchen backen, um ein Bild von ihr zu machen, und ihr Trankopfer darbringen« (V. 17b–19).

Wie immer man den Abschnitt Jer 44,15–19 – eine Parallele dazu ist Jer 7,16–20 – historisch und literargeschichtlich einordnet, er gibt ganz sicher Meinungen und Probleme aus dem exilischen Israel wieder, wenn auch nicht unbedingt aus dem Bereich der ägyptischen Diaspora. Zum folgenden ist U. Winter zu vergleichen, der diesen Abschnitt gründlich besprochen hat (a.a.O. 561–576). Den Verfassern und Lesern bzw. Hörern und Hörerinnen des Textes war offensichtlich ein mit dem Jahweglauben konkurrierender Kult der Himmelskönigin bekannt. Das bedeutet: Wir finden in den Kreisen, die das Jeremiabuch formten, eine ganz andere Situation vor als in Tritojesaja. Worum handelt es sich bei diesem hauptsächlich von Frauen besorgten Göttinnenkult? Anscheinend war die Verehrung der Himmelskönigin u. a. in Jerusalem verbreitet, und sie war Angelegenheit der ganzen Familie. Kinder sammeln Holz, die Väter versorgen das Feuer, die Frauen backen die Opferkuchen (Jer 7,18). Der Beitrag der Frauen zu dem verpönten Gottesdienst scheint als der wichtigste gewertet zu sein. Die

Frauen führen auch in Jer 44,19 das Wort. Zentrale kultische Handlung ist die Herstellung und Übergabe eines einfachen Brotkuchens, der wahrscheinlich die Gestalt oder die Insignien der verehrten Göttin trug. Darauf deutet in V. 19 der Ausdruck »um ein Bild von ihr zu machen«. Backformen für solche Kuchen mit sowohl weiblichen Figuren als auch sternförmigen Symbolen sind in Mesopotamien und Syrien gefunden worden. Allein im Palast von Mari am Euphrat entdeckte man 47 solcher Formen. Ein phönizisches Tonmodell stellt neben sonst bekannten Siegelabbildungen auch den heiligen Backvorgang dar. Vier Frauen bereiten an einem Ofen die Opferkuchen (U. Winter, 568 ff, dort auch Ritualvorschriften zur Darbringung von Opferbrot). Kurz: Brot und Aschekuchen, sie gehörten zu den Grundnahrungsmitteln der damaligen Bevölkerung, waren zusammen mit Trankspenden im häuslichen Kultbetrieb eine weit verbreitete Gabe an die Götter, und dafür waren wohl besonders die Frauen verantwortlich. Das bedeutet in unserem Falle: Die Kritik an der nationalen Jahwereligion kommt in Jer 44 aus der häuslichen, familiären Sphäre, und sie wird von den kultisch verantwortlichen Frauen vertreten (vgl. Kap. 5).

Wir möchten aber noch genauer wissen: Wem opferten denn die Israelitinnen mit Zustimmung und Beihilfe ihrer Ehemänner und Kinder? Winter meint, es könne natürlich die assyrische Himmelsgöttin Ischtar gewesen sein. Andererseits ist gerade bei der Verehrung der Ischtar in Mesopotamien ein beträchtlicher Einschlag der ursprünglich und seit vorgeschichtlicher Zeit verehrten Mutter- und Erdgöttin festzustellen. Man kann sie nicht namentlich identifizieren (vgl. U. Winter, 192–199), aber sie ist schon seit dem griechischen Altertum als die Syrische Göttin bekannt. Sie wird immer nackt abgebildet, scheint überwiegend als Fürbitterin und Helferin von Privatleuten angerufen worden zu sein und hat erst in zweiter Linie Zugang zu den Hauptgöttern gefunden, etwa als Partnerin der Götter Adad, Baal oder Assur. Wichtig für uns, und davon handelt das umfangreiche Werk Winters: Die Spuren dieser Göttin sind durch Ausgrabungen auch für das Gebiet und die Geschichtszeit Israels eindeutig nachgewiesen (anders J. H. Tigay). In israelitischen Städten der Königszeit haben sich zahlreiche Figurinen der nackten Göttin gefunden, zum großen Teil auch in freigelegten Privathäusern. Auffällig ist in jedem Fall, daß die Überlieferer von Jer 44 den Schauplatz des Göttinnenkultes nach Ägypten verlegen. Sie könnten an einen Isiskult gedacht haben, jedoch ist der Name »Himmelskönigin« für diese ägyptische Gottheit nicht belegt, und die in Jer 44 zutage tretenden Kultformen weisen eigentlich alle in den syrisch-mesopotamischen Raum. Vielleicht ist die Lokalisierung der Vorgänge um die Himmelskönigin nach Ägypten also nur literarisches Mittel, um eine solche »Greueltat« möglichst weit weg ins unreine Ausland zu verlegen. Die Verweise auf die vorhergehende Kultpraxis in Jerusalem (V. 9) und die Situierung des »Greuelkultes« in Jerusalem im Paralleltext Jer 7,17 zeigen denn auch deutlich den ursprünglichen Haftpunkt des Göttinnenkultes in Kanaan und Israel.

Bevor wir uns Einzelheiten dieser Göttinnenverehrung in Israel zuwenden, können wir schon festhalten: In der Zeit des Exils ging es in bestimmten Traditionskreisen oder Situationen noch oder erneut um die Alternative Jahwe oder die Himmelskönigin. Sagen wir es vorsichtiger: Die Gegenspielerin Jahwes war in diesen Fällen eine einzelne weibliche Gottheit, die wie Jahwe ohne Ehepartner auftrat. Ihr gegenüber kämpfen die Jahwebefürworter um die ausschließliche Anerkennung ihres Gottes. Die sexuelle Polarisierung scheint dabei allerdings eine untergeordnete Rolle zu spielen. Jedenfalls wird die Himmelskönigin nicht wegen ihres weiblichen Geschlechts verurteilt. Und Jahwe wird nicht wegen seines männlichen Geschlechts bevorzugt, sondern weil nur er Israels Überleben garantiert.

Wie stellt sich der Götzendienst in Jer 44 dar? Wir haben schon auf die ungewöhnliche Argumentationsbreite hingewiesen, die den abtrünnigen Frauen und ihren Männern eingeräumt sind. Neben der entschlossenen Absage an Jahwe und dem ebenso entschlossenen Festhalten an der heimischen Göttin (V. 16–17a) steht die Verteidigung der unorthodoxen Kultpraxis mit Hinweis auf die »Väter, Könige und Oberen« in Jerusalem. Diese Aufzählung ist stereotyp, sie kommt auch an anderen Stellen des Jeremiabuches vor. Dann erfolgt der theologische Gegenangriff: Solange die Göttin verehrt wurde, ging es uns, d. h. den Familien, gut. Die Göttin hat ihre Schutzfunktion erfüllt. Erst der Jahwekult hat das Elend, die Niederlage und Deportation über die Menschen gebracht (V. 17b–18). Soll damit eine – gar gewaltsame – Unterdrückung der Göttinnenverehrung in Israel angedeutet werden? Der Wortlaut spricht dagegen. Seitdem »wir es unterlassen haben«, ist das Elend hereingebrochen. Es klingt eher nach einer selbst verschuldeten Abkehr von der Göttin. Weiter aber: Die Frauen haben den Kult der Himmelskönigin mit Wissen der Männer durchgeführt (V. 19). Weibliche Initiative und patriarchale Aufsicht und Mitverantwortung werden in dieser Weise einmalig hervorgehoben. Selbst Jer 7,18 berichtet lediglich vom Familienkult der Kinder, Väter und Mütter, in dieser Reihenfolge.

Wie ist diese Darstellung zu bewerten? Der Berichterstatter scheint kein zutreffendes Bild von den Verhältnissen in Jerusalem vor der Niederlage zu geben, aber er schildert ein religiöses Problem seiner Zeit, nach seinem Verständnis und mit den Mitteln seiner Sprache und theologischen Grundanschauung. Die Vertreter des Jahweglaubens und die Vertreter(innen) des Göttinnenkultes stehen sich argumentierend gegenüber. Es fehlt jede »staatskirchliche« Autorität, die den Konflikt mit Erlaß und Gesetz beenden könnte.

Das wird auch aus der Antwort Jeremias, so wie der Erzähler es schildert, klar. Er widerspricht umständlich der Verteidigungs- und Anklagerede der Frauen und behauptet schlicht das Gegenteil. Aussage steht gegen Aussage. Die Verehrung der Himmelskönigin hat Niederlage und Deportation über uns gebracht (V. 21–23). Die Prophetenrede ist summarisch, verallgemeinernd, theologisch abstrakt, im Predigtstil des Deuteronomisten gehalten und bringt sachlich nichts Neues. Sie erklärt lediglich den desolaten Jetzt-Zustand der Gemeinde. Dann aber folgt die weitergehende Mahn- und Warnrede für die exilische Zeit. Über die ägyptische Kolonie der Juden wird das göttliche Strafgericht angesagt, Jahwes Namen wird am Nil nicht mehr ausgesprochen werden (V. 26). Die Flüchtlinge dort sollen durch »Schwert und Hunger« umkommen (V. 27). Und die wenigen, die dem Tod entgehen, sollen als abgerissene und bankrotte Rückkehrer wieder in Juda ankommen (V. 28). Die gesamte Redeeinheit V. 24–29 endet mit dem nachklappenden, zusammenfassenden Zeichenangebot: Jahwe wird die Judäer in Ägypten »heimsuchen«, damit klar wird, daß sein Wort eintrifft. Wahrscheinlich späterer Zusatz ist eine historisch konkrete Ansage (V. 30): Der Pharao Hophra soll wie der judäische König Zedekia den babylonischen Eroberern zum Opfer fallen. Aus ägyptischen Quellen wie aus dem Alten Testament wissen wir, daß Hophra in der Tat gegen Nebukadnezar den kürzeren zog, dann aber bei den innerägyptischen Kämpfen im Jahre 569 v. Chr. ums Leben kam (vgl. Jer 37,5). Der israelitische Erzähler scheint also die Niederlagen der Ägypter gegen die Babylonier ohne Anspruch auf letzte historische Genauigkeit rückblickend zusammenzuziehen und daraus seine Weissagung gegen Hophra zu gestalten. Wenn das richtig ist, kommen wir mit der Ansetzung von Jer 44,30 in die Zeit nach 568 v. Chr. Uns interessieren aber mehr die Ermahnungen, die der exilische Erzähler oder Prediger für seine Zeit aus den in die Jeremiaepoche verlegten Vorfällen zieht. Er will der exilischen Gemeinde offensichtlich einschärfen: Bei der Himmelskönigin könnt ihr unterjochten und zersprengten Israeliten keine

Rettung erwarten. Eure Chance liegt allein bei Jahwe, dem traditionellen Gott Israels. Redet er so aus sexistischen Motiven? Propagiert er die männliche Gottheit Jahwes im Gegensatz zur weiblichen Himmelskönigin? Mir scheint das nicht der Fall zu sein. Das Vokabular der ehelichen Untreue fehlt in unserem Abschnitt. Die Frauen werden auch in keiner Weise als Verführerinnen zum Götzendienst dargestellt wie in anderen einschlägigen Abschnitten der Bibel (vgl. 5 Mose 13,7; 1 Kön 11,4). Männer und Kinder unterstützen in unseren Zeugnissen die kultische Aktivität der Frauen, wie das bei Hauskulten durchaus üblich gewesen zu sein scheint. Es geht dem Erzähler allem Anschein nach allein darum zu klären, welche Gottheit die reale Macht hat, das geschlagene und gedemütigte Volk Israel wieder aufzurichten, und bei dieser theologischen Problemstellung legt sich dem Überlieferer der beiden Jeremiastellen erstaunlicherweise die Alternative Jahwe oder die Himmelskönigin nahe. Das bedeutet: Nach seiner Erfahrung kommen andere Götter oder Götterpaare de facto nicht in Frage. Aus der polytheistischen Vielfalt seiner Umgebung bieten sich die beiden genannten Gottheiten als einzige Kandidaten für das Amt des Gottes Israels an. Daß der israelitische Erzähler dabei zwei Gottheiten ganz verschiedener Gesellschaftsebenen einander gegenüberstellt, nämlich Jahwe, den Gott des Volksganzen, und die Himmelskönigin, hier die Göttin der Familie, ist bezeichnend für seine Situation. Die Gemeinde mußte sich damals aus den Trümmern der nationalen und der Sippenreligion eine neue Theologie aufbauen. Wie weit Erinnerungen an einen etwaigen Jerusalemer Staatskult für die Himmelskönigin mitschwingen (vgl. 2 Kön 23,13) und auch zutreffen, ist schwer auszumachen.

Aus unserer Perspektive und aufgrund der heutigen theologischen Fragestellung nehmen sich die in Jer 44 geschilderten Vorgänge anders aus. Der Text soll, und das ist an sich ganz legitim, auf unsere heutigen Probleme eine Antwort geben, Probleme, die den damaligen Erzählern und Predigern noch unbekannt waren. Für uns spielt die nationale und religiöse Identität und die Gefahr des Abfalls zu anderen Göttern nicht in dem Sinne eine Rolle, wie für das besiegte und zerstreute Volk Israel. Wir wissen nichts von einer Spannung zwischen Familien- und Volksglauben, weil der Familienglaube wie die Familie selbst kraftlos geworden ist. Statt dessen brennen uns die Fragen nach der weiblichen Spiritualität und dem weiblichen Gottesbild auf den Nägeln. Und nun ist im Jeremiabuch an den beiden genannten Stellen die konkurrierende »andere« Gottheit zufällig weiblichen Geschlechts. Die Frauen sind maßgeblich an der kultischen Verehrung der Göttin beteiligt.

Was liegt also näher, als hier die verlorengegangene weibliche Religiosität und einen patriarchalen Handstreich gegen die matriarchale Frauenreligion zu vermuten? So lesen denn viele Frauen die Jeremiatexte als Zeugnisse einer vermuteten vorjahwistischen dominanten Göttinnenverehrung (vgl. E. Sorge, 54 ff).

Der weitere Hintergrund für diese Auslegung der Jeremiaperikope ist die seit J. J. Bachofen viel verhandelte Matriarchatshypothese. Danach soll in vorgeschichtlicher Zeit oder am Anfang der dokumentierten Geschichte, d. h. im 4. und 3. Jahrhundert v. Chr., die Vorrangstellung der Frauen und Göttinnen durch männliche Machtübernahme abgelöst worden sein. Der Übergang von der Sammlerkultur zum seßhaften bäuerlichen Dasein und die sich auf den Mann verlagernden Besitzansprüche an den Produktionsmitteln sollen dafür verantwortlich gewesen sein (vgl. E. Borneman). Oder es wird einfach das Böse im Mann schlechthin für die Umkehrung der Ordnung und die nun einsetzende Ausbeutung der Frauen verantwortlich gemacht (vgl. H. Göttner-Abendroth). Diese Geschichtsschau gehört meines Erachtens in die Kategorie der Sündenfallgeschichten. Deren unbestreitbares Wahrheitsmoment liegt darin, daß sie jeweils aktuelle und chronische Probleme der Gesellschaft und des Glaubens polar aufzeichnen. Sobald sie aber die Auseinandersetzung zwischen dem Guten und dem Bösen in einen chronologischen Geschichtsablauf umsetzen, wird die Sache sehr fragwürdig. So ist es auch mit dem angeblich ursprünglich so heilvollen und friedvollen Matriarchat, das durch das kriegerische, brutale, ausbeuterische und menschenverachtende Patriarchat abgelöst worden sein soll. Weder archäologisch noch soziologisch und anthropologisch oder auch psychologisch (vgl. M. Mitscherlich) läßt sich ein ausreichender Beweis für das Matriarchat als Geschichtsepoche führen. Vollends haltlos wird die Hypothese, wenn man einsieht, daß die zugrundeliegende Problemstellung, die Gewinnung individueller Gleichberechtigung für die Frau, eigentlich erst eine moderne, aus der Aufklärung und der modernen Industriegesellschaft herausgewachsene Fragestellung ist (vgl. U. Wesel, mit anderen Akzenten: E. Badinter; I. Illich). Vorindustrielle Emanzipationsbestrebungen entstanden und verliefen eher sporadisch und stellten die Familienstrukturen und Rollenverteilungen nicht grundsätzlich in Frage (vgl. Kap. 8).

Die Gründe, die für und gegen ein ursprüngliches Matriarchat sprechen, wären natürlich viel gründlicher zu überprüfen, als wir das jetzt tun können. Vor allem müßten auch die exegetischen Argumente überdacht werden, ganz besonders die, die aus dem jüdisch-christlichen Sündenfalltext par excellence entnommen werden. Die Sündenfallgeschichte 1 Mose 3 wird ja in der feministischen Literatur – und nicht nur in ihr – zeitlich gedeutet, als rede sie von einem anfänglichen Paradies, das durch die Auflehnung der Menschen, also einen einmaligen Akt des Ungehorsams, für immer verlorengegangen sei. In der feministischen Interpretation geschieht der Bruch der Weltzeiten allerdings durch Jahwe, der in patriarchalem Machthunger die Göttin Eva entthront (vgl. H. Göttner-Abendroth; E. Sorge; R. Ranke-Graves). Aber auch die biblische Sündenfallgeschichte redet in Wirklichkeit in mythischer, nicht historischer Weise vom Paradieseszustand und der Verkehrtheit der Welt. Was in der mythischen Erzählung in zwei Perioden aufeinander folgt, ist nichts anderes als das Ineinander der erfahrbaren Wirklichkeit. Paradies und Hölle sind im menschlichen Leben jeweils mit- und in- und nacheinander zu erfahren. Sie stellen keine Zeitabschnitte der Weltgeschichte dar. In diesem Rahmen spielt für den biblischen Erzähler die polare Stellung der Geschlechter eine wesentliche Rolle. Die Frau verleitet den Mann zum Ungehorsam gegenüber der Gottheit und wird dafür schwerer bestraft als der gleichfalls sündigende Adam. Die soziale Rangordnung wird daraufhin patriarchal festgelegt. Die Frau hat sich dem Manne unterzuordnen (1 Mose 3,16). Aber das alles ist nicht geschichtliche Erinnerung an matriarchale Zustände, sondern Legitimation des vorfindlichen und seit Menschengedenken installierten patriarchalen Führungsanspruches (S. de Beauvoir). Vielleicht soll die Erzählung aber auch nur das männliche Gewissen beruhigen, oder sie stellt ursprünglich eine neckende Herausforderung an die Frauen dar: Ihr wißt doch, warum ihr nur den zweiten Rang einnehmt? Viele Stammesgesellschaften besitzen derartige Geschichten, in denen meistens die Männer in gespielter Entrüstung vom Vorwitz und der Geltungssucht der Frauen berichten und damit die männliche Vorordnung begründen (vgl. N. Pereira). Ernsthaft in Frage gestellt wird die patriarchale Ordnung in der Antike und in den biblischen Schriften nicht. Selbst das Buch Ruth, das ganz aus der Sicht der Frauen verfaßt ist, dient völlig und ausschließlich patriarchalen Familieninteressen. Nein, in 1 Mose 3 ist nicht von der Degradierung der Frau die Rede, sondern von dem vorfindlichen Zustand in den Familien- und Sippenverbänden. Sie waren im Orient immer, und sind es bis heute, patriarchal organisiert. Noch weniger beruht die Sündenfallgeschichte auf einem älteren Götterkampfmythos. Daß Jahwe die Urmutter Eva überwunden und sich gar deren Namen angeeignet habe, ist reine Spekulation. Weder im Text der Sündenfallgeschichte noch in analogen Mythen des alten Orients noch auch im sprachgeschichtlichen, uns zur Verfügung stehenden Material sind irgendwelche Anzeichen für eine derartige Hypothese aufzufinden (gegen R. Ranke-Graves).

Mit der Matriarchatshypothese fallen aber nicht die berechtigten theologischen Anliegen und Forderungen der Frauen heute. Rosemary R. Ruether formuliert die heutige Sicht der Dinge mit Recht folgendermaßen:

»... wenn die Abbildung eines bestimmten Menschen als Ebenbild Gottes Götzendienst ist, dann müssen männliche Bezeichnungen für das Göttliche ihren privilegierten Stellenwert verlieren. Wenn Gott/in nicht der Schöpfer und Rechtsprecher der bestehenden hierarchischen Gesellschaftsordnung ist, sondern uns daraus befreit und eine neue Gemeinschaft eröffnet, in der alle gleich sind, dann müssen auf Könige und hierarchische Macht bezogene Bezeichnungen für das Göttliche ihren privilegierten Stellenwert verlieren. Darstellungen von Gott/in müssen die Funktionen und Erfahrungen von Frauen einbeziehen. Darstellungen von Gott/in müssen sich auf den Alltag von Bauern und Arbeitern beziehen, auf Menschen der unteren Gesellschaftsschicht. Darüber hinaus müssen Darstellungen von Gott/in verändernde Impulse freisetzen und uns auf unsere angeborenen Fähigkeiten zurückführen und auf neue Entfaltungsmöglichkeiten hinweisen. Das Sprachbild von Gott/in darf die Rollenverteilung für Männer und Frauen nicht so einseitig festlegen, daß es die männliche Überlegenheit und die weibliche Unterordnung rechtfertigt. Es reicht aber nicht aus, dem Gott/in-Bild liebende, fürsorgliche Mütterlichkeit hinzuzufügen und damit die Macht des starken, souveränen Vaters zu mildern.« (R. R. Ruether, 90).

Von den heutigen Lebens- und Denkgewohnheiten, Wertvorstellungen und mitmenschlichen Beziehungen her ist die feministische Anfrage an die traditionelle Theologie voll und ganz legitim. Unsere Gesellschaft ist individualisiert. Jeder Mensch ist »unmittelbar« zu Gott. Er ist als Einzelner, als Einzelne religiöses Subjekt und nicht erst als Familien- oder Gruppenmitglied. Frauen sind, zumindest in der Theorie, in Beruf, Recht und Öffentlichkeit den Männern gleichgestellt. Also fordern sie mit Recht, daß weibliche Erfahrung auch in Theologie und Gottesbild Resonanz findet.

Die Mißverständnisse, die zu einer matriarchalen Geschichtskonstruktion führen, beginnen bei der naiven Vereinnahmung biblischer und mythologischer Texte. Wir können aber bei den Frauen und Männern der Antike (nicht einmal bei unseren eigenen

Eltern und Großeltern) unser heutiges Problembewußtsein nicht einfach voraussetzen. Wenn alte Texte auf unsere Fragen antworten sollen, können sie es nur auf dem mühseligen Wege einer vergleichenden Gegenüberstellung alter und moderner Situationen. Jer 44 ist in der Tat in gewisser Hinsicht ein revolutionärer Text. Er wägt mit relativer Offenheit ab, ob die alte Nationalreligion noch tragfähig bleibt, ob sie den Resonanzboden auch für Katastrophe, Leiden und Verzweiflung des Exils abgeben kann. Er stellt fast sachlich die Frage, ob vielleicht die noch ältere Anbetung einer Göttin in der Krisensituation geboten sein könne. Vordergründig entscheidet sich der Erzähler für den Jahwe der Heerscharen, den Gott des zusammengebrochenen Reiches. Jes 63/64 hatte sich für den familiären Vater-Schutzgott entschieden. Die Texte beweisen im Vergleich mit aller Klarheit die Flexibilität und Vielschichtigkeit des (patriarchalen) israelitischen Gottesbildes. Sie bezeugen auch die Menschenfreundlichkeit, ja die Liebe des angerufenen Gottes. Unter den Alternativen befindet sich, auch wenn sie verworfen wird, »sogar« eine weibliche Gottheit. Heutige Theologen scheuen sich meist – eine Ausnahme macht K. Rahner – die »Göttin« als denkbar anzusehen. Jer 44 dagegen kann uns Mut machen, mit Eifer danach zu suchen, wie wir heute unter Einbeziehung weiblicher Erfahrung und weiblichen Wesens von Gott reden können. Das weibliche Element gehört wesenhaft in die Theologie hinein. Es war in der patriarchalen Religion in einer den gesellschaftlichen Verhältnissen entsprechenden Form auch vertreten (vgl. Ph. Trible). Heute muß der weibliche Anteil in Theologie und Kirche, der in der jüdisch-christlichen Tradition lange Zeit vernachlässigt und verdrängt worden ist, im Blick auf die neue Wirklichkeit der Gleichberechtigung der Geschlechter zur Geltung gebracht werden. Daß die biblischen Geschichten aber nicht nur Analogien zu unseren Problemstellungen und Fragen bieten, sondern uns auch kritisch gegenüberstehen, sei jetzt nur am Rande vermerkt. Die Individualisierung unseres Glaubens, die Privilegiertheit unseres Lebensstandards und nicht zuletzt die männlichen und weiblichen Machtgelüste werden in der Konfrontation mit biblischen Texten demaskiert (vgl. Kap. 9; 10).

3. Jahwe und seine Aschera

Es ist nicht einfach, ein zutreffendes Bild von der Theologie der Königszeit (1000–587 v. Chr.) zu entwerfen. Das liegt vor allem daran, daß die geschichtlichen Quellen, die jener Epoche zwischen dem 10. Jh. (Abimelek, Saul, David, vgl. Ri 9; 1 Sam 9–1 Kön 1) und ihrem katastrophalen Ende am Anfang des 6. Jh.s (vgl. 1 Kön 2–2 Kön 25) entstammen, im Exilsjahrhundert tiefgreifend bearbeitet und völlig aus der theologischen Sicht der Spätzeit umgedeutet worden sind. Wir müssen also versuchen, aus den überarbeiteten Texten die für die Königszeit gültigen Vorstellungen zu erheben. Das erfordert eine kritische Analyse der relevanten Schriften und Aussagen. Außerdem müssen wir uns auf die relativ geringe Zahl von schriftlichen Dokumenten beziehen, die in archäologischen Grabungen zum Vorschein gekommen sind. Sie haben den Vorzug, daß sie zeitlich klar zu datieren sind und mit Sicherheit keinerlei Uminterpretation erfahren haben. Andere archäologische Funde, wie die Figurinen weiblicher Gottheiten und die architektonischen Überreste aus Stadt- und Tempelanlagen, können uns ebenfalls helfen, das Gottesverständnis der monarchischen Zeit zu rekonstruieren. Außerordentlich wichtig wären natürlich auch außerisraelitische zeitgenössische Parallelen, die wir jedoch nur am Rande berücksichtigen können.

Das Bild, das wir aus den alttestamentlichen Schriften gewinnen, vor allem aus den Büchern Samuel und der Könige, aber auch aus den klassischen Prophetenbüchern und einigen alten Psalmen, ist nicht einheitlich. Nehmen wir die erst im Exil erkannte und bekannte völlige Einzigartigkeit und Ausschließlichkeit, Universalität und himmlische Transzendenz Jahwes einmal weg, dann bleibt für die Theologie der Königszeit lediglich Jahwe, der Nationalgott Israels übrig. Er ist ganz eng mit dem judäischen bzw. mit dem nordisraelitischen Königshaus verbunden. David hat diese Entwicklung zur Staatsreligion bewußt eingeleitet, als er die alte, fast vergessene Bundeslade nach Jerusalem einholte und dem königlichen Heiligtum einverleibte (2 Sam 6). Sein ekstatischer Tanz vor der Lade wird freilich von der Lieblingsfrau Michal heftig kritisiert. Sollte in dieser Kritik ein Angriff auf die Vermännlichung der Staatsreligion versteckt sein? Wohl kaum. Vielmehr geht es um die den späteren Berichterstattern unerträgliche Selbsterniedrigung seiner Majestät (2 Sam 6,20–22). Die kultische Nacktheit, die David vorgeworfen wird, ist ja auch eher Zeichen für die Fruchtbarkeits- als für eine patriarchal transsexuelle Religion. Wie dem auch sei, David führt Jahwe als Staatsgott ein, und die göttliche Garantieerklärung für den Bestand seiner Dynastie ist wie eine Antwort auf die königlichen Bemühungen, Jahwe zum Reichsgott zu machen (2 Sam 7; vgl. Ps 89). Davids Sohn Salomo hat durch seinen Tempelbau – wenn er wirklich von ihm und nicht schon von David durchgeführt worden ist – die Nationalreligion konsolidiert (1 Kön 6; 8). Aber: Nach der Reichsteilung von 926 v. Chr. gingen die beiden Teilstaaten auch religiös eigene Wege. Im Nordreich wurden Heiligtümer in Bethel und Dan eingerichtet, die nur aus der Perspektive des Südens als ketzerisch beurteilt werden konnten (1 Kön 12,26–13,5). Über den wirklichen Jahweglauben in Nordisrael und die Gottesvorstellungen dort erfahren wir fast nichts. Die Eliageschichten, die Worte der Propheten Amos und Hosea, Teile des Pentateuch sind zwar partiell oder ganz im Norden entstanden, haben aber, wie alle anderen alttestamentlichen Schriften, später auch eine judäische Überarbeitung durchgemacht, die an manchen Stellen sehr deutlich zu erkennen ist (vgl. Hos 1,6 f; Am 2,4 f; 9,11 f).

Was wir von der Religion der Königszeit erkennen können, ist also dies: Jahwe ist der Nationalgott. Er wird im königlichen Tempel zu Jerusalem verehrt, im Reichstempel, zuerst des vereinigten davidischen Imperiums, dann – das ist aus unseren im südlichen Teilstaat überlieferten Quellen hauptsächlich zu erkennen – des kleineren, von Jerusalem regierten Südreiches und der davidischen Dynastie. So sieht jedenfalls das offizielle Bild der damaligen Religion aus. Man hat in der alttestamentlichen Wissenschaft angefangen, gerade für die Königszeit eine offizielle Religion von der Volksreligion, wie sie insbesondere außerhalb Jerusalems auf dem Lande und in den Kleinstädten ausgeübt wurde, zu unterscheiden (vgl. R. Albertz; H. Vorländer; B. Lang; M. Rose). Wir fragen zunächst nach dem Glaubensleben in der Provinz. Welche Gottesvorstellungen waren dort lebendig? Wie weit war die Patriarchalisierung der Religion außerhalb Jerusalems fortgeschritten? Die Verhältnisse in der Hauptstadt müßten in einer Gegenüberstellung mit der Landreligion geklärt werden. Das würde uns jedoch zu weit führen. Wir versuchen also, einen Überblick über die Volksreligion der Königszeit zu bekommen und wenden uns darauf zwei konkreten Texten zu.

Auf dem Lande bestanden die alten Höhenheiligtümer, die in der Mehrzahl kanaanäischen Ursprungs waren, im großen und ganzen unangefochten neben dem Reichstempel fort. Was wissen wir über diese lokalen Heiligtümer? Welche Gottheiten wurden dort verehrt? Es waren wohl in der Regel Freilufttheiligtümer ohne feste Tempelanlage. Die Entstehung eines solchen heiligen Ortes wird in 1 Mose 28,10–19 sehr eindrücklich geschildert. Ein Reisender übernachtet in einer Wüstengegend. Er sieht im Traum göttliche Wesen auf einer Leiter in den Himmel und herunter steigen. Er wacht auf, wird sich der Bedeutung des Ortes, an dem er träumte, bewußt: »Fürwahr, Jahwe ist an dieser Stätte und ich wußte es nicht. Und er hatte Angst und sprach, wie furchtbar ist dieser Ort. Hier ist nichts anderes als Gottes Haus, und hier ist die Pforte des Himmels.« Darum »nahm er den Stein, den er als Kopfstütze gebraucht hatte, und richtete ihn zu einem Steinmal (Mazzebe) auf und goß Öl oben darauf und nannte die Stätte Bethel« (1 Mose 28,16–19). Eine typische Gründerlegende, der man eine gewisse Allgemeingültigkeit zusprechen kann! Jeder Ort hatte sein Heiligtum und vielleicht eine ähnliche Geschichte über dessen Entstehung. Daß es Jahwe war, der in Bethel erschienen sein soll, ist dabei eine spätere Übermalung. Eigentlich war hier nach dem im Ortsnamen enthaltenen Wortspiel der Gott El derjenige, der sich offenbart hatte.

Die Spuren dieser Höhenheiligtümer (hbr. *bamah* = Rücken, Kuppe oder, nach anderen, Opferhügel, Totenhügel) lassen sich für die Königszeit allenthalben nachweisen. Selbst Salomo besucht noch die »bedeutendste« Anlage dieser Art in Gibeon, obwohl doch in Jerusalem bereits von seinem Vater ein Jahweheiligtum eingerichtet worden war (1 Kön 3,4). Die Entschuldigung von V. 2, es habe noch keinen richtigen Tempel gegeben, ist eine Ausrede aus der Zeit des Exils. Sie soll Salomo vom Vorwurf des krassen Götzendienstes reinigen. Der König empfängt dort eine wichtige Traumoffenbarung (1 Kön 3,5–15). – Samuel veranstaltet auf seiner Rundreise durch die Dörfer und Städte in einem nicht namentlich genannten Ortsheiligtum ein Opferfest für das Volk (1 Sam 9,12 ff). – David wird als Junge von seinen Brüdern zum Familienopfer nach Bethlehem beordert (1 Sam 20,29). Derselbe David versichert sich in der Zeit, als er noch Guerillaführer war, der Unterstützung der Priesterschaft des Heiligtums von Nob (1 Sam 21,1–10). Und die recht summarischen Verurteilungen von allen Höhenheiligtümern ebenso wie die gelegentlichen Reformberichte im Werk des späteren Deuteronomisten wie in einigen Prophetenschriften beweisen zur Genüge, daß das Urteil der Historiker heute zu Recht besteht. »Auch nach der Einrichtung des Tempels in Jerusalem ... bleiben die *bamot* vollwertige Kultstätten« (K. D. Schunck, ThWAT I, 666).

Aus den Hinweisen und Polemiken läßt sich auch die Ausstattung dieser Naturheiligtümer recht eindeutig erkennen. Wohl das wichtigste Element einer Kultstätte auf der Höhe war der Opferaltar. Fast alle Stellen reden von den Opfern und Räucherungen, die an solcher heiligen Stätte dargebracht wurden. Die Archäologen können diesen Befund bestätigen. In Megiddo hat man einen aus der Bronzezeit stammenden, gepflasterten und durch einige Stufen zu ersteigenden Freiluftaltar gefunden. Er hatte einen Durchmesser von 8 bis 10 Metern. Möglicherweise ist auch eine in der Stadt Dan freigelegte rechteckige Plattform ein ähnlicher Höhenaltar gewesen. Für uns wichtiger ist die wiederholt erwähnte Einrichtung einer Kulthöhe mit Steinmal (Mazzebe) und Holzpfahl (Aschera). Bei diesen neben dem Altar genannten Kultobjekten ist eine geschlechtliche Differenzierung der Gottheiten offensichtlich. Die Mazzebe, ein einfacher, senkrecht aufgestellter Stein, wie schon in 1 Mose 28 bezeugt, ist Sinnbild, wenn nicht direkt für die göttliche Zeugungskraft, den Phallus, dann doch für die Präsenz, den bevorzugten Ort einer männlichen Gottheit. Sie ist in jedem Fall ein Merkstein, ein heiliges Symbol patriarchaler Art. Neben der Mazzebe befindet sich auf der heiligen Höhe ein Holzpfahl, der Symbol des heiligen Baumes ist und schon durch seinen Namen Aschera auf die weibliche Gottheit hinweist, die der Baum repräsentieren soll. Aschera ist dabei eine hebraisierte Form des Göttinnennamens Aschratum, Aschirta oder Athirat, einer besonders aus den ugaritischen Texten für Kanaan und Syrien bezeugten Göttergefährtin und Muttergottheit. Mazzebenstein und Ascherapfahl kommen im Alten Testament oft nebeneinander vor. Man vergleiche besonders die deuteronomistische, stereotype Anklage wegen der Verehrung von Stein und Holz (2 Mose 34,13; 5 Mose 7,5; 12,3; 16,21 f; 1 Kön 14,23). Sie werden aber nicht wie in der kanaanäischen Religion dem Gotte El und seiner Aschera, sondern seltsamerweise dem Götterpaar Baal und Aschera zugeschrieben (vgl. Ri 3,7; 6,25 f; 2 Kön 21,3; 23,4). Beide Gottheiten werden vom Deuteronomisten scharf bekämpft (vgl. 1 Kön 18,17 ff; Elia überwindet je 400 Baals- und Ascherapropheten). Für die gesamte Königszeit aber können wir mit einiger Sicherheit annehmen, daß neben dem offiziellen Kult Jahwes in Jerusalem die Höhenkulte bei oder in den einzelnen Ortschaften geduldet wurden oder gar als selbstverständliche Lokalgottesdienste und notwendige Ergänzungen des Staatskultes angesehen wurden. Zumindest in der Volksreligion außerhalb der Hauptstadt hat es also geschlechtlich differenzierte Gottheiten gegeben. – Wir wollen dem Phänomen der Lokalkulte in Israel anhand von zwei konkreten Texten noch weiter nachgehen, um die Frage entscheiden zu können, welche Rolle die Göttinnenverehrung in der Königszeit gespielt hat.

Ri 6,25–32 berichtet, wie Gideon die Baal-Aschera-Kultstätte seiner anscheinend politisch sehr bedeutenden Sippe in Ophra im nördlichen Israel zerstört und dafür einen Jahwealtar aufbaut. Es wäre schön, wenn wir in diesem Abschnitt ein zeitgenössisches, also gar vorstaatliches Dokument über die Einführung der Jahwereligion sehen könnten. Diese Hoffnung erfüllt sich jedoch nicht.

Bestimmte Redewendungen (vgl. das »Einreißen« des Altars und das »Niederhauen« des Ascherapfahls z. B. in 2 Mose 34,13; 5 Mose 7,5), und Lieblingsvorstellungen (so die totale Gegenüberstellung Jahwes mit den anderen Göttern) verraten die späte deuteronomistische Überarbeitung. Vor allem zeigt die Namenserklärung am Ende der Geschichte, und auf sie läuft ja die ganze Episode zu, eine durch Zeitverschiebung bedingte Unstimmigkeit. Man sollte nicht erwarten, daß der Jahwestreiter Gideon nach dem besiegten Gott umbenannt wird. In der Tat ist die Namensdeutung »Baal möge gegen ihn antreten« ebenso unwahrscheinlich wie die von 1 Mose 32,29, bei der Israel mit »Du hast mit Gott und Menschen gekämpft« gedeutet wird. Geht man von der normalen Bedeutung des Namens Jerubaal aus, dann muß man zu dem Schluß kommen, daß der Namensträger mit Baal freundschaftlich verbunden war: »Baal kämpft (für ihn)«. Also müßte eigentlich Gideon ein Baalsanbeter gewesen sein, der sich vielleicht zum Jahweglauben bekehrt hat oder der vielleicht auch Jahwe unter dem Namen Baal angerufen hat. Jedenfalls ist die Geschichte von der Zerstörung des Baal-Aschera-Kultplatzes in Ophra in späterer Zeit und unter dem Eindruck des Jahweglaubens gründlich verändert und uminterpretiert worden, so daß ihr ursprünglicher Gehalt nicht mehr sicher zu erkennen ist. Festhalten läßt sich nur, daß in Israel vor Einführung des exklusiven Jahweglaubens Kultplätze für ein Götterpaar, wie Baal und Aschera, existiert haben. Die Frage, warum der alttestamentlich bezeugte Baal nicht wie in den ugaritischen Texten mit Anat-Ischtar ein Paar bildet, muß offen bleiben. Wichtig für uns ist jedoch, daß in der Königszeit die Verehrung eines Götterpaares in Israel sichtbar wird und daß in den späteren Überarbeitungen der Texte dieses Götterpaar heftig angegriffen wird. Dabei spielen sexuelle Differenzierungen jedoch keine Rolle. Baal und Aschera sind vor allem Fremdgötter, die dem einen Gott Jahwe weichen müssen.

Ein sexistisches Vorurteil scheint aber bei einer zweiten Textgruppe im Zentrum zu stehen. Wir wählen als Beispiel 1 Kön 11,1–8. Es ist ein summarischer Bericht von den Kultpraktiken Salomons, und wir brauchen nicht erst die stereotypen Vorwürfe gegen andere Könige zu lesen, um festzustellen, daß auch dieser

Abschnitt aus der Feder späterer Theologen der deuteronomistischen Schule stammt, die rückblickend die ganze Königszeit verurteilen.

»Aber der König Salomo liebte viele ausländische Frauen: die Tochter des Pharao und moabitische, ammonitische, edomitische, sidonische und hetitische – aus solchen Völkern, von denen der Herr den Kindern Israels gesagt hatte: Geht nicht zu ihnen und laßt sie nicht zu euch kommen; sie werden gewiß eure Herzen ihren Göttern zuneigen. An diesen hing Salomo mit Liebe. Und er hatte 700 Hauptfrauen und 300 Nebenfrauen; und seine Frauen verleiteten sein Herz. Und als er nun alt war, neigten seine Frauen sein Herz fremden Göttern zu, so daß sein Herz nicht ungeteilt bei dem Herrn, seinem Gott, war, wie das Herz seines Vaters David. So diente Salomo der Astarte, der Göttin derer von Sidon, und dem Milkom, dem greulichen Götzen der Ammoniter. Und Salomo tat, was dem Herrn mißfiel, und folgte nicht völlig dem Herrn wie sein Vater David. – Damals baute Salomo eine Höhe dem Kemosch, dem greulichen Götzen der Moabiter, auf dem Berge, der vor Jerusalem liegt und dem Moloch [Anm.: wohl Schreibfehler für Milkom], dem greulichen Götzen der Ammoniter. Ebenso tat Salomo für alle seine ausländischen Frauen, die ihren Göttern räucherten und opferten.«

Der Text ist sicherlich nicht einheitlich. Er zeigt Wiederholungen und Spannungen. Bei der Frage nach der Schuld der Frauen an Salomos Abgötterei scheinen mindestens drei verschiedene Meinungen durch. In V. 7, vielleicht dem ältesten Bestand des zitierten Abschnittes, handelt Salomo noch ohne nähere Begründung ganz aus sich heraus. V. 8 trägt die Schuld der ausländischen Frauen als Motivation nach. V. 4 schließlich verlegt die Abgötterei des Königs unter Einfluß der Frauen ins schwache Greisenalter. Damit ist sicherlich eine halbe Entschuldigung seines Tuns mitgeliefert.

Was können wir aus dem vielschichtigen Bericht für unser Thema lernen? Der zweite allisraelitische Großkönig, gleichzeitig der letzte, hat mit ziemlicher Sicherheit einen großen Harem gehabt. Das entsprach seiner politischen Stellung und seinem unermeßlichen Reichtum, welche in 1 Kön 10 so auffällig gerühmt werden. Daß historisch gesehen ausgerechnet die Frauen des Königs, die sich nach allgemeiner Sitte und nach den Aussagen von Ps 45, dem königlichen Hochzeitslied, ganz dem Eheherrn zu unterwerfen hatten, für dessen diverse Kultbauten verantwortlich waren, ist höchst zweifelhaft. »Vergiß dein Volk und dein Vaterhaus« (Ps 45,11) heißt die Ermahnung an die nach Israel einheiratende Prinzessin. Internationale Heiratskontrakte aus dem alten Orient erwähnen die freie Religionsausübung für ins Ausland vergebene Königstöchter nicht. In der Zuschiebung aller Verantwortung für den Götzendienst an die Frauen des Königs zeigt sich darum ein späteres, vielleicht priesterliches Vorurteil, das ähnlich in der Sündenfallerzählung 1 Mose 3 und in den Königinnengeschichten um Isebel (1 Kön 21) und Atalja (2 Kön 11) zum Ausdruck kommt.

Salomo hat aber wahrscheinlich, ohne jede Einwirkung seiner Frauen, aus innenpolitischen Gründen in der Nähe seiner Hauptstadt und fast in Sichtweite des israelitischen Nationaltempels Höhenheiligtümer für Kemosch, den moabitischen Volksgott, und Milkom, den ammonitischen Gott, bauen lassen. Von diesen beiden Gottheiten wissen wir einiges, wenn auch nicht genug. Milkom, der in den alten Übersetzungen manchmal als Molek oder Moloch bezeichnet wird, wurde in der israelitischen Tradition gerne mit Menschen-, besonders Kinderopfern, in Verbindung gebracht (vgl. 3 Mose 20,2–5; Zeph 1,5; Jer 49,1–3), Kemosch ist aus einigen alttestamentlichen Stellen und vor allem aus der Inschrift des Königs Mesa von Moab bekannt. In dem einzigartigen Dokument befiehlt der Nationalgott Moabs, des östlichen Nachbarvolkes Israels, den Eroberungs- und Vergeltungskrieg gegen Israel und bekommt die gesamte Bevölkerung des israelitischen Fleckens Nebo als Opfer dargebracht. An dieser Stelle ist der Name des Gottes mit Aschtar-Kamosch angegeben. Ist das nun ein Doppelname, eine Doppelgottheit oder ein Götterpaar? (Vgl. W. Beyerlin, 253–257; in einer jüngeren Inschrift aus dem 3. Jh. v. Chr. heißt die göttliche Partnerin des Moabitergotts allerdings Sarra; a.a.O., 262).

Wie in 2 Kön 23,13 wird Salomo in unserem Text neben der Verehrung von Milkom und Kemosch der Götzendienst für Astarte vorgeworfen (1 Kön 11,5). Dieser Vers stammt nun schon aus der eindeutig verurteilenden späteren Schicht, während V. 7 noch aus einer wertfreien Aufzählung von Baumaßnahmen zur Verehrung einiger fremder Gottheiten herzukommen schien. Astarte wird als »die Göttin derer von Sidon« apostrophiert. Sie bekommt hier selbst in der spätesten Redaktionsschicht nicht das Attribut »greulich« wie Milkom und Kemosch. Astarte ist die griechische Schreibung für den kanaanäischen Namen Aschtarat. Diese Göttin gehört mit Ischtar und Anat eher zu den Himmels- oder Astralgottheiten als zu den Fruchtbarkeitsspenderinnen. Sie zeigt kriegerische Züge und ist in den ugaritischen Mythen klar von Athirat/Aschera unterschieden. Das schließt jedoch Berührungen und Vermischungen beider Göttinnenvorstellungen in lokalen Kulten nicht aus. Jedenfalls hat die alttestamentliche Überlieferung an den beiden Stellen 1 Kön 11,5 und 2 Kön 23,13 die Singularform für die Göttin Astarte/Ischtar bewahrt, sonst kommen im Alten Testament nur Pluralformen (Astarot) in summarischen Schilderungen von Abgötterei oder der Reform von Götzenkulten vor.

Der Abschnitt 1 Kön 11,1–8 wirft dem König Salomo also ein götzendienerisches Verhältnis zu drei namentlich genannten Nationalgöttern kleinerer Nachbarstaaten vor. Unter ihnen befinden sich zwei männliche und eine weibliche Gottheit(en). Ihre jeweiligen Partner bzw. Partnerin finden vielleicht deshalb keine ausdrückliche Erwähnung, weil deren Existenz selbstverständlich ist und in der Regel nur jeweils ein Hauptgott oder eine Hauptgöttin das Staatswesen repräsentiert. Von der Endredaktion werden Astarte, Kemosch und Milkom als Beispiele für fremde Götter schlechthin (V. 4) verstanden. Salomos Frauen sollen am Abfall zu allen dreien schuld sein (V. 2). Dabei werden die ägyptischen, edomitischen und hetitischen Frauen (V. 1) nicht mit eigenen Kulten erwähnt. Geschichtliches Faktum ist demnach in diesem Zeugnis die Forderung und Duldung von kanaanäischen Kulten auf israelitischem Boden außerhalb Jerusalems. Mit der ausschließlichen Konzentration auf den Jahwekult nach der Katastrophe von 587 v. Chr. werden dann radikal alle Fremdgottheiten und alle Kultorte außer dem Jerusalemer Tempel als illegitim erklärt. Eine besondere, späte Schicht der alttestamentlichen Überlieferung schreibt den Frauen eine spezifische Neigung zum Abfall von Jahwe bzw. zum Rückfall in die heimatliche Religion zu. Diese »Anfälligkeit« für Fremdkulte bedeutet aber nicht eine Bevorzugung von Göttinnen seitens der Ausländerinnen noch eine gezielte Kampfansage gegen weibliche Gottheiten seitens der exilischen Theologen. Es bedeutet, wie gehabt, Abwehr *aller* Fremdgötter in der Spätzeit.

Die alttestamentlichen Texte lassen also für die Königszeit eine bunte Religionsvielfalt durchscheinen. Das Bild wird bestätigt und ergänzt durch Ausgrabungsergebnisse biblischer Archäologen.

Zwar sind Freilufttheiligtümer wegen ihrer vergleichsweise spärlichen Ausstattung sehr schwer aufzufinden oder zu identifizieren. Aber ihre biblische Bezeugung ist eindeutig. Tempelanlagen in einer Stadt sind archäologisch leichter zu bestimmen, ihre biblischen Beurkundungen sind spärlicher. Bei den Tempelgebäuden handelt es sich meistens um vorisraelitische, kanaanäische Gründungen. Ihre kultische Weiterverwendung in israelitischer Regie ist in jedem einzelnen Fall mühselig nachzuweisen. In einer südjudäischen Stadt, Arad, hat man jedoch einen echten Jahwetempel gefunden. Der kleine Sakralbau stammt nachweislich aus der Königszeit und ist schon vor der Katastrophe von 587 v. Chr. wieder zerstört worden. Die erstaunten Archäologen legten einen Hof mit Brandopferaltar und einen breiten Tempelraum mit Räucheraltärchen und einer zentral gelegenen Kultnische frei. In der Kultnische, dem Allerheiligsten des Tempels, stand offensichtlich eine ehemals rot bemalte Kalksteinstele, die nichts anderes als die Anwesenheit des Gottes Jahwe repräsentieren sollte. Die Kultstele ist eine typische Mazzebe. Ob es neben ihr in der Nische ein Symbol für eine weibliche Gottheit gegeben hat, darüber lassen sich nur Spekulationen anstellen (vgl. O. Keel, Abb. 248).

Inschriften, die etwas über den Jahwekult der Königszeit mitteilen könnten, sind sehr rar. Als Beispiele seien drei Grabgraffiti genannt, die trotz ihrer Kürze von größtem Interesse sind. Sie wurden in Hirbet Bet Lajj bei Lachis gefunden: »Jahwe ist der Gott der ganzen Erde, die Berge von Juda gehören ihm, dem Gott von Jerusalem«, »Den Moria hast du selbst begnadet, den Wohnort Jahs, oh Jahwe«, »Rette, oh Jahwe« (W. Beyerlin, 268). Der letzte Satz ist eine persönliche Gebetsanrufung, wie sie häufig in den Psalmen vorkommt. Im mittleren Satz erscheinen Kurz- und Langform des Namens Jahwe nebeneinander, und der heilige Berg, der hier genannt wird, ist aus 1 Mose 22 bekannt. Im ersten Satz ist Jahwe einmal universal der Gott der ganzen Erde und dann wieder der Stadtgott von Jerusalem. Alle drei Graffiti reden ausschließlich von dem einen Gott Jahwe (Datierung unsicher, vgl. K. A. D. Smelik, 148f).

Das ist anders in einigen Texten, die erst seit 1975 durch Ausgrabungen bekannt geworden sind. Sie stammen einmal aus einem kleinen Ort im südlichen Juda, im Sinaigebiet, namens Kuntillet Adschrud, zum anderen aus dem westlich von Hebron gelegenen Chirbet el-Kom. In ihnen ist nicht von Jahwe allein, sondern von »Jahwe und seiner Aschera« die Rede, so jedenfalls nach der wahrscheinlichsten Interpretation dieser Texte. Sie sind zugänglich bei U. Winter, 486–490, K. A. D. Smelik, 138–145 und F. Stolz (in: O. Keel, Monotheismus, 167–173). Weil sie so einzigartig sind, seien sie hier im Wortlaut wiedergegeben.

Die beiden Inschriften von Kuntillet Adschrud fanden sich auf Tonscherben innerhalb der Festungsanlage. Möglicherweise hat dort auf jener Außen- oder Pilgerstation der judäischen Könige eine Schreiberschule bestanden. Die Schüler hätten dann ihre Übungen auf Tonscherben niedergeschrieben, wie es im Altertum durchaus nicht unüblich war. Die Tonscherben oder Tonkrüge, auf denen geschrieben wurde, enthielten übrigens auch Zeichnungen verschiedener Art, darunter zwei menschliche Gestalten, die man wohl als Jahwe und seine Gefährtin ansprechen muß. Die in althebräischen Buchstaben verfaßten Texte sind schwer zu entziffern, weil die Schreibflüssigkeit verblaßt und die Wortordnung nicht immer sicher zu erkennen ist. Ich gebe die Texte im wesentlichen so wieder, wie U. Winter, 487, sie für am wahrscheinlichsten hält.

»Amarjau sagte zu meinem Herrn …(?)
gesegnet seist du durch Jahwe … und durch seine Aschera.
Er soll dich segnen und beschützen, und es sei mit meinem Herrn …«

Anscheinend handelt es sich um ein Brieffragment. Wichtig für uns ist die fast völlig erhaltene persönliche Segensformel. Zunächst sind zwei Segensspender erwähnt, Jahwe und seine Aschera. Dann geht der Text in die 3. Person singular maskulinum über und wiederholt den Segenswunsch. Auch der zweite Text ist in seinem am besten erhaltenen Teil ein Segensspruch, diesmal in der 1. Person. Ihm geht anscheinend eine Botenformel vorauf.

… »Ich will euch segnen durch Jahwe meinen (unseren) Beschützer und durch seine Aschera.«

Text und schon erwähnte figürliche Gottesdarstellung sind aufeinander zugeordnet. Schon darum scheint es unmöglich zu sein, Aschera hier als Kultplatz oder Kultpfahl zu verstehen.

Die dritte Inschrift aus Chirbet el-Kom stammt aus einem Grab. Sie fand sich neben der Abbildung einer stilisierten Hand. Die Wörter sind etwas regellos um die Zeichnung hin verteilt. Möglicherweise lautete der Text:

»Urijahu, der Reiche (Vornehme), hat sie schreiben lassen. Gesegnet sei Urijahu durch Jahwe, und von seinen Feinden hat er ihn durch seine Aschera errettet.« (U. Winter, 488; nach F. Stolz, a.a.O., 172)

Andere Forscher gewinnen durch die Umstellung des Mittelteils einen etwas anderen, den zuerst genannten Inschriften von Kuntillet Adschrud sehr nahe verwandten Text.

… »Gesegnet sei Urijahu durch Jahwe und durch seine Aschera. Von seinen Feinden hat er ihn errettet.« (A. Lemaire, RB 84, 1977, 601 f)

Wie immer man die drei Texte liest, der Eindruck läßt sich kaum vermeiden, daß hier neben Jahwe ein weibliches Wesen genannt wird. Die brennende Frage ist: Worum handelt es sich bei der Aschera? Ist hier dieselbe Göttin gemeint, die wir aus der Nennung Baal und Aschera kennen? Hat es in der Königszeit in Israel tatsächlich die Verehrung eines Götterpaares gegeben, das aus Jahwe und der besagten Ehegefährtin bestand und nicht aus Baal und einer entsprechenden Muttergöttin?

Es gibt natürlich Versuche, die Evidenz dieser Inschriften herunterzuspielen. Aschera sei hier nicht gleichberechtigte Partnerin Jahwes, sondern »höchstens eine untergeordnete Hilfsgröße« (U. Winter, 496) oder ein heiliger Ort (a.a.O., 552 ff). So einfach wird man sich an der Sache nicht vorbeidrücken können. Selbst ein konservativer Gelehrter wie J. A. Emerton meint: Der Ausdruck Aschera kann zwar theoretisch einen Kultplatz bezeichnen, weil einige altorientalische Sprachen derartige Bezeichnungen kennen. Aber, so fährt er fort, »es ist eher wahrscheinlich, daß er ein hölzernes Objekt bedeutet, welches die Göttin Aschera repräsentiert. . . .« Die neu entdeckten Inschriften seien darum sehr wichtig für uns. »Sie bestätigen, was wir schon wußten, nämlich daß Aschera mit einigen Formen des Jahwekultes verbunden war. Die Tatsache, daß Aschera vor anderen Kultgegenständen zusammen mit dem Namen Jahwes gebraucht wurde . . ., unterstreicht ihre besondere Bedeutung, zumindest in einer bestimmten Schicht des volkstümlichen Jahwismus. Darüber hinaus aber gewinnen wir nichts substantiell Neues über unser vorheriges Wissen hinaus. Die neuen Texte können nicht beweisen, daß Aschera in manchen Gruppen als Ehepartnerin Jahwes betrachtet wurde. Allerdings verstärken sie die Argumentation für diese Sicht der Dinge.« (ZAW 94, 1982, 18)

Die Königszeit, soviel ist nach diesem kurzen Überblick sicher, kannte noch nicht den ausschließlich männlichen Gottesglauben. Wenigstens in der Provinz und im Volke war die Verehrung von Götterpaaren und/oder Göttinnen auch bei den Israeliten, dem Volk Jahwes, bekannt und wurde eifrig praktiziert. Möglicherweise duldete die Staatsreligion von den Jahwenormen abweichendes Verhalten und folgte gar selbst höchst offiziell hier und da einem parallelen Göttinnenkult (vgl. R. Patai). Konflikte zwischen Staats- und Volksreligion mögen gelegentlich aufgebrochen sein. Wo gäbe es sie nicht zwischen Zentralgewalt und regionalen Verantwortungsträgern? Die klassischen Propheten, voran Hosea, sind mit ihren authentischen Worten Zeugen für einen sporadischen Kampf gegen Baale und Astarten, Holz und Stein, Fruchtbarkeitsriten und Verehrung himmlischer Scharen. Woher solche frühen Ausschließlichkeitsforderungen für Jahwe kamen, sei dahingestellt. Fest steht, sie waren in der Königszeit noch schwach und selten. Es gab anscheinend keine feste Instanz, die den Jahweglauben als den allein zulässigen propagiert und durchgesetzt hätte. Propheten traten nur isoliert und selten auf. Die Monarchie war an einer exklusiven Jahweverehrung nicht sonderlich interessiert. Der Volksglaube kümmert sich meist um das Wohlergehen der natürlichen Gemeinschaft und ist nicht missionarisch intolerant. Andere Träger einer »Jahwe-allein-Bewegung« (vgl. B. Lang) sind nur schwer zu erschließen (Elia?). Der Strom religiöser Überlieferungen umfaßte vielmehr auch in Israel ein breites Spektrum altorientalischer Vorstellungen und Praktiken. Mit Sicherheit war das weibliche Element darin vertreten. Die vollständige Patriarchalisierung der Theologie hatte noch nicht eingesetzt.

Die entscheidende Kontrollfrage für uns aber lautet: War die Stellung der israelitischen Frau in der Gesellschaft der Königszeit besser, freier, emanzipierter? Kann die Anbetung eines Götterpaares als Zeichen für die gesellschaftliche Gleichberechtigung von Frauen und Männern gewertet werden? Oder umgekehrt: Wirkte sich der Glaube an männliche und weibliche Gottheiten lockernd, befreiend auf eine patriarchale Gesellschaft aus? Wir können die Fragestellung getrost auf den ganzen Alten Orient erweitern, und wir wissen auch, daß sie bis in die Neuzeit hinein eine gewisse Gültigkeit hat. Leider lehren die historischen Dokumente aus dem Alten Orient und sonstige geschichtliche Erfahrung, daß zwischen den Gottes- und religiösen Wertvorstellungen einerseits und den ach so menschlichen Rang- und Rollenordnungen und den damit verbundenen Privilegien und Rechtsminderungen keine automatische und vollständige Kongruenz besteht. Im Alten Orient einschließlich Israels herrschte seit unvordenklichen Zeiten eine patriarchale Ordnung. Diese Ordnung war zwar nicht so starr und blind, wie sie heute manchmal geschildert wird. Frauen hatten darin einen mehr oder weniger großen eigenen Verantwortungsbereich. Dieser Verantwortungsbereich der Frau lag aber seit Jahrtausenden im engeren Rahmen der Hauswirtschaft und Kindererziehung. Für den Mann waren traditionell die öffentlichen Aufgaben reserviert, die sich mit den Stichworten Schutz der Familie und feldwirtschaftliche Produktion bezeichnen lassen. Die Außenfunktionen verschafften dem Mann unmittelbaren Zutritt zu den Sphären des Rechtes und der Religion. Oder: Recht und Religion, wie sie schriftlich festgehalten wurden, waren im wesentlichen Funktionen des Außendienstes. Dadurch bekam er in der Gesellschaft wie in der Familie das Übergewicht. Nur, und das müssen wir noch einmal unterstreichen, wurde die Vorrangstellung des Mannes normalerweise nicht sexistisch begründet oder ausgenutzt. Das antike Patriarchat war in Wirklichkeit eine Familienordnung unter Leitung des Mannes und unter Einschluß der Frau. So ist es wohl am einfachsten zu erklären, daß in der alten patriarchalen Gesellschaft und Religion unbefangen weibliche Gottheiten verehrt und als wichtige und autonome himmlische Funktionsträgerinnen angesehen wurden.

Wenn der Rückweg zu einer alle beherrschenden Göttin und Urmutter keine Lösung unserer Emanzipationsprobleme zu bringen scheint, sollten wir dann versuchen, wenigstens in Theologie und Kirche das Götterpaar wieder zu installieren? Kann die Verehrung eines Gottes wie Jahwe und seiner Aschera, wie des Gottes Jesu Christi und der »Geistin« die notwendige Gleichberechtigung von Frauen und Männern unter uns fördern? Reflexion und Erfahrung müssen uns sehr mißtrauisch machen. Patriarchale Theologen aller Zeiten haben es immer wieder verstanden, auch Gott und Göttin in ein derartiges Abhängigkeits- und Herrschaftsverhältnis zu bringen, daß alle Anmaßungen des Mannes und alle Unterdrückungen und Leiden der Frau damit scheinbar legitimiert werden können. Auch Himmels- und andere Königinnen kann *Mann* wirtschaftlich und politisch entmündigen. Wie es ja übrigens auch *Frau* gelegentlich gelingt, Helden und Supermänner zu dressieren. Das befreiende Potential von sexuell differenzierten Gottheiten ist nicht sehr hoch zu veranschlagen.

Auf der anderen Seite ist der radikale Eingottglaube möglicherweise viel eher geeignet, die Grundlage für die Gleichheit aller Menschen und die Gleichberechtigung auch der Geschlechter abzugeben. H. R. Niebuhr hat in seinem Buch »Radical Monotheism and Christian Culture« auf diese Dimension des Gottesglaubens hingewiesen, leider nicht im Blick auf die Emanzipation der Frau, dazu war 1943 die Zeit noch nicht reif. Wer aber nur eine einzige Quelle des Lebens, der Gerechtigkeit und des Friedens kennt, dem muß nach Niebuhr allmählich auch dämmern, daß Neger, Indianer, Juden, Türken, Vietnamesen auch Menschen sind, daß die Herrschaft des Menschen über den Menschen eine Todsünde ist, daß alle Völker an der Bestimmung und Gestaltung der Erde mitwirken müssen und daß in der Konsequenz auch die Frau zu ihren Persönlichkeits- und Menschenrechten finden muß.

4. Jahwe, der Stammeskrieger

Daß Israel vor der Einführung der Monarchie (10. Jh. v. Chr.) sippen- und stammesmäßig organisiert lebte, ist ein allgemein anerkanntes geschichtliches Faktum. Das Alte Testament selbst hat den Umbruch von der stammes- zur zentralisierten Königsherrschaft in schmerzhafter Erinnerung behalten und von verschiedenen

Positionen her dokumentiert. Über die ersten Versuche, die verschiedenen Sippenverbände einer Region unter eine monarchische Herrschaft zu zwingen, hat ein vielleicht zeitgenössischer Dichter ein Spottgedicht hinterlassen, das sich in die Richtergeschichte eingearbeitet findet (Ri 9,8–15). Nachdem die Bäume ihre edlen Artgenossen Ölbaum, Feigenbaum und Weinstock vergebens aufgefordert haben, das Königsamt zu übernehmen, kommen sie schließlich zum unnützesten und gefährlichsten Gewächs, zum Dornbusch. Sie sagen:

»Komm du und sei unser König! Und der Dornbusch sprach zu den Bäumen: Ist es wahr, daß ihr mich zum König über euch salben wollt, so kommt und bergt euch in meinem Schatten; wenn nicht, so gehe Feuer vom Dornbusch aus und verzehre die Zedern Libanons.« (Ri 9,14 f)

Ein unglaublich dichter poetischer Text, der die schärfste Herrschaftskritik enthält, die man sich denken kann. Dahinter steckt das Selbstbewußtsein der unabhängigen Familien und Sippen, die autark als sich selbst versorgende Bauernfamilien lebten und den Zusammenschluß zu größeren Machtgebilden (noch) nicht mitvollziehen wollten. Vielleicht schwingt auch die Erinnerung an die halbnomadische Vorgeschichte mit. In Jer 35,1–11 treffen wir auf die Sippe des Jonadab ben Rekab, die noch um 600 v. Chr., also vierhundert Jahre später, eisern an nomadischer Lebensweise und entsprechenden Verhaltensregeln festhält und rigoros Wein, Häuserbau, Feldbestellung ablehnt. Von den zum Teil turbulenten Ereignissen um die Königskrönung Sauls berichten dann mehrere Schichten in dem später entstandenen Gesamtwerk des Deuteronomisten (1 Sam 7–11). Das Zeugnis des Alten Testaments ist also völlig klar. Israel hat bis zur Zeit Sauls und Davids, also bis etwa Anfang des 10. Jh.s v. Chr., kein Königtum gekannt. Zwar hat es in Kanaan und in den großen Stromtälern Mesopotamiens und Ägyptens schon Jahrtausende früher Stadtkönige und Reichsgründer gegeben, aber Israel als relativer Spätkömmling in der Völkerwelt des Alten Orients hielt bis etwa 1000 v. Chr. an der entwicklungsgeschichtlichen älteren Sippen- und Stammesstruktur fest.

Die gesellschaftliche Entwicklung der Menschheit kann man sicherlich nicht einlinig als einen Aufstieg von kleineren zu immer komplexeren und größeren sozialen Gebilden beschreiben. Die Ausbildung von sekundären sozialen Organisationsformen stand von der Urzeit bis heute immer in Spannung zu den »natürlichen« primären Gesellschaftsformen, die sich als Familien-Arbeits- und Wohngemeinschaften durchhielten bzw. immer wieder neu konstituierten. Den sogenannten höheren gesellschaftlichen Formationen des Volkes, des Staates, von Wirtschafts- und Interessenverbänden kann darum kein höherer Wert, keine höhere Weihe zugebilligt werden. Dennoch spielt der Übergang von kleineren, persönlichen Gruppen zu komplexeren anonymen Großgesellschaften in der Menschheitsgeschichte eine erhebliche Rolle. Aus der Differenzierung der Produktionsweisen und gesellschaftlichen Rollen folgt eine Zergliederung und Neuformation der »natürlichen« sozialen Einheiten. Die vorgeschichtliche Urgesellschaft muß man sich als lockere, dünne Bevölkerung von selbständig jagenden und sammelnden Horden vorstellen. Diese Menschengruppen der Steinzeit haben mit Sicherheit unter ihren jeweiligen Lebensbedingungen als Sammler, Jäger, nomadisierende Viehzüchter, Fischer und später auch als Bauern von Anfang an Werte, Normen, Rollen, Verhaltensmuster und natürlich auch Gottesvorstellungen ausgeprägt, ehe sie zu größeren sozialen Einheiten zusammenwuchsen. Mit der Bildung von lockeren oder festeren Großgesellschaften wuchs auch die theologische Einsicht in den Wirkungsradius und die Macht der Gottheiten. Aber die Grundlage der menschlichen Kultur und Religion gehen auf die hunderttausendjährige steinzeitliche Frühzeit zurück, als die Menschen noch in elementaren, zahlenmäßig kleinen und autonomen Gruppen zusammenlebten. Aufgrund mannigfacher Kontakte und Konflikte zwischen den einzelnen Gruppen entstanden auch in dieser Vorgeschichte schon bald übergreifende Beziehungen und sekundäre soziale Ordnungen. Die Stammesgesellschaft ist eine noch heute unter Ureinwohnern verschiedener Kontinente zu beobachtende menschliche Grundordnung. In ihr werden von den autonomen Sippen Leitungsfunktionen nach »oben« delegiert und besetzt. Der Stamm dient im wesentlichen dem Schutz der in ihm vereinigten familiären Gruppen und Sippen. Die Gesellschaft ist »segmentär«, d. h. aus gleichförmigen, weitgehend voneinander unabhängigen Einheiten aufgebaut (vgl. Chr. Sigrist).

Doch zurück zur israelitischen vorköniglichen Stammesgesellschaft und ihren Gottesvorstellungen. Wir befinden uns jetzt in der Zeit etwa zwischen 1200 und 1000 v. Chr. Daß die zuverlässigen Nachrichten über diese Phase israelitischer Geschichte im Alten Testament nur noch spärlich vorhanden sind, müßte sofort einleuchten. Das Alte Testament ist in der Exils- und Nachexilszeit als ein kultisches Lese- und Gebetsbuch entstanden und hat die in ihm zusammengefaßten Erzählungen, Lieder, Sprüche und Verhaltensnormen immer wieder zeitgemäß umgeformt. Also sind die Spuren der Vor- und Frühgeschichte verwischt und verblaßt.

Immerhin läßt sich einiges für unsere Fragestellung Wesentliche erkennen.

Locker verbundene Sippen von Halbnomaden und sozial deklassierten und marginalisierten Bevölkerungselementen hatten sich etwa seit dem 14. Jh. v. Chr. im Land Kanaan niedergelassen, und zwar überwiegend in den unbebauten, zum Teil noch bewaldeten Gebirgsregionen zwischen den uralten kanaanäischen Stadtstaaten. Die Neuankömmlinge wurden Kleinbauern und seßhafte Kleinviehzüchter und behielten in ihren unbefestigten Dörfern die ihnen vertrauten Sippenstrukturen bei. Sie schlossen sich aber möglicherweise unter dem Druck der Stadtfürsten zu festeren Stammesverbänden zusammen. Ja, es hat bald auch Bündnisse von Stämmen und erste Versuche von Machtkonzentration in dieser neu ins Kulturland hereingekommenen Bevölkerungsschicht gegeben. Die gelegentlich noch gebrauchte Selbstbezeichnung »Hebräer« (vgl. 1 Mose 40,15; 2 Mose 1,15,19) hat übrigens etwas mit den aus altorientalischen Quellen bekannten *hapiru* zu tun, jenen entwurzelten Menschen, die von Städtern und Königen gerne zu Tagelöhnerarbeiten und Söldnerdiensten angeworben wurden.

Wie funktionierte die israelitische Stammesordnung? Sie war durch und durch patriarchal strukturiert. Zahllose Stammesorganisationen in Afrika, den beiden Amerikas, Asien sind bis in die Neuzeit hinein ähnlich männerorientiert aufgebaut. Die moslemischen Beduinen geben bis heute ein extremes Beispiel für die männliche Vorherrschaft in der Gesellschaft. In Israel war der Ältestenrat, d. h. die Versammlung der Sippenoberhäupter, wohl das entscheidende Gremium für die Stammesleitung (vgl. besonders W. Thiel, 92–145). Der Ältestenrat hatte eine Art Ehrenvorsitzenden, den *nasi'*, dem beduinischen Scheich vergleichbar. Ihm kamen keine großen gesetzgeberischen oder exekutiven Kompetenzen zu. Er hatte höchstens im Kriegsfall einige besondere Vorrechte und Pflichten. Dennoch muß er in der altisraelitischen Gesellschaft eine sehr geachtete Persönlichkeit gewesen sein. Heißt es doch in der ältesten Gesetzessammlung, dem sogenannten Bundesbuch: »Gott sollst du nicht lästern, und einen *nasi'* in deinem Volk sollst du nicht fluchen.« (2 Mose 22,27). Der Stammesführer ist also göttliche Autoritätsperson, wie auch Vater und Mutter auf der Familienebene, jedenfalls im Erziehungsbereich, an der göttlichen Ordnung verantwortlich teilhaben (vgl. 2 Mose 20,12; 3 Mose 19,3). Die gesamte Sozialordnung ist von der Gottheit sanktioniert. Auf der Stammesebene erscheint sie jedoch einseitig auf männliche Entscheidungsgewalt ausgerichtet. Es fehlt das weibliche Pendant zum *nasi'*. Nur der »Scheich« hat teil an der göttlichen Immunität. Eine »Scheichin« ist jedenfalls im Alten Testament nicht bekannt.

Die Lage erscheint etwas anders, wenn wir uns einem zweiten möglichen »Amt« der altisraelitischen Stammesgesellschaft zuwenden. Es geht um die sogenannten Richter der vorstaatlichen Zeit. Von einer kleinen Gruppe dieser Führergestalten besitzen wir nur kurze annalenartige Notizen über eine nicht leicht zu definierende, allgemeine Richtertätigkeit (vgl. Ri 10,1–5; 12,7–14). Sie sind anscheinend die Rechtspfleger der Stämme und mögen auch als Schiedsmänner bei Konflikten zwischen den Stämmen gedient haben. Eine andere Kategorie von Richtern stellen die großen Rettergestalten dar, die Israel in Krisenzeiten von Jahwe gesandt wurden. Sie handeln unter der spontanen Einwirkung des Geistes Gottes, wie z. B. Gideon und Saul (vgl. Ri 6–7; 1 Sam 10–11), und befreien Israel aus seiner bedrängten Lage. Ausgerechnet im Umkreis dieser Richtergestalten beiderlei Ausprägung treffen wir eine Frau, Debora (Ri 4–5). Sie war »Prophetin« und richtete Israel (Ri 4,4). Ganz ungeniert läßt hier der patriarchale Erzähler eine Frau höchste Leitungsfunktion in Politik und Religion ausüben. Ob ihm dabei nicht doch ein wenig die Haare zu Berge gestanden haben, so wie wenn deutsche Mannsbilder sich eine Frau Bundeskanzlerin oder eine Frau Bundespräsidentin vorstellen? Debora jedenfalls erhält auch noch den Ehrentitel »Mutter in Israel« (Ri 5,7). Sie soll einerseits unter einer bestimmten Palme Recht gesprochen haben (Ri 4,5; vgl. 1 Mose 35,8). Andererseits greift sie auch in die militärisch-politische Auseinandersetzung mit den kanaanäischen Stadtkönigen ein (Ri 4–5). Die Gestalt der Debora will absolut nicht in das patriarchale Schema passen, das wir gemeinhin anlegen. Wie ist es möglich, daß in einer so stark geprägten männlichen Stammesgesellschaft eine Frau die entscheidenden Rollen übernimmt? Reine Erfindung Späterer kann diese Geschichtsepisode unmöglich sein, denn bei zunehmendem Mißtrauen gegen das Weibliche wäre es den nachfolgenden Generationen nicht in den Sinn gekommen, eine Frau in eine derartig exponierte Stellung zu versetzen. Die Antwort auf unsere Frage kann nur in der Richtung gefunden werden, daß wir unser Bild vom alten Patriarchat revidieren. Anscheinend waren in der altisraelitischen Stammesgesellschaft die Geschlechterrollen trotz der männlichen Führungspositionen nicht sexistisch festgelegt. Aus der häuslichen Arbeitsteilung ergab sich die überwiegende Verantwortung des Mannes für Öffentlichkeits- und Schutzfunktionen, für den Rechts- und den Kultbereich. Aber das schloß nicht aus, daß auch Frauen gegebenenfalls solche »männlichen« Verantwortlichkeiten übernehmen konnten. Jedenfalls halten die alten israelitischen Erzähler die Frau weder für unfähig noch für ungeeignet, in Rechts- und Kriegsangelegenheiten mitzuwirken.

Welche Rolle aber spielte die Religion in der Stammesgesellschaft der vorstaatlichen Zeit? Gibt es charakteristische Gottesvorstellungen, die sich aus der patriarchalen Stammesstruktur erklären ließen? Wie steht es um die Männlichkeit Jahwes in jener Zeit? Nach einigen allgemeinen Bemerkungen wollen wir uns wieder Einzeltexten zuwenden.

Gottesglaube und Kultpraxis waren anscheinend für die altisraelitischen Stämme ganz wesentliche Bindemittel, wenn nicht überhaupt das vorrangige, gemeinschaftsbildende Element. Wahrscheinlich ist, daß die verschiedenen Gruppen zunächst auch verschiedene Gottheiten verehrten. »Eure Väter wohnten vor Zeiten jenseits des Euphratstroms ... und dienten anderen Göttern« (Jos 24,2), läßt ein späterer Erzähler den zweiten legendären Anführer Israels, Josua, sagen. Darin kommt die richtige Erinnerung an die polytheistische Vergangenheit der vorisraelitischen Gruppen zum Ausdruck. Der Name »Israel« ist ja auch in dem in Kanaan weit verbreiteten Gottesbegriff »El« zusammengesetzt und enthält nicht die Zuordnung zu Jahwe, dem späteren Nationalgott.

Aber der Gott Jahwe erscheint in jenen Jahrhunderten auf der religionsgeschichtlichen Bühne und beginnt, sich in der Stammesgesellschaft Israels festzusetzen und allmählich eine Vorrangstellung zu erringen. Sehr wahrscheinlich hatte etwa um 1200 v. Chr. eine zu den in Kanaan sich bildenden Stämmen hinzustoßende, neue Gruppe von Halbnomaden, häufig die Moseschar genannt, die Verehrung des Gottes Jahwe von der Sinaihalbinsel oder aus dem Ostjordanland mitgebracht. Diese Gruppe berichtete von der wunderbaren Rettung durch Jahwe vor einer ägyptischen Streitwagengruppe. »Laßt uns Jahwe singen, denn er hat eine herrliche Tat getan, Roß und Mann hat er ins Meer gestürzt« (2 Mose 15,21). Hinter diesem Lobbekenntnis liegt eine grundlegende Glaubenserfahrung, die in den Kreisen der israelitischen Kleinbauern einen lang anhaltenden und für die ganze Glaubensgeschichte Israels entscheidenden Eindruck gemacht hat. Eine wahrhaft weltgeschichtliche Erfahrung, denn sie wirkt bis heute in der jüdisch-christlichen Tradition nach und hat ihre Spuren etwa auch im deutschen Befreiungskampf gegen Napoleon (»Mit Mann und Roß und Wagen hat ihn der Herr geschlagen«) und bis in die oft blutigen Auseinandersetzungen um die Landverteilung in Lateinamerika hinterlassen. Für Altisrael wurde die Rettung der Moseschar am Schilfmeer deshalb so überaus wichtig, weil sie ganz ähnliche Rettungserfahrungen im Lande Kanaan selbst ermöglichte. In den Auseinandersetzungen mit den kanaanäischen, kulturell überlegenen und hochgerüsteten Stadtstaaten, denen gleichwohl die Bauern- und Hirtenstämme zu gefährlichen Konkurrenten geworden waren, erwies sich der von auswärts hereindrängende Gott, der seinen Anhängern »vom Sinai« (Ri 5,5; Ps 68,9) oder vom »Gebirge Seir« bzw. »Paran« (Ri 5,4; Hab 3,3) aus zu Hilfe eilt, als übermächtig. Dieser den Kanaanäern fremde Gebirgsgott, Bundesgenosse der erstarkenden israelitischen Stämme, flößte den Alteingesessenen mehr und mehr Furcht ein (vgl. noch 1 Kön 20,23: »ihr Gott ist ein Berggott, darum haben sie uns überwunden«).

Unter diesen Umständen ist es nicht verwunderlich, daß der Glaube an Jahwe zum wichtigsten Identitätsmerkmal der israelitischen Stämme wurde. Man verehrte den Stammesgott anfänglich vielleicht noch an seinem ursprünglichen Wohnort im Süden oder Osten des kanaanäischen Kulturlandes (vgl. 1 Kön 19,8), dann aber auch an Heiligtümern in den neuen Siedlungsgebieten. Wir hören von Jahwekultstätten z. B. in Sichem, Gilgal, Silo und an anderen israelitischen Orten. Die Verehrung des Gottes Jahwe geschah vermutlich in der Regel im Rahmen von jahreszeitlichen Wallfahrtsfesten (vgl. 1 Sam 1,3) oder an speziellen Gedenktagen der Befreiung von Fremdherrschaft und Unterdrückung. Die ganze Familie war an solchen religiösen Feiern beteiligt, wie gerade die Geschichte von Elkana und Hanna in 1 Sam 1 deutlich zeigt. Wir müssen nur ganz klar sehen, daß der Kult für Jahwe auf der Ebene des Stammes und möglicher Stammesbündnisse angesiedelt war. Unterhalb dieser politisch-sozialen Ebene im Bereich von Familie und Sippe waren andere Religionsformen gebräuchlich, die zwar teilweise jahwisiert wurden (vgl. einige Psalmensammlungen), aber ein starkes Eigenprofil behielten. Und weiter: Die Verehrung des Gottes Jahwe in der Stammesperiode Israels rückt zwar den einen männlichen Gott stark in den Vordergrund, schließt aber die Verehrung anderer Gottheiten neben ihm prinzipiell nicht aus. Dem Rettergott gebührt, religionsgeschichtlich gesehen, immer die vorrangige Verehrung seiner Anhängerschar. Weil aber die Quellen aus der israelitischen Stammeszeit für uns so spärlich sind, können wir über Stammesgottheiten außer Jahwe schlechterdings nichts aussagen. Auch die Frage nach einer möglichen Partnerin muß unbeantwortet bleiben (vgl. Kemosch und Milkom bei Moabitern und Ammonitern).

Wir halten vorläufig fest: In der vorköniglichen Zeit war die

Gesellschaft in Israel deutlich mehrschichtig organisiert. Die tragende Grundlage für das gesamte Leben des Einzelnen wie der übergeordneten Institutionen war die Großfamilie. Sie war wirtschaftlich, rechtlich und vermutlich auch religiös – doch davon später! – weitgehend eigenständig. Die übergeordnete Stammesformation hatte gewisse Funktionen besonders auf dem Gebiet der Rechtspflege, des Verteidigungsfalles und der Kultpraxis. Aber es fehlten in dieser vormonarchischen sekundären Gesellschaftsstruktur noch alle zentralistischen Elemente. Oberhalb der Großfamilie konnten kaum noch Zwangsmittel eingesetzt werden, um den Willen der Stammesorganisation durchzusetzen. Der Stammeskrieg gegen Benjamin in Ri 20 ist eine später hochstilisierte Ausnahme. Auf der Ebene des Stammes und der Stammesbündnisse kam in der Regel alles auf Konsens, Freiwilligkeit und Kooperation aus Eigeninteresse an (vgl. Ri 5). Die Ältesten, sprich Familienoberhäupter, waren unter sich gleichrangig. Der Stammesführer *(nasi')* war höchstens primus inter pares. Nur im Krieg wurde gelegentlich ein vom Jahwegeist Ergriffener als zeitweiliger Heerführer mit gottverliehener Befehlsgewalt anerkannt. Verbindendes Element für alle verschiedenen Formen der Stammesorganisation war in Israel vor allem der Jahwekult. Er berührte aber kaum die häusliche Religionsausübung, wenn auch die ganze Familie jeweils an den Kultfeiern teilnahm. Wenn man einer israelitischen Gesellschaftsformation das Prädikat patriarchal = männergeleitet zuerkennen will, dann gebührt es in erster Linie der Stammesorganisation. Die vom Stamm vertretenen Aufgabenbereiche des Rechts und des Krieges waren fast ausschließlich den Männern vorbehalten. Folglich lag auch die Kultausübung auf dieser Ebene in der Hand der Männer. Frauen, Kinder und Sklaven konnten als Angehörige der patriarchalen Familie an den Riten teilnehmen.

Um so erstaunlicher ist die Tatsache, daß in den beiden vermutlich alten und den Ereignissen nahestehenden Kampf- und Siegesliedern Frauen eine außerordentlich wichtige Rolle spielen. Liegt der Grund dafür ganz einfach in der Pioniersituation der altisraelitischen Kleinbauern? Wir wissen ja, daß in den »Landnahmebewegungen« der Weißen auf den amerikanischen Kontinenten die Frau oft Männerrollen hat übernehmen müssen. Oder gibt es in der Frühgeschichte Israels theologische Gründe für die herausragende Bedeutung von Frauen im Verteidigungskampf? Wir wenden uns den genannten Texten zu.

Das Deboralied (Ri 5) ist seiner Gattung nach ein altisraelitischer Siegesgesang. Er berichtet zum Teil in sehr konkreten

Andeutungen und drastischen Schilderungen, auch in einer archaisch-religiösen Sprache und Bilderwelt, vom Entscheidungskampf einiger israelitischer Stämme gegen ein hochmodern gerüstetes kanaanäisches Streitwagenheer. Dank des übermächtigen Eingreifens Jahwes können die Israeliten – und sie sind Bauern, die zu Fuß und möglicherweise mit primitiven Waffen kämpfen! – die Kampfwagentruppe der kanaanäischen Söldner entscheidend schlagen. Der flüchtige Oberbefehlshaber Sisera der kanaanäischen Koalition wird im Zelt einer anscheinend mit den israelitischen Stämmen befreundeten kenitischen Familie von einer Frau, Jael, umgebracht.

Welche Vorstellungen von Gott lassen sich in diesem Siegeslied erkennen? Der in Kanaan fremde Gott Jahwe erscheint aus der edomitischen Wüste bzw. vom Sinai her inmitten eines fürchterlichen Aufruhrs der Naturgewalten. Die Erde bebt, die Berge – tragende Säulen der alten Welt – schwanken. Regenfluten stürzen herab (Ri 5,4–5). Das sind die typischen Anzeichen einer machtvollen Theophanie (vgl. J. Jeremias). Sie begleiten den Auftritt eines Gewitter- oder Kriegsgottes, und neben dem Beben und dem Aufruhr der Fluten werden oft auch Feuer und Sturm als weitere Naturgewalten genannt (vgl. Ps 18,8–16; 50,2–3; 97,2–5). Ist diese Erscheinungsweise der Gottheit maskulin vorgeprägt? Ist sie als sexistisches Imponiergehabe zu verstehen? Der Text gibt zumindest keine direkten Hinweise auf eine solche Intention. Der Aufruhr der Urgewalten muß wohl als Angstreaktion der Naturkräfte und als Demutsbezeugung vor dem gewaltigen Kriegsgott verstanden werden. Doch sind die Naturgewalten nicht einfach mit einem weiblichen Prinzip oder einer weiblichen Urgottheit zu identifizieren. Auch nach dem babylonischen Schöpfungsmythos, in dem die Urmutter Tiamat besiegt und zerstückelt wird, ginge eine solche sexistische Interpretation fehl. Bei allen Chaoskampfmythen handelt es sich nicht um eine Auseinandersetzung zwischen maskulinem und femininem Element. Die Unterwerfung der Chaosmächte unter den angerufenen und kommenden Rettergott bedeutet im Alten Orient und im Alten Testament nicht die Ausschaltung des Weiblichen, sondern viel eher die Bändigung und Unterwerfung des lebensbedrohenden Bösen schlechthin, die Befriedigung der Welt, die Befreiung aus Todesgefahr. Das Böse wird grundsätzlich nicht weiblich vorgestellt, wenn auch in manchen Traditionssträngen späterer Zeit, vielleicht unter dem Einfluß eines scharf dualistischen Denkens, die Tendenz in diese Richtung geht (vgl. die »Frau in der Tonne« in Sach 5,5–11). Auffällig und eigenartig ist hingegen, daß in unserem Text ein Stammesgott wie Jahwe mit kosmisch-mythischen, offensichtlich aus dem Kulturland stammenden Vorstellungen in Zusammenhang gebracht wird.

Jahwe ist eindeutig und stark betont der »Gott Israels«, und Israel ist das »Volk Jahwes« (Ri 5,3.5.11). Der Stammesgott ist ebenso stark auf die Gruppe seiner Verehrer bezogen und mit ihnen solidarisch, wie das von National- und Staatsgöttern immer schon bekannt ist. Die Gottheit ergreift als Mitglied und Anführer oder Anführerin der ihr zugeordneten Gruppe völlig einseitig Partei. Jeder Krieg war in jener Zeit zugleich ein Kampf der Götter und Göttinnen, die zu den betreffenden Volksgruppen gehörten. Die schon zitierte Mesainschrift setzt Kemosch, den Nationalgott der Moabiter, gegen Jahwe, den Gott der Israeliten. Assyrische und babylonische Siegesinschriften sprechen dem Gott Assur bzw. dem Gott Marduk Auftrag zum und Sieg im Kampf zu. »Mit der rohen Kraft, die mein Herr Assur mir gegeben, und mit den mächtigen Waffen, die der Gott Nergal, der vor mir her geht, mir verliehen hat, kämpfte ich mit ihnen«, sagt der assyrische König Salmanassar III. um 855 v. Chr. nach dem Sieg über eine israelitisch-kanaanäische Koalition (K. Galling, 50). »Amon, ... gebt ihm Preis, rühmt die Macht seiner Majestät, weil seine Macht größer ist als die aller Götter...«; »das ganze Heer jubelte und pries Amon wegen des Sieges, den er seinem Sohn an diesem Tage gegeben hatte. Sie gaben seiner Majestät Lobpreis und rühmten seinen Sieg und brachten Beute herbei, die sie zusammengebracht hatten ...«, so läßt der Pharao Thutmosis III. nach seinem Sieg bei Megiddo über eine syrisch-kanaanäische Koalition auf einer Tempelwand in Karnak in Ägypten seinen Sieg verherrlichen. Das war im Jahre 1468 v. Chr. Auch ein Stammesgott wie Jahwe ist verpflichtet, gegen die Feinde seiner Anhänger vorzugehen oder für sein Volk gegen andere Völker und ihre Götter einzustehen. »So sollen umkommen, Jahwe, alle deine Feinde. Die ihn aber liebhaben, sollen sein wie die Sonne aufgeht in ihrer Pracht« (Ri 5,31). Wahrscheinlich ist dieser Satz späte Zutat zum Siegeslied, weil er prosaisch breit angelegt ist. In der Sache stimmt er aber ganz mit dem Duktus des Liedes und jenem alten Ladespruch überein: »Jahwe, steh auf! Laß deine Feinde zerstreut werden und alle, die dich hassen, flüchtig werden vor dir« (4 Mose 10,35). Vom Eingreifen Jahwes gegen die Feinde sprechen viele Stellen des Alten Testamentes (vgl. z. B. Ps 68,2–4; 91,1 f; Hab 3; Jes 59,15–21; 63,1–6). Im Alten Orient ist die Rolle des kriegerisch für sein Volk kämpfenden Gottes nicht auf die männlichen Gottheiten eingeschränkt. Auch Inanna und Ischtar treten in dieser Weise für ihre Könige und Untertanen ein. Auch der Göttin Anat in Kanaan, die bei Auseinandersetzungen mit ihren Feinden knöcheltief im Blut watet, ist ein solches Verhalten zuzutrauen. Wichtig erscheint mir auch, daß in altorientalischen Siegesliedern sehr oft einem einzigen Gott der Sieg zugeschrieben wird. Damit ist über das Vorhandensein oder Nichtvorhandensein anderer Gottheiten in dem betreffenden Volk nichts ausgesagt. Und die Rolle des Kriegsgottes ist keineswegs ausschließlich männlichen Gottheiten vorbehalten.

Israel ist das Volk Jahwes, und die Zugehörigkeit zu seinem Gott begründet nach Aussage unseres Siegesliedes eine Reihe von Verpflichtungen. Darunter stehen an erster Stelle die Gefolgschaftstreue gegenüber Jahwe (Ri 5,2.9.13) und die unbedingte Solidarität untereinander. In V. 13–18 werden einzelne Stämme aufgerufen, für und mit Jahwe zusammen in den Kampf zu ziehen. Ephraim, Benjamin, Machir, Sebulon, Isaschar, Naftali werden wegen ihrer Gefolgschaftstreue gerühmt. Ruben, Gilead, Asser, Dan und die Stadt Meros bekommen einen scharfen Tadel, weil sie sich nicht am Jahwekrieg beteiligt haben. Die Verpflichtung zum Kampf ist also ein hervorstechendes Moment der Stämmegruppierung, die sich Israel nennt, und sie läßt wiederum auf die Natur des Gottes Jahwe schließen. Er ist ein Kriegs- und Schutzgott für die Stämme Israels. Von anderen Funktionen wissen wir wenig. Dementsprechend kommt Jahwe Israel zur Hilfe. Er gebietet anscheinend sowohl über die Himmelsmächte als auch über die Kräfte der Tiefe: »Vom Himmel kämpften die Sterne …« (Ri 5,20). Dagegen ist Siseras Kampftruppe machtlos. »Der Bach Kison riß sie hinweg, der uralte Bach, der Bach Kison« (Ri 5,21): Hier liegt der Gedanke an die Urflut, das Chaoswasser, nahe. Eine solche Häufung von Vollmachten bei einer Gottheit ist wiederum für einen Stammesgott besonders ungewöhnlich, sind doch gerade in den Mythen der Umwelt der Verantwortungsbereiche der Götter und Göttinnen klar abgegrenzt. Wenn auch Vermischungen vorkommen, werden sie doch meistens entweder als Himmels- oder als Erdgötter dargestellt. Vielleicht tritt in dem Titel »Jahwe Zebaoth«, Jahwe der himmlischen Heerscharen – er kommt mehr als zweihundertmal im Alten Testament vor –, eine umfassende Vorstellung zutage: Jahwe herrscht in den oberen Regionen und ist fähig, die Macht der Unterweltsmächte zurückzudrängen. Jedenfalls konstituiert der Glaube an diesen mächtigen und den Kulturlandgöttern überlegenen Gebirgsgott in Ri 5 das eigentliche Bekenntnis der Stammesgesellschaft.

Die Männlichkeit Jahwes wird im Deboralied nicht eigens hervorgehoben, und dennoch sind die Frauen Debora und Jael die Hauptpersonen dieses Hymnus. In der Schlacht kämpft Jahwe alleine. Auch in den altorientalischen Religionen übernahm nach den Siegesinschriften die Gottheit die Hauptlast des Kampfes. In der Regel übt ein Gott die Rolle eines Kriegs- und Rettergottes aus. Göttinnen beteiligen sich eher ausnahmsweise an kriegerischen Auseinandersetzungen, obwohl sie doch im himmlischen Pantheon kaum durch Haus- und Feldarbeit sowie Kinderaufzucht belastet sind. Die Rollenverteilung unter den Gottheiten spiegelt also die menschlichen Verhältnisse und Arbeitsteilungen wider. So ist es nicht zu verwundern, daß auch der israelitische Stammesgott Jahwe als männlicher Krieger vorgestellt wird. Die zufällige Erwähnung des Personennamens Anat in Ri 5,6 soll weder das Geschlecht Jahwes betonen noch auf eine mögliche Kampfgefährtin hinweisen. Aber die stark hervorgehobene Bedeutung der beiden Frauen macht in der Tat stutzig. Debora ist nicht nur die Vorsängerin des Siegesliedes (»ich will singen für Jahwe ...«, Ri 5,3), sondern auch diejenige, die den Kampf inspiriert und augenscheinlich sogar anführt (Ri 5,7; 4,8 f). Und trotz des großen Stammesaufgebotes ist Jael die einzige, die aktiv als Bundesgenossin Jahwes in die Handlung eingreift und tatsächlich eine entscheidende Befreiungstat vollbringt (Ri 5,24–27). Die Aktivität der Männer beschränkt sich nach unserem Siegeslied anscheinend darauf, dem Kriegsaufruf Deboras zögernd, widerwillig Folge zu leisten und am Ende die Beute unter sich aufzuteilen (Ri 5,30). Ri 5 zeigt jedenfalls eine derartige Prominenz von Frauen in der Entscheidungsschlacht Israels gegen die Kanaanäer, daß man mit Recht fragen kann, ob nicht die ganze Jahwereligion der Zeit vorzüglich Frauensache gewesen sei. Das ist aber aus den angeführten Gründen kaum wahrscheinlich. Wohl aber lehrt das Siegeslied der Debora mit aller Klarheit: Die Frauen waren voll in die Stammesgesellschaft integriert. Die Stammesgesellschaft aber war patriarchal bestimmt. Auch Debora wird als Frau des Lapidot eingeführt (Ri 4,4). Das heißt, sie gehörte ordnungsgemäß einer patrilinear strukturierten Sippe an. Die Zugehörigkeit zum Ehemann und zu seiner Familie verhinderte aber nicht, daß die Frau im Ausnahmefall männliche Positionen einnehmen konnte. Im patriarchalen Jargon heißt das: Frauen konnten in der Stammesgesellschaft relativ unangefochten »ihren Mann stehen«, wenn die Not es gebot. Der Erzähler von Ri 4 macht sich sogar über die feigen Männer lustig. Debora ist für ihn ein Vorbild an »männlicher« Entschlossenheit und Tatkraft. Auch dieses Detail beweist das unbefangene Nebeneinander der Geschlechter in ihren jeweils verschiedenen Rollen. Was die Kriegssituation angeht, so hatten Frauen in der Frühzeit Israels die wichtige Aufgabe, die Kämpfer mit Verpflegung und sicherlich auch moralisch zu unterstützen und vor allem die heimkehrenden Sieger gebührend zu feiern. Es war feste Sitte, daß sie den zurückkehrenden Helden entgegenzogen und ihnen die ersten Lobeshymnen anstimmten (1 Sam 18,6 f; Ri 11,34). Und die von Frauen berichteten Heldentaten, in aufreizender Genauigkeit dargestellt, dienten in patriarchalen Gesellschaften hauptsächlich dazu, den müden Kriegern Beine zu machen (vgl. die Bücher Ester und Judith). Trotz allem, in der Gründungsphase Israels, d. h. in der Zeit der Stammesgesellschaften, scheint es innerhalb der patriarchalen Gesamtordnung eine relative Ausgewogenheit zwischen den Verantwortungsbereichen der beiden Geschlechter gegeben zu haben.

Das wird auch durch den zweiten wichtigen Text aus jener Epoche bestätigt. Wiederum handelt es sich um ein Siegeslied, das »Mirjam, die Prophetin, Aarons Schwester« und andere Frauen nach dem Untergang der ägyptischen Streitwagen im Schilfmeer anstimmen (2 Mose 15,20 f). Mit dem Titel Prophetin versucht anscheinend ein späterer Schreiber, wie schon in Ri 4,4, die Frau zu legitimieren, die es wagt, in heiliger Sache ihren Mund aufzutun. In der Frühzeit brauchten die Frauen keine derartige Legitimation. Der von Mirjam vorgesungene Vers, der dann wahrscheinlich endlos wiederholt wurde, ist ein einziges Loblied auf den rettenden Gott Jahwe. Auch hier müssen wir im Sinne des Erzählers ein enges Vertrauensverhältnis zwischen Frauen und der männlichen Stammesgottheit Israels annehmen. Weiter aber ist besonders interessant, daß Mirjam nicht nur die Schwester von zwei der höchsten israelitischen Führungsgestalten genannt, sondern auch zu einer Art Gegenspielerin des Mose in Sachen religiöser Gleichberechtigung gemacht wird (4 Mose 12,1–15). Sollten hier Erinnerungen an eine ursprünglich in Israel heimische Frauenreligion oder Göttinnenverehrung bewahrt geblieben sein? Möglich ist das. Aber der Text erweist sich als sehr vielschichtig und widersprüchlich, und es ist schwer, den eigentlichen Kern der Sache herauszufinden. Geht es um die Anerkennung der prophetischen Mittlerfunktion im Gegensatz zur etablierten Gemeindeleitung (4 Mose 12,2.6 ff)? Geht es um rivalisierende Nachkommen, die sich für ihren Anspruch auf die Gemeindeleitung hinter dem Namen Mirjam, Aaron und Mose verschanzen? Wie dem auch sei, auch das Mirjamlied und seine Nachklänge in der alttestamentlichen Literatur beweisen die unbefangene Jahweverehrung durch prominente Israelitinnen der Frühzeit (vgl. R. Burns). Bericht und Lied der Mirjam zeigen auch, daß Frauen in der Frühzeit Israels nicht zu zweitrangigen Wesen herabgestuft wurden.

Weil die Zeugnisse aus der israelitischen Stammeszeit so karg sind, lohnt es sich, nach zusätzlichen Informationsquellen Ausschau zu halten. Nun sind aber gerade seit Beginn unseres Jahrhunderts zahllose noch existierende Stammesgesellschaften wissenschaftlich untersucht worden. Einige Grundbedingungen religiösen Lebens, die dabei zutage traten, können uns zumindest eine Ahnung davon vermitteln, vor welchem Hintergrund altisraelitische Stammesreligion praktiziert worden ist. Die Einzelheiten der israelitischen Glaubenserfahrung, des kultischen Zeremoniells und der theologischen Anschauungen sollen damit keinesfalls präjudiziert werden. Doch wäre ein tieferes Verständnis für die anthropologisch und soziologisch zugängliche, weil durch Stammesorganisation bedingte Lage eine wichtige Hilfe für die richtige Einordnung der wenigen alttestamentlichen Zeugnisse aus der Stammeszeit.

In unserem Jahrhundert sind in der Tat eine große Anzahl von anthropologischen Feldstudien über Stammesgesellschaften auf allen Kontinenten unternommen worden. In aller Regel, und das ist eine wesentliche Neuerung in der wissenschaftlichen Anthropologie, lebten die Forscherinnen und Forscher zeitweise mit den Eingeborenen zusammen und versuchten, deren gesellschaftliches und religiöses Modell von innen her zu verstehen. Verwandtschafts- und Interaktionssysteme, Produktions- und Wirtschaftsabläufe, politische Strukturen und geistige Welten fanden dabei das Hauptinteresse der Anthropologinnen und Anthropologen. Mehr und mehr wurde jedoch die Religion als integraler Bestandteil der sogenannten »primitiven« Gesellschaften erkannt und in die Untersuchungen mit einbezogen. Seit Emile Durkheim in seinem epochemachenden Werk »Die elementaren Formen des religiösen Lebens« (französisch 1912) eine theoretische Synthese der bis dahin bekannten Fakten versuchte, hat es eine schier unübersichtliche Fülle von empirischen Studien in vielen Ländern gegeben. Um die Glaubenswelt der Südseeinsulaner kümmerten sich z. B. Malinowski, R. F. Fortune, M. Mead, R. Firth. Bei sudanesischen Stämmen lebten z. B. E. E. Evans-Pritchard, G. Lienhardt und J. Middleton. Die Riten zentralafrikanischer Gruppen beschrieb und beschreibt V. W. Turner. Lateinamerika hat bedeutende Religionsanthropologen, wie z. B. D. Ribeiro oder die Brüder Vilas-Boas. Und Nordamerika ist zu einer Hochburg der empirischen Sozialanthropologie und der Erforschung der Stammesreligionen geworden. Ich nenne nur die Namen C. Kluckhohn, R. Benedict und R. Underhill. Hier sind auch in realtiv kurzer Zeit theoretische Zusammenfassungen dessen erschienen, was die Wissenschaft aufgrund der Feldstudien über die Religion der sogenannten primitiven Völker zu sagen wußte. Hierhin gehören die Werke von E. O. James (1917), R. H. Lowie (1925), B. Radin (1938), W. J. Goode (1951), G. Swanson (1960). Der große Reichtum an Erkenntnissen läßt sich für unsere Zwecke in folgenden Punkten zusammenfassen:

a) Die Aufgaben des täglichen Lebens sind fast überall zwischen den Geschlechtern säuberlich aufgeteilt. Dem Mann kommt die Öffentlichkeitsvertretung und der Außendienst zu. Er hat seine Schutzfunktionen zu erfüllen und einen Teil der Feldarbeit und die Versorgung der Herden zu übernehmen. Die Frau hat die Verantwortung für die Nachkommenschaft, den Haushalt, die Nahrungszubereitung und für einen Großteil der um das Haus herum anfallenden Schwerarbeit (Kleinvieh; Garten). Verschiebungen der Zuordnung von Pflichten im Außenbereich kommen vor.

b) Die Sphären, die von den Geschlechtern besetzt sind, bleiben strikt voneinander getrennt. Männliche und weibliche Bereiche sind gegenseitig tabu. Die Jagdwaffen des Mannes dürfen nicht von der Frau berührt werden. Menstruation oder Geburtsvorgang bringen dem Mann äußerste Gefahr.

c) Sexuell und im persönlichen Umgang miteinander herrscht in der Regel ein ausgewogenes Verhältnis. Die Entscheidungsbefugnis in häuslichen Angelegenheiten kann mehr auf der einen oder der anderen Seite, bei der Frau oder beim Manne, liegen. Die Vertretung der Familie in der Öffentlichkeit übernimmt jedoch meistens der Mann. Daran ändert auch eine etwaige matrilineare Familien- und Sippenstruktur nichts.

d) In religiösen Angelegenheiten ist die Sippe bei vielen Zeremonien vereint. Männer und Frauen nehmen daran in verschiedenen Funktionen teil. Es gibt aber auch sehr häufig eigenständige Riten für Frauen bzw. für Männer (etwa getrennte Zeremonialkammern bei den Hopi-Indianern).

e) Über dem Familienkult steht das religiöse Gemeinschaftsleben des Dorfes oder des Stammes. Die größere Wohngemeinschaft hat besondere Riten, Feste und Feiern ausgebildet, oder ihre religiöse Anliegen werden mit in die familiären Feiern einbezogen.

f) Die Zahl der Gottheiten, Gottwesen, Dämonen, Geister und Kräfte, die in Stammesreligionen eine Rolle spielen, ist sehr groß. Ihre geschlechtliche Differenzierung scheint nirgendwo ein besonderes Problem zu sein. Die Stammesreligionen kennen geschlechtliche wie ungeschlechtliche Gottheiten.

g) Bei religiösen Riten, die über den Rahmen der Familie hinausgehen, ist in der Regel ein Ritualexperte, Schamane oder Priester maßgeblich beteiligt. Dieser Fachmann wird auch gelegentlich zu kleineren religiösen Handlungen hinzugezogen. Aber sein eigentliches Betätigungsfeld ist wohl die übergeordnete Ebene der Sippe und des Stammes. Auf dieser Ebene gibt es kaum weibliche geistliche Leiterinnen. Die Stammesreligion ist in der Regel Männersache.

h) Während Krankenheilungen sich in der Regel im häuslichen Kreis abspielen, sind die Anlässe für die Ausübung der übergeordneten Stammesreligion im Jahreskreislauf des Pflanzens, Erntens, Jagens, Wanderns zu suchen. Außerdem hat die Stammesreligion die Kriegszeremonien und Siegesfeiern besetzt.

i) Die Polarität der Geschlechter wird in vielen religiösen Ritualen spürbar. Sie bestimmt manchmal die Grundstruktur einer Zeremonie (vgl. V. Turner). Neckereien zwischen Männern und Frauen, verbale Wettkämpfe, Lob oder Tadel des eigenen bzw. des anderen Geschlechtes, drastische Beschreibungen und Darstellungen der Geschlechtsmerkmale gehören zu vielen religiösen Feiern.

j) Die Frau übernimmt in den Kriegszeremonien der Stammesreligionen fast immer begleitende Funktionen. So hat sie nach Augenzeugenaussagen eines hessischen Söldners in portugiesischen Diensten bei den Tupinamba für die Bewachung, Versorgung, rituelle Verhöhnung und die Verspeisung der Gefangenen einzustehen (H. Staden).

Wir können zusammenfassen: Stammesreligionen sind in der Regel von Männern geleitet. Die Gottesvorstellungen entsprechen den vom Stamm wahrgenommenen Schutz- und Kriegsfunktionen. Aber das weibliche Element ist polar eingegliedert (Y. Murphy und R. F. Murphy).

Gerade aus dem Beispiel der Stammesgesellschaften müßten wir die Schlußfolgerung ziehen, daß die patriarchal bestimmte Ordnung in Öffentlichkeit und Kirche heute überholt ist. Wenn schon in der patriarchalen Stammesgesellschaft die öffentliche Verantwortung bipolar geordnet ist und selbst in der ureigensten Domäne des Mannes, der Verteidigung der Familie nach außen, die Frau eine zugeordnete Rolle übernimmt, wieviel mehr müssen Frauen und Männer auf der Grundlage unserer heutigen Gesellschaftsordnung, unseres rechtlichen, ethischen und religiösen Empfindens gemeinsam die Gestaltung des öffentlichen und kirchlichen Lebens verantworten. Theoretisch und von den praktischen Notwendigkeiten her sind Frauen und Männer der Industriegesellschaft in Bildungswesen und Politik, in Wirtschaft und Recht nebeneinander gestellt. Seit Jahrzehnten ist das gesamte

Leben unserer Gesellschaft nur noch durch eine derartige Zusammenarbeit der Geschlechter möglich. Die früher geübte und aus der Lebens- und Arbeitsweise verstehbare Vorordnung des Mannes um seines Geschlechtes willen hat in unserer heutigen Gesellschaft nicht die mindeste Existenzberechtigung. Folglich sind auch Theologie und Kirche heute auf die gleichberechtigte Mitwirkung von Frauen und Männern angewiesen (vgl. Kap. 8). Der Stammesgott Jahwe schloß die Beteiligung von Frauen an seinem Kult nicht prinzipiell aus. In seiner bekannten Fairness und Solidarität mit seinen Anhängern und Anhängerinnen, die eine Solidaritätspflicht auch für die Menschen untereinander nach sich zog, würde derselbe Jahwe heute die volle Gleichberechtigung von Frauen und Männern fordern.

5. Die Frauen und der Hauskult

Wenn es schon schwierig ist, die Konturen der offiziellen Religion und des Glaubens in staatlicher und vorstaatlicher Zeit zu erkennen, wieviel schwerer muß es sein, einen Blick in die Religionsausübung der Familien zu werfen. Das Alltägliche und die von Frauen erlebte Wirklichkeit finden nur selten einen Weg in die dem männlichen Außendienst gewidmete Literatur. Nur soviel wissen wir mit einiger Sicherheit: Auf der Familienebene hat es auch im alten Israel Gottesverehrung gegeben. In den übergeordneten sekundären gesellschaftlichen Organisationsformen gaben überwiegend die Männer in allen religiösen und kultischen Fragen den Ton an. Das ist nach der sozialen Aufgabenteilung, die dem Mann vom Familienkern aus gesehen den Außendienst, der Frau aber die Verantwortung im Hause zuwies, auch nicht anders zu erwarten. Wie aber stand es um die religiösen Funktionen im Familienkreis? Die Dürftigkeit direkter Zeugnisse für häusliche, religiöse Zeremonien darf uns nicht davon abhalten, nach einer etwaigen sexuell bestimmten Rollenverteilung zu fragen. Wir möchten gerne wissen, ob und wie Frauen in Israel im innersten Familienkreis an der Gottesverehrung beteiligt waren.

Der erste Eindruck, den wir gewinnen und dem wir im folgenden Kapitel (Kap. 6) weiter nachgehen wollen, ist der Frau nicht gerade günstig. Die älteste, an die Großfamilie gebundene Religion Israels scheint völlig männerzentriert zu sein, und sie wird heute, seit Albrecht Alt, als halbnomadische Väterreligion bezeichnet. Immerhin steht diesem Eindruck das späte Zeugnis von Jer 44 entgegen: Wir sahen, daß es im 6. Jahrhundert Spuren einer von Frauen geleiteten Göttinnenverehrung gegeben hat, bei der Männer und Kinder den hauptverantwortlichen Müttern Hilfestellung gaben. Wenn dieser Brauch noch so spät in Jerusalem bekannt war und in Übung stand, wie sollte er in der wesentlich offeneren staatlichen und vorstaatlichen Gesellschaft nicht die Regel gewesen sein?

Wir befragen wiederum alttestamentliche Texte und achten dabei ein wenig auf die neuzeitliche Interpretation des alttestamentlichen Materials. In der Fachliteratur untersucht man fast ausschließlich den offiziellen Kult Israels im Wandel der Zeiten und verweist vor allem auf die Teilnahme von Frauen an Lese- und Predigtgottesdiensten seit der Exilszeit (vgl. 5 Mose 31,10–13; Jer 44,15; Jos 8,35; Esra 10,1; Neh 8,2). Alle diese Stellen reden sehr pauschal von der Gesamtheit der Gemeinde Israel und zeigen eigentlich nur, daß Männer, Frauen und z. T. Kinder, Fremdlinge usw. ein Anrecht darauf hatten, beim Gottesdienst und den damit zusammenhängenden Feierlichkeiten dabei zu sein. Der Gegensatz, der in den Texten sichtbar wird, verläuft nicht zwischen den Geschlechtern, sondern zwischen Priestern und Leviten einerseits und der Laiengemeinde andererseits, die Lesung, Gebet und Ansprache passiv miterlebt.

Man verweist weiter auf das Gebet der Hanna in 1 Sam 1 f und die Prophetinnen Hulda (2 Kön 22,13 f), Mirjam (2 Mose 15,20), Deborah (Ri 4,4), Noadja (Neh 6,14) und die namenlosen Israelitinnen in Ez 13,17, die »aus ihrem Herzen prohezeien«, d. h., die selbstmächtig, angeblich ohne Auftrag, im Namen eines Gottes reden. Außerdem werden ihnen noch magische Praktiken vorgeworfen (V. 18). Soweit es sich hier um positiv bewertete aktive Mitwirkung handelt, gliedern sich die Frauen an bestimmten Randstellen in den offiziellen Kult ein. Das Gebet war ihnen gestattet, es konnte und mußte wahrscheinlich in der Distanz zum Allerheiligsten geschehen. Und das Prophezeien entspringt einer Wortbegabung, die sich nicht leicht priesterlich-kirchlich reglementieren läßt. Noch Joel 3,1–5 spricht von der Geistausgießung über männliche und weibliche Angehörige des Volkes Gottes. Alle diese Stellen reden also nicht davon, daß Frauen öffentlich mit dem Heiligen selbst umgehen. Altar, Tempel, Opfertier, Gottesbild, Stelen, heilige Geräte werden nicht mit Frauen in Verbindung gebracht. Einer kultischen Betätigung im alten Sinne kommen am nächsten die seltsamen Bemerkungen in 2 Mose 38,8 und 1 Sam

2,22 nach denen Frauen »vor der Stiftshütte Dienst taten«. Dabei hantierten sie mit heiligen Spiegeln. Näher sind Frauen in Israel wohl nie an den offiziellen Jahwetempel herangekommen.

Wesentlicher für unsere Frage nach dem häuslichen Kult sind allerdings die Stellen des Alten Testaments, welche den Frauen eine eigenständige religiöse Aktivität im Dienste anderer Gottheiten vorwerfen. Ez 13,17 f ist nur ein Beispiel dafür. Ein weiteres ist die Geschichte von der Totenbeschwörerin, die in Endor wohnte (1 Sam 28). In diesem und ähnlichen Texten sollen Frauen subversiv gegen die Jahwereligion tätig sein. Zwar wird ihre religiöse Aktivität so stark verteufelt und in die Zone des schrecklichen Unerlaubten und Gefährlichen abgedrängt, daß sich die wahren Züge dieser Kultpraktiken nicht mehr erkennen lassen (das Stigma scheint bis heute nachzuwirken: Manche Frauengruppen, besonders in den USA, meinen, nur noch einen Gegen- oder Satanskult ausüben zu können). Aber die Frage lohnt sich, ob nicht in den geächteten Kultpraktiken, die stellenweise im Alten Testament sichtbar werden, urspünglich echte Frauen- oder Hauskulte gemeint sind.

Die umfangreiche Liste verbotener Praktiken in 5 Mose 18,10.11 ist nicht auf weibliche Täter ausgerichtet. Die genannten wahrsagerischen und beschwörerischen Handlungen – sie sind uns aus dem Alten Orient zum Teil genauer bekannt – werden Männern nachgesagt, so auch in mehreren anderen Textstellen (vgl. z. B. 2 Kön 21,6; Mal 3,5). Frauen sind höchstens implizit in den männlichen Verb- und Nominalformen mit enthalten. Doch bleiben einige Aussagen, die den Verdacht auf ein besonderes Mißtrauen gegen eigenständige Frauenreligiosität nähren. 2 Mose 22,17 gebietet etwa in einer Reihe von Todesdrohungen wegen kapitaler Verbrechen: »Eine Zauberin sollst du nicht am Leben lassen«. Die entsprechende Vorschrift gegen den Zauberer fehlt, obwohl die beiden folgenden Sätze männliche Täter benennen. In Jes 57,3 werden die Israeliten in bildhafter Sprache als Söhne der Zauberin angeredet, und die schon genannten Abschnitte Ez 13,17 f und 1 Sam 28 heften gezielt Frauen den Makel der religiösen Untergrundtätigkeit an. Hier kommen in der Tat Traditionen zu Wort, welche die Frau als Trägerin abweichender religiöser Vorstellungen verdächtigen (vgl. Kap. 7). Ob wir aber daraus auf einen weiblichen Haus- und Familienkult schließen dürfen, bleibt zumindest zweifelhaft. Magische Praktiken aller Art, in der Anthropologie oft mit der Bezeichnung »schwarze« Magie belegt, die eine Gefahr für die Gruppe bedeuten, werden in allen Gesellschaften geächtet. Aufs Ganze gesehen sind in den alttestamentlichen Belegstellen Frauen und Männer gleichermaßen anfällig für derartige dunkle Kultpraktiken. Obwohl Magie, Zeichendeutung und Beschwörung die offizielle Staats- und Tempelreligion gelegentlich berühren, sind ihre Wurzeln doch in der Volksreligiosität zu suchen. Auf dieser Ebene spielen Frauen offenbar eine erheblich aktivere Rolle als im offiziellen Kultbetrieb des Stammes oder Staates. Das ist ein für unsere Fragestellung wichtiges Ergebnis. Jedoch sind die genannten Kultpraktiken kaum im innerfamiliären Gebrauch denkbar. Die Zauberinnen und Zauberer, welche besonders die späteren alttestamentlichen Schriftsteller aus Israel ausrotten wollen, waren, ähnlich wie heutige Wunderheiler, Fachleute für rituelle Einzelbehandlung. Sie arbeiteten im Lohnauftrag für ein regionales Klientel. An den vermuteten Hauskulten waren sie höchstens sporadisch und von außen her beteiligt (vgl. 1 Sam 28,7; 2 Kön 4,21 f).

Das Alte Testament bietet aber über Jer 44 hinaus noch einige, wenn auch schwache, Indizien dafür, daß Frauen auf der Ebene der Familien- und Sippenreligion oder, genauer, im häuslichen Kultbetrieb Mitverantwortung bzw. Alleinverantwortung für die Gottesverehrung trugen. Ein sehr alter Beleg findet sich wie ein erratischer Block in der Mose-Erzählung. Zippora beschneidet auf ihrer »Flucht nach Ägypten« (2 Mose 4,25) ihren Sohn (oder ist gar ihr Ehemann bzw. ihr Schwiegersohn gemeint?). Unerhört, daß eine Frau einen Blutritus vollzieht! Diese Geschichte hätte später nie erfunden werden können, weil die Absonderung der Frau vom offiziellen Opferkult immer strenger vollzogen wurde. Der Ausspruch »Du bist mir ein Blutbräutigam« (V. 25) ist sicherlich eine alte Kultformel; die ungeschickte und nachklappende Erklärung in V. 26 »damals sagte man Blutbräutigam zur Beschneidung« zeigt nur, das man schon sehr früh mit dem geschilderten Brauch nichts mehr anzufangen wußte oder ihn verdrängen wollte. Für sich genommen ist die Formel vom Blutbräutigam ein Zeichen für die Aufnahme eines Schwiegersohnes in den Familienverband seiner Frau. Weil der Satz »du bist für mich ein Blutbräutigam« logischerweise nur von der Ehefrau oder ihrer Mutter gesprochen sein kann, ist er für uns das einzige direkte Beweisstück für die verantwortliche Beteiligung von Frauen im innersten Kultbetrieb. Die angesprochene Verwandtschaftsbeziehung ist die der Verschwägerung. Folglich handelt es sich um einen familiären oder interfamiliären Kultakt.

Aber wir haben noch einige indirekte Belege für die Existenz eines Hauskultes in frühisraelitischer Zeit. Vor allem sind hier die Teraphim zu nennen. Das sind Kultgegenstände, unter denen man sich zumindest in einigen Kontexten häusliche Gottesbilder vorstellen muß. Bei dem in 2 Mose 21,6 genannten Vertragsabschluß begeben sich die Vertragspartner vor das Gottesbild, das anscheinend in einer Nische am Hauseingang untergebracht ist. Hier ist nun der Familienchef ausführendes Organ der kleinen Kultzeremonie. An anderen Stellen jedoch pflegen Frauen einen bemerkenswert nahen Umgang mit dem Gottesbild. Wenn Michal, Rahel, vielleicht auch Mirjam, nicht wirklich eine Beziehung zum Kultvollzug gehabt hätten, wären diese Geschichten kaum zustandegekommen. Oder soll in jedem Fall dadurch, daß eine Frau den »Teraphim« berührt, die Verehrung fremder, nicht-jahwistischer Gottheiten verächtlich gemacht werden?

Doch zunächst zu den Beweistexten und den darin angedeuteten Verhältnissen. 1 Mose 31,14–42 erzählt von der Flucht des Jakob und seiner Familie aus Mesopotamien, den damit verursachten Auseinandersetzungen mit seinem Onkel/Vetter und Dienstherren Laban, dem »Aramäer«. In diese konfliktreiche Erzählung hineinverwoben ist ein dramatischer Zug, der die häusliche Gottesverehrung betrifft. Rahel, Lieblingsfrau des Jakob, jüngere Tochter des Laban, und Lea, ältere Schwester der Rahel, unterstützen den heimlichen Abzug aus ihrer Heimat, weil doch der Vater sie hintergangen hat. »Wir haben kein Teil noch Erbe mehr in unseres Vaters Haus. Haben wir ihm doch gegolten wie die Fremden, denn er hat uns verkauft und unseren Kaufpreis verzehrt« (1 Mose 31,13 f). Man muß wissen, daß der sogenannte Brautpreis, der vom Bräutigam oder seiner Familie an den Brautvater gezahlt wurde, zum Teil oder ganz im Vaterhaus der Braut hinterlegt blieb, für den Fall nämlich, daß die Frau von ihrem Mann entlassen wurde und nach Hause zurückkam. Nach Ansicht einiger Altorientalisten wurde diese Brautsumme bei einigen westsemitischen Völkern – Belege dazu sind aus Ugarit, Mari, Nuzi und Alalach bekannt – und sogar in Babylonien unter Hammurapi vom Vater an die Tochter weitergegeben zur eigenen Aufbewahrung und als Versicherungssumme. Anscheinend als Vergeltungsmaßnahme gegen die Unterschlagung, die ihr Vater begangen hat, stiehlt Rahel »den Hausgott«, d. h. den/die Teraphim, ihres Vaters Laban. Spätestens hier haben wir zu fragen: Worum handelt es sich denn genau bei diesem im Familienbereich vorkommenden Kultobjekt? Der Ausdruck kann verschiedenartige Gegenstände der religiösen Verehrung bezeichnen, sowohl die kleine Figurine oder Götterstatuette, die bei fast allen Ausgrabungen in Kanaan-Syrien in vielfacher Ausführung, aber meist als Göttinnenfigur, gefunden wird, als auch das größere Kultbild, welches eine eigene Kapelle benötigt, und möglicherweise die Kultmaske. Die Etymologien, welche traditionell an dem pluralen Wort mit der Singularbedeutung versucht wurden, können nicht viel hergeben und sind wahrscheinlich unhaltbar. Am sichersten scheint heute die Vermutung, es handele sich um ein altes churritisches Lehnwort, das soviel wie Dämon oder Schutzgeist bedeutet. In churritischen Texten tritt nämlich ein Paar von Schutzgottheiten unter dem Namen *tarpis* und *annaris* auf, so wie im Babylonischen die Schutzgötter *lamassu* und *sedu*. Die nicht semitischen und nicht indogermanischen Churriter beherrschten Syrien und Kanaan von den kaukasischen Gebirgen aus während der ersten Hälfte des 2. Jahrtausends. Sie haben tatsächlich Spuren in der proto-israelitischen Bevölkerung und Sprache sowie in ihrer Denk- und Glaubensweise hinterlassen, wenn auch die hypothetischen Konstruktionen, die sich aus der oft frappierenden Übereinstimmung von Sitten und Gebräuchen im Alten Testament und den Nuzi-Texten ergeben, zum Teil übertrieben sind. Ich halte also die neuere etymologische Erklärung des Wortes *teraphim* als von *tarpis*, Schutzgottheit, abgeleitet für die wahrscheinlichste. Das damit angestoßene Thema »persönliche Gottheit«, das für die babylonische Religion so wichtig ist, wird unten noch einmal aufgenommen.

Wenn also Teraphim so etwas bedeutet wie Schutzgottheit oder Hausgott, dann macht die Geschichte von 1 Mose 31 einen guten Sinn. Sie ist sehr plastisch und läßt uns die Funktion des hier ziemlich kleinen, weil unter dem Kamelsattel leicht zu versteckenden Kultbildes erahnen. Laban ist bestürzt über den Verlust *seines* Hausgottes. Das Glück seiner Familie steht auf dem Spiel. Er droht dem Dieb die Todesstrafe an. Sie wird auch von Jakob, der ja ahnungslos ist, voll akzeptiert. Der Diebstahl ist von der cleveren jüngeren Tochter Labans begangen, die ihre Rechnung mit dem Vater begleichen will. Ob sie mit der Aneignung des Hausgottes ihrer väterlichen Familie gleichzeitig auch den Anspruch auf ein Erbteil oder gar den ganzen Besitz geltend macht, ist nicht zu erkennen. Vermutlich stiehlt sie ihm »nur« den guten Geist, den Glücksgaranten. Und daß sie es auf eigene Verantwortung tut, unter dem persönlichen Risiko, entdeckt zu werden, und in der Verfolgung eigener Ansprüche und Rechte, das läßt uns vermuten: Der Haushalt im alten Israel war mindestens teilweise Sache der Frau. Nachdenklich macht auch die respektlose Behandlung des Kultbildes durch Rahel. Sie scheut sich nicht, es unter ihren Kamelsattel zu legen und darüber sitzen zu bleiben. Spätere jüdische Leserinnen und Leser werden das selbstverständlich als eine schlimme Entheiligung und Beleidigung des Bildes bzw. eine verdiente Schändung des Götzen verstanden haben. Rahel gibt ja vor,

»ihre Tage« zu haben, und Menstruationsblut war für die priesterlichen Kreise der Spätzeit eine höllische Unreinheit. Die Berührung einer solchen Frau machte Gegenstände und Personen kultuntauglich. Wenn die Geschichte aber der ausgeprägten priesterlichen Reinheitstheologie voraufgeht, dann müssen wir sie nicht durch die priesterliche Brille lesen. In Stammesgesellschaften und Hauskulturen geht man mit dem Heiligen oft sehr handfest um. Anthropologinnen und Anthropologen berichten gelegentlich, daß Göttersymbole geohrfeigt werden. Erst mit der Distanzierung des Heiligen und der Intensivierung der Tabuzone wächst anscheinend die Scheu vor dem direkten Kontakt, die Abstraktion der Gottesvorstellung, die Angst vor dem allzu profanen Umgang mit dem Gottesbild. Wie immer wir die Überlieferung von Rahel bewerten, fest steht, die Frau hantiert in überaus selbstsicherer Weise mit dem Kultobjekt. Sie hat ein existentielles Interesse an ihm und macht ein ureigenes Recht geltend.

Die zweite Geschichte, in der Teraphim eine wichtige Rolle spielt, ist im Richterbuch nachzulesen. Nach Ri 17f ist die Frau Auftraggeberin für die Herstellung von Ephod und Teraphim bzw. in anderer Überlieferungsschicht von Schnitz- und Gußbild einer Gottheit. Dann wird dem Enkel dieser Frau und später einem professionellen Priester aus dem Levitenstamm die Pflege des Bildes und der zweifellos abzuhaltende Kult vor dem Bild übertragen. Auch in der schon genannten Stelle 2 Mose 21,6 sowie in 1 Sam 15,23, 2 Kön 23,24, Ez 21,26 sind nur Männer mit dem Kultobjekt beschäftigt. Unsicher, weil auf das ganze Volk bezogen, bleiben Hos 3,4 und Sach 10,2. Immerhin könnte man aus allen diesen Texten noch die klare Meinung der späteren Autoren heraushören, daß Teraphim etwas mit Wahrsagerei, mit Orakelverkündigung zu tun hat. Und so sehr auch die Könige im alten Orient das Schicksal zu erforschen pflegten, wenn sie staatliche Entscheidungen und Unternehmungen vor sich hatten, so sicher ist doch die Wahrsagekunst ursprünglich im Volk angesiedelt und diente der persönlichen Lebensbewältigung. Wir lassen uns aber von den männlichen Prärogativen im Umgang mit dem Teraphim nicht beirren, denn wir haben noch einen wichtigen Text, der die Frau in Berührung mit dem Kultobjekt bringt. Michal, die Saultochter, hantiert mit dem Teraphim ihres Hauses. Wir erwähnten schon, daß sie den Teraphim wie eine Puppe benutzt und mit seiner Hilfe einen schlafenden David vortäuscht, so daß die Häscher ihres Vaters zunächst diese Vorspiegelung für bare Münze nehmen (1 Sam 19,13: »Da nahm Michal das Götzenbild und legte es aufs Bett und ein Geflecht von Ziegenhaaren zu seinen Häupten und deckte ein

Kleid darauf«). Die Kommentatoren spekulieren aufgrund dieser Angaben, der Teraphim Michals müsse größer als eine Figurine gewesen sein und menschliche Züge getragen haben, also wäre eine Art Kultstatue oder Kultmaske gemeint. Diese Argumentation ist nicht ganz überzeugend. Man kann mit sehr geringen Mitteln, z. B. durch den Faltenwurf einer Decke und durch das darunter hervorschauende Ziegenhaar, einen menschlichen Körper andeuten. Dazu braucht es keine voluminösen Figuren. Als Studenten haben wir das ausprobiert. Eine kleine Shakespearebüste genügte, um dem Kollegen nebenan Schrecken und Zweifel einzujagen, ob da nicht jemand sein Bett vor ihm belegt hätte. Und wenn Michal den Hausgott als Attrappe für David benutzt, dann traut sie wahrscheinlich auch einer kleineren Figur zu, den Auftrag, Verfolger irrezuführen, dank überlegener göttlicher Fähigkeiten erfolgreich wahrzunehmen. Jedenfalls benutzt Michal das Gottesbild listig und souverän, und man fragt sich, ob sie nach Meinung des Erzählers als Hausfrau zu Bild und zugehörigem Kult nur ein passives Verhältnis gehabt haben soll. Die berichteten Vorgänge sprechen jedenfalls eher für das Gegenteil.

Ein weiteres Indiz für die starke religiöse Stellung der Frau in der altisraelitischen Familie sind die zahlreichen Stellen, in denen »Vater und Mutter«, einmal auch betont »Mutter und Vater« (3 Mose 19,3), gleichgewichtig nebeneinander als Autoritäten für ihre Kinder (Söhne) genannt werden. In weisheitlichen Texten ist diese Vorstellung fest verankert. Das Elternpaar gibt die Richtlinien für das ethische Verhalten der Nachkommen an und ist damit Wahrer der geheiligten Tradition (vgl. Spr 1,8–9; 6,20–23; 23,22; 31,1). So nimmt es nicht wunder, wenn beide Eltern unter dem besonderen Schutz der Gottheit stehen. Die Kinder sollen »Vater und Mutter ehren« bzw. »fürchten« (2 Mose 20,12; 3 Mose 19,3). Wer gegen dieses aus dem Familienethos geborene Gebot verstößt, wer etwa sogar Vater und Mutter schlägt oder verflucht, der hat härteste Bestrafung verdient (vgl. Spr 30,17; 2 Mose 21,15.17; 5 Mose 21,18–21). Ehrgebot und Fluchverbot zeigen die religiöse Tiefe der Elternbeziehung an. Vater und Mutter stehen in dieser Hinsicht dem Stammesführer (2 Mose 22,27) und dem König (1 Kön 21,10; Pred 10,20) gleich. Auch sie genießen als Garanten der Gesellschaftsordnung göttliche Immunität. Nur Gott selbst ist sonst noch in dieser Weise unangreifbar. Werden aber Menschen derart in die Nähe zur Gottheit gerückt, dann ist die Folgerung fast unausweichlich: Sie haben auch kultische Funktionen und Rollen ausgeübt.

Leider fehlen uns aber sonst präzise Nachrichten, aus denen

ersichtlich wäre, daß Frauen im Hause das Familienkultbild versorgten. Der einzige, aber für sich allein genommen nicht sehr tragfähige Hinweis steckt in dem Vorwurf des Jeremiabuches, abtrünnige Israeliten hätten unter Leitung der Familienmütter in Jerusalem und danach in Ägypten der Himmelskönigin geopfert (Jer 44 44,15–19; vgl. oben Kap. 2). Einige weitere Stellen des Alten Testaments scheinen von einem Privatkult auf dem Flachdach des Hauses zu reden (Jer 19,23; 32,29; 2 Kön 23,12; Zeph 1,5). Rituelle Einzelheiten werden allerdings nicht mitgeteilt. Die Texte verweisen eintönig auf die Anbetung des Himmelsheeres bzw. Baals und die Trankopfergabe für »andere Götter«. Vor allem erfahren wir nichts über die Personen, welche die Zeremonien verantwortlich leiteten. Ein Haus- und Familienkult läßt sich also für das vorstaatliche Israel nur wahrscheinlich machen. Fraueninitiative und Frauenverantwortung innerhalb des häuslichen Kultbetriebes sind darüber hinaus schwer zu fassen. Das liegt in der Natur der Sache. Unsere Quellen haben relativ wenig Informationen über den familiären Intimbereich aufbewahrt.

Ein Blick auf die Nachbarreligionen Israels hilft auch nicht recht weiter. Zum einen ist die Quellenlage dort ganz ähnlich wie in den alttestamentlichen Zeugnissen. Es werden überwiegend Nachrichten über die offizielle Religion weitergegeben. In der Religion von Großgesellschaften aber führen in der Regel die Männer das Wort, selbst da, wo Göttinnen verehrt werden. Denn die Arbeitsteilung in geschlechtsspezifische Außen- und Innenbereiche gilt auch in Israels Nachbarkulturen und Gesellschaften. Zweitens gestatten die erheblichen kulturellen und sozialen Unterschiede zwischen dem vorstaatlichen Israel und den hochentwickelten Nachbarstaaten höchstens sehr vorsichtige Analogieschlüsse, und drittens ist die Frauenforschung an diesem Punkt noch nicht sehr weit gediehen. Der Kleinkult ist auch von Altorientalistinnen eher vernachlässigt worden (vgl. Brigitte Menzel; Judith Ochshorn; Diane Wolkstein). Immerhin gibt es bereits einige Auswertungen von privaten Dokumenten, die wir erwähnen müssen. W. H. Th. Römer hat 1971 eine Untersuchung zu ausgewählten Texten aus Mari herausgegeben (»Frauenbriefe über Religion, Politik und Privatleben in Mari«). Die untersuchten, auf Tontafeln erhaltenen Schreiben sind sämtlich von Frauen des königlichen Hofstaates verfaßt (diktiert?). Sie richten sich zumeist an den abwesenden König und berichten über wichtige Ereignisse in der Hauptstadt Mari, darunter auch über religiös relevante Vorkommnisse und Überlegungen. Alle Briefe beweisen eine bemerkenswert selbständige Handlungsweise der Schreiberinnen im

Blick auf Opfer, Orakeleinholung und sonstige kultische Maßnahmen und Ratschläge. Für unsere Frage nach dem Privatkult tragen sie nichts bei, da ständig nur von den Tempeln der Königsstadt die Rede ist. Die Frauen sind in den offiziellen Staatskult integriert, auch da, wo es um ihre eigensten Belange, wie z. B. Krankenheilung, geht. Für das Königshaus fallen offensichtlich Staat- und Privatkult zusammen.

H. Vorländer hat in seiner Studie »Mein Gott« (1975) umfangreiches altorientalisches Belegmaterial für die persönliche Religionsausübung zusammengetragen und damit auch einen wesentlichen Beitrag zur Erkennung des Familien- und Hauskults geleistet. Er stellt die Frage: »Hatten auch Frauen einen persönlichen Gott?« (S. 46). Und er antwortet ganz entschieden: Es »muß gefolgert werden, daß auch Frauen eine (männliche oder weibliche) Gottheit als persönlichen Gott verehren konnten. Es ist zu vermuten, daß dieser in vielen Fällen mit dem persönlichen Gott ihres Mannes und dessen Familie identisch war« (S. 47). Vorländer verweist in diesem Zusammenhang auf drei Belegtexte. In einem altbabylonischen Brief wird der göttliche Beschützer *ilu nasiru*, d. h. beschützender Gott, genannt. Und der Verfasser der Briefe richtet diesen Segenswunsch an die Frau, an die er schreibt: »Der dich beschützende Gott möge nicht unzufrieden werden« (S. 20 f.). In einem altbabylonischen Vertrag gehört es zu den Pflichten einer Nebenfrau, »ihren (d. h. der Hauptfrau) Stuhl … zum Tempel ihres Gottes (zu) tragen« (S. 21). Auf mesopotamischen, von Frauen geführten Siegeln – Frauen waren im Alten Orient zumindest zeitweise geschäftsfähig – taucht nach einem Personennamen gelegentlich die Bezeichnung »Dienerin des Gottes X« auf, so auf dem Siegeltext: »Marat-Taribu, Dienerin des Sin (und) des Nergal« (S. 47). Frauen haben also mindestens in den mesopotamischen Kulturen persönliche Gottesbeziehungen pflegen können. Sie kann auch über die genannten Beispiele hinaus in vielen anderen Dokumenten nachgewiesen werden. Einige von diesen Texten lassen an einen häuslichen Kult denken. In jedem Fall hatte die Frau in Mesopotamien nicht nur über ihren Mann Zugang zum Kult. Der familiäre Glaube richtete sich dabei häufig auf das Götter- und Dämonenpaar *sedu* und *lamassu*. *Lamassu* ist eine weibliche Gottheit, *sedu* ein Gottwesen. Ob beide immer als Paar angerufen wurden, ist zweifelhaft, wenn auch möglich. Vorländer hält die stereotype Formulierung in den Gebetstexten allerdings für irreführend. »Mein Gott« und »meine Göttin« können durchaus nur Formularcharakter haben. In diesem Falle habe der Beter bzw. die Beterin die Gottheit einsetzen müssen, an die er/sie sich wenden wollte. Es sind jedenfalls Texte mit der Anrufung nur eines Partners des Götterpaares bekannt.

E. Brunner-Traut schließlich hat sich in ihrem Buch »Die alten Ägypter« von 1974 (4. Aufl. 1987) zum Ziel gesetzt, das Alltagsleben im Pharaonenreich aus nichtoffiziellen Dokumenten von der Tonscherbe bis zur Wandkritzelei, von der Satire bis zur Schülernotiz zu schildern. Sie streift dabei gelegentlich die auf Frau und Haus gerichtete Kultpraxis. Magie, Riten und Gebete umgaben besonders die schwangere Frau, den Geburtsvorgang in der Wochenlaube neben dem Haus und die Wöchnerin (S. 50–67). Weithin ist die Frau in dieser Situation nur die zentral wichtige Kultteilnehmerin, aber nach ihrer Reinigung nimmt sie im regulären häuslichen Zeremoniell wieder ihren Platz ein (vgl. S. 64). Heilungszeremonien fanden ebenfalls, genau wie die mesopotamischen Beschwörungen, im Privathaus oder beim Wohnort des Patienten statt (vgl. S. 52), und der Totenkult, zumindest der wohlhabenden Ägypter, wurde in den eigenen Grabanlagen vollzogen. Damit sind die Nachrichten über häusliche Kultzeremonien im Alten Orient bei weitem nicht ausgeschöpft, aber es fehlen umfassende Einzeluntersuchungen.

Archäologische Funde können natürlich auch bei dieser Frage die schriftlichen Überlieferungen ergänzen und veranschaulichen. Die Zahl der ausgegrabenen Göttinnen- und Götterfiguren geht bereits in die Tausende. Die Skulpturen haben in der Regel eine Höhe von 10 bis 20 cm. Sie werden in Gräbern, Tempelbezirken, vor allem aber im Bereich von Wohnhäusern gefunden (U. Winter, 128). Ein markantes Beispiel bietet die israelitische Stadt Mizpa, 13 km nördlich von Jerusalem gelegen. Hier haben amerikanische Ausgräber über 90 Figurinen entdeckt, die sich über das ganze Stadtgebiet verteilt vorfanden. Vereinzelt fand man in Mizpa wie an anderen Ausgrabungsstätten auch kleine Kultobjekte wie Altärchen, Weihrauchständer und Gabentische. Diese Kultgegenstände lassen sich ebenfalls auf eine häusliche Gottesverehrung deuten. Bei den Figurinen überwiegen die Göttinnen bei weitem die Abbildungen von männlichen Gottheiten. Viele Forscher neigen dazu, sie als häusliche Gottesidole anzusprechen. Die Bevorzugung weiblicher Gottheiten könnte dann indirekt auf eine führende Rolle der Frau im familiären Gottesdienst schließen lassen. Die Frau war in besonderer Weise für Furchtbarkeit und Nachkommenschaft verantwortlich und darum die geeignete Vermittlerin zur Göttin und Urmutter, der Geberin alles Lebens. Für uns ist die Tatsache noch besonders interessant, daß die Göttinnenfigurinen in israelitischen Städten gerade der Königszeit so massiert auftauchen. Der Hauskult hätte sich also von den Uranfängen bis in die zentralisierte Gesellschaft erhalten und wäre erst später im Zuge der Neuorganisation Israels nach der staatlichen Zeit mit dem dann ausschließlichen, offiziellen Jahweglauben in Konflikt geraten.

Das vorläufige Fazit kann sein: Vermutlich hat die Frau in Israel immer, durch alle Veränderungen der Gesellschaftsstruktur und der offiziellen Religion hindurch, in der häuslichen Gottesverehrung eine hervorragende Rolle gespielt. Nachwirkungen dieser Zuständigkeit für den Familienglauben lassen sich in der jüdisch-christlichen Tradition bis heute feststellen. Die religiöse Kindererziehung ist noch immer fast ausschließlich Sache der Mutter, so sehr auch das Thema Fruchtbarkeit in der heutigen Normalehe zurückgetreten und von anderen Lebensinteressen überlagert worden ist. Die Frau hält häufig noch in unserer entsakralisierten Welt die Verbindung zu den übermenschlichen und mythischen Mächten und zu einer Glaubensgemeinschaft aufrecht, auch wenn der Mann sich längst aus jedem religiösen Glauben und jeder Kirche, nicht zuletzt aus steuerlichen Gründen, verabschiedet hat.

6. Der Gott der Väter

Haben wir im letzten Kapitel nach der (weiblichen) Innenseite der ältesten Familienreligion Israels gefragt, so versuchen wir jetzt, ihre (vermutlich männliche) Außenseite näher ins Blickfeld zu rücken. Wir bewegen uns damit in einer vorgeschichtlichen Zeit, die der Stammesorganisation Israels voraufgeht. Dabei setzen wir stillschweigend voraus, daß die Glaubensvorstellungen jener Vorgeschichte in die geschichtliche Zeit hinein nachwirken. Welche Gottesvorstellungen herrschten also unter den Präisraeliten oder Protoisraeliten, bevor Debora die einzelnen Gruppen im Namen des Stammesgottes Jahwe zum Krieg gegen einen gemeinsamen Feind aufrufen konnte? Wie stand es in jener Urzeit um die Geschlechtlichkeit der Gottheit und wie war die urhebräische Gesellschaft damals strukturiert? Natürlich haben wir aus jener Epoche vor 1200 v. Chr. mit Sicherheit keine schriftlichen Quellen mehr zu erwarten. Das Alte Testament bewahrt vor allem in den Vätergeschichten und in versprengten Liedern und Sprüchen noch eine entfernte Erinnerung an die vormosaischen Zustände in Kanaan, aber direkte Zeugnisse gibt es nicht mehr. Die ältesten

Texte des Alten Testamentes sind ja im Gebrauch durch spätere Überlieferer umgewandelt und jüngeren Bedürfnissen angepaßt worden. Wir sind also mehr denn je auf vorsichtige Rückschlüsse angewiesen.

Auf dem Weg des Rückschlußverfahrens hat nun Albrecht Alt im Jahre 1929 für die vorisraelitische Väterzeit eine Religionsform erschlossen, die nach seiner Meinung deutlich vom Jahweglauben zu unterscheiden ist. Abraham, Isaak und Jakob waren dem Gott Jahwe noch nicht begegnet, sie dienten, um mit Jos 24,2 zu reden, »anderen Göttern jenseits des Euphrat«. Und 2 Mose 6,2 f hält ganz richtig fest: »Ich bin Jahwe. Ich bin dem Abraham, Isaak und Jakob erschienen als der allmächtige Gott (El Schaddaj), aber unter meinem Namen Jahwe habe ich mich ihnen nicht offenbart.« Konsequenterweise setzt 2 Mose 3,14 mit der Offenbarung des Jahwenamens an Moses am Berg Sinai den Anfangspunkt des Jahweglaubens. Was aber war vorher? An wen glaubten die patriarchalen Verbände, soweit es nicht um die Fragen der Fruchtbarkeit und der Nachkommenschaft ging? Albrecht Alt durchleuchtete die alten Erzählungen, in denen wie aus einem Brunnen Urvorstellungen und Urerinnerungen auftauchen (vgl. Th. Mann, Josef und seine Brüder). Alt zog auch Analogien aus der Umwelt Israels heran, vor allem die nabatäischen und palmyrenischen Inschriften, die aus ähnlichen Gesellschaftsstrukturen stammen und gelegentlich vergleichbare Formulierungen aufweisen wie die Vätergeschichten des Alten Testaments. Er kam zu der Schlußfolgerung, in der halbnomadischen und patriarchal organisierten Frühzeit habe jede eigenständige hebräische Sippe eine besondere, nur ihr eigene Schutzgottheit gehabt. Diese hatte sich einmal dem Stammvater der Gruppe offenbart und wurde fortan unter dem Namen »Gott des (Ahnvaters) XY«, z. B. als Gott des Abraham, verehrt. Andere geläufige Benennungen, die ebenfalls auf die Verbindung der Gottheit mit dem Sippenvater hinweisen, sind »Schrecken Isaaks«, »Schild Abrahams«, »der Starke Jakobs«. Das bedeutet, die Familiengottheit war eng, wenn nicht ausschließlich, an das Familienoberhaupt und durch es an die Großfamilie gebunden, die sie verehrte. Die qualitativ aussagekräftigen Namen Schrecken, Schild, der Starke beweisen darüber hinaus, daß der Gott des Vaters vor allem Schutzfunktion nach außen wahrnahm, d. h. die wandernde Sippe fürsorglich begleitete.

Wie nicht anders zu erwarten, ist die hypothetische Rekonstruktion der Väterreligion durch Albrecht Alt nicht unwidersprochen geblieben. Einheitliche Meinungen der exegetischen Fachleute sind besonders für jene graue Vorzeit Israels nicht zu erwarten.

Soweit sie nicht die Patriarchenreligion der Vätergeschichten überhaupt als eine späte und historisch völlig unbegründete Spekulation betrachten, bewegen sich die wissenschaftlichen Gegen- oder Ergänzungsentwürfe zur These Albrecht Alts auf folgenden Bahnen:

a) Im Gefolge der alten panbabylonischen Schule behaupten einige, die israelitischen Urväter hätten von ihrer chaldäischen Heimat her (1 Mose 11,28.31) den sumerischen Mondgott Sin angebetet. Die Städte Ur im südlichen Zweistromland und Haran am mittleren Euphrat seien bevorzugte Kultorte dieses (auch babylonischen) Gottes gewesen. Die These wird heute in der feministischen Interpretation des Alten Testaments wieder wichtig, weil die Verehrung des Mondes für einige Religionswissenschaftlerinnen ursprünglich eine reine Frauensache und Zeichen des Matriarchats war. »Der dreifaltige Mond ist das Symbol der dreifaltigen Göttin des Matriarchats auf seiner am höchsten entwickelten Stufe« (H. Göttner-Abendroth, 5). In den Städten Ur und Haran hat es nachweislich einen Mondkult gegeben. Auch mögen die Namen Therah (Steinbock?) und Laban (der »Weiße«) aus der Verwandtschaft des Abraham auf Mondverehrung hinweisen. Indessen ist es sehr fraglich, ob die Religion der vorisraelitischen Halbnomaden mit dem Mondkult in Verbindung gebracht werden kann. Im Alten Testament fehlen dafür durchschlagende Belege, und die Herkunft Abrahams aus Ur in Chaldäa dürfte eher eine Rückprojektion als eine geschichtliche Tatsache sein. In Mittel- und Nordmesopotamien aber war die Mondverehrung aller Wahrscheinlichkeit nach an die Städte gebunden und kaum Kennzeichen der Nomadenreligion. Die Sozialstruktur der hebräischen Vorväter muß also bei der Bestimmung des zugehörigen Religionstypus unter allen Umständen mit berücksichtigt werden.

b) Im Alten Testament ist vielfach von einem Glauben der Erzväter an verschiedene El-Gottheiten die Rede. Da erscheint ein El-Bethel, das ist der Gott El von Bethel (1 Mose 31,13; 35,7), ein El-Olam von Beerseba (1 Mose 21,33), ein El Roi, d. h. ein El, der mich sieht (?, 1 Mose 16,13), ein El Eljon, ein höchster Gott (1 Mose 14,18 ff u. ö.), ein El Schaddaj, ein El des Berges (?, 1 Mose 17,1 ff) und ein El Berit von Sichem (auch Baal Berit: ein El des Bundes also; Ri 9,4.46). So sehr diese Bezeichnungen auch im jetzigen Kontext in jahwistische Gottesvorstellungen überführt worden sind, sie repräsentieren doch eine von Jahwe unterschiedene, wenn auch vielleicht oft mit Jahwe direkt identifizierte kanaanäische El-Religion, die sich in zahlreichen Lokalheiligtümern und Lokalgottheiten niedergeschlagen hat. Wenn wir vorsichtig die ugaritischen Mythen zur Interpretation heranziehen, dann bestätigt sich der Eindruck: Die El-Religion war im Alten Orient, speziell in Syrien und Kanaan, weit verbreitet, und ihre Ausprägungen im Alten Testament bzw. im Gebiet der späteren israelitischen Stämme stellen lokale Adaptionen dieser Himmelskönig- und Schöpfergottreligion dar. Eine ursprüngliche Verbindung der hebräischen Urahnen Israels mit dem El-Glauben läßt sich nur dann behaupten, wenn man ihre Herkunft aus dem städtischen Proletariat der Kanaanäerherrschaften nachweisen könnte. Das ist bisher nicht gelungen. Darum verbietet sich mit großer Wahrscheinlichkeit, eine solche Religion unter den wandernden Nomadengruppen wiederfinden zu wollen. Der Hochgottglaube ist anscheinend eine typisch städtische Glaubensform, so wird sie auch von Alt in dem schon genannten grundlegenden Aufsatz verstanden. El-Gottheiten sind für ihn an feste, zu Siedlungen gehörige Heiligtümer gebunden.

c) Einige amerikanische Forscher nehmen an, daß die Patriarchen im Grunde niemals einen anderen Gott als eben Jahwe verehrt hätten. Damit kommen sie der orthodoxen jüdischen Interpretation entgegen, welche von der Einheit und Unveränderlichkeit der Gottesoffenbarung ausgeht. So nimmt J. Th. Hyatt an, Jahwe sei einer der alten Vätergottheiten gewesen, die sich schließlich durchgesetzt habe. Und F. M. Cross kommt in seinem Aufsatz zu dem Schluß, Jahwe sei im Grunde nur ein verkürzter El-Name. Er müsse als voller Satz lauten: Eljahwe (sebaot) = El schafft die Himmelsheere. Diese Deutung der Patriarchenreligion widerspricht aber dem klaren Zeugnis des Alten Testaments von dem Bruch zwischen Väterreligion und Moseglauben.

Die traditionelle Diskussion der Väterreligion bewegt sich also ausschließlich im Spannungsfeld von El- und Jahwevorstellungen. Unter Berücksichtigung der sozialen Gegebenheiten kann man festhalten: Wenn auch keinesfalls auszuschließen ist, daß nomadisierende Kleinviehhirten im Alten Orient gelegentlich in Kontakte mit der Landesreligion der ansässigen Kanaanäer kamen und sich gelegentlich an Wallfahrtsheiligtümern oder Ortstempeln an der Verehrung der El-Gottheiten beteiligten, liegt doch für die vorisraelitische Zeit aufgrund der klaren alttestamentlichen Zeugnisse ein familien- oder sippengebundener Religionstyp nahe. Diese These Alts wird unterstützt durch Zeugnisse aus den Israel benachbarten Völkern und Kulturen (vgl. besonders H. Vorländer) und aus anthropologischen und soziologischen Beobachtungen und Erwägungen. Einen Kleingruppenkult, eine besondere Religion für die kleine Gemeinschaft, die sich an den elementaren

Bedürfnissen der menschlichen Primärorganisation und des darin eingebetteten Individiuums orientieren, hat es immer gegeben, gibt es heute und wird es immer geben. Rites de passage, das sind Übergangsriten von einem Lebensstadium in das folgende. Krankenheilungen, Freudenfeste im privaten Rahmen waren immer Sache der Klein- oder Primärgruppe. Bis heute sind Taufe, Konfirmation, Hochzeit, Begräbnis und ähnliche kultische Ereignisse für die Familie und den erweiterten Clan von großer Wichtigkeit. Diese Gelegenheiten suchen und finden sogar noch im Rahmen einer alles verwaltenden Volkskirche ihre eigenen, spezifischen Riten, Praktiken und Glaubensvorstellungen. Gott/Göttin, der/die schützt und segnet, und zwar ganz privat und zunächst ohne Rücksicht auf das Wohl und Wehe »der anderen« oder »des Staates«, steht dabei wie vor Tausenden von Jahren im Mittelpunkt.

Aber die Debatte um vorisraelitische Väterreligion hat sich heute verschoben. Wie unterschiedlich man sich den Gottesglauben der vormosaischen Zeit auch vorstellt: Die männlichen Wissenschaftler gehen überwiegend von einer patriarchal verfaßten, halbnomadischen oder städtisch-entwurzelten hebräischen Bevölkerung aus. Sie vermuten oder nehmen es einfach als selbstverständlich an, der Gott der vormosaischen Zeit müsse auch maskulin gewesen sein (vgl. W. Thiel). Die Argumente, die sich in der Tat für diese Sicht der Dinge anführen lassen, sind soziologischer Art. Wie könnte man nach den Vorstellungen der damaligen Zeit die Schutzfunktionen für die wandernde Gruppe anders als einer männlichen Gottheit übertragen? Außerdem deuten vergleichbare Daten aus arabischen, afrikanischen und amerikanischen halbnomadischen oder nomadischen Gesellschaften darauf hin, daß die nichtseßhafte Lebensweise grundsätzlich im Bereich der Gesellschaft wie der Religion zu patriarchalen Strukturen führt. Feministische Wissenschaftler und Wissenschaftlerinnen halten es dagegen diskussionslos für ausgemacht, daß Israel in der vormosaischen Periode matriarchale Ordnungen und Glaubensvorstellungen gepflegt habe (vgl. H. Göttner-Abendroth; G. Weiler; Chr. Mulack; R. Ranke-Graves). Die Analyse einiger relevanter Texte muß eine Klärung in dieser Frage erbringen.

Theoretische oder auch nur sorgfältig beschreibende Aussagen zu Wesen und Funktion der Vätergötter können wir im Alten Testament nicht erwarten. Wir müssen darum solche Texte, in denen Nachklänge aus der Urzeit zu vermuten sind, kritisch befragen, um Antworten auf unsere Probleme zu finden. Folgende Beispiele für patriarchale Sippenreligion und Gesellschaftsordnung seien herausgegriffen:

Der Vertragsabschluß zwischen Jakob und Laban (1 Mose 31,43–54) gilt als ein wichtiger Beleg für die These A. Alts. Der Text ist mehrfach überarbeitet, aber sein wesentlicher Inhalt ist gut zu erkennen. Zwei konkurrierende Sippen, die auch miteinander verschwägert sind, wollen durch ihre Oberhäupter Territorium und sonstige Interessen gegeneinander absichern. Für Laban geht es ausdrücklich auch um den Schutz seiner beiden dem Jakob in die Ehe gegebenen Töchter (vgl. V. 43, 50). Nur die *beiden* Sippengottheiten, der Gott Abrahams und der Gott Nahors (V. 53), können die Abmachung garantieren. Ein späterer redaktioneller Zusatz möchte den augenscheinlichen Polytheismus der Urväter verwischen: »der Gott ihres Vaters« (V. 53). Einige hebräische Handschriften und die griechische Septuaginta kennen den Zusatz noch nicht. Die beiden Sippenchefs rufen also, wie das in einer öffentlich-rechtlichen Streitsache wohl notwendig war, ihren jeweiligen Sippengott an und besiegeln ihre Vereinbarung mit einem Schwur und dem feierlichen Opfermahl. Ein Steinmal wird errichtet, das sicherlich auch als Wohn- und Beobachtungssitz der Götter gedacht ist. Mizpa bedeutet ja »Spähort«. In der Erläuterung von V. 49, die Gottheit »wache als Späher über mir und dir, wenn wir voneinander gegangen sind«, ist der Name Jahwe sekundär eingetragen worden. Die unter dem Schutz und der Garantie des Sippengottes Handelnden sind also die Familienchefs Laban und Jakob. Die beiden Frauen, deren Schicksal in hohem Maße mit auf dem Spiel steht, treten nicht als juristische Personen auf, und auch der aus dem häuslichen Bereich stammende Schutzgott, bzw. die Schutzgöttin, bleibt unter dem Kamelsattel Rahels verborgen. Laban wird durch das Fehlen seines Teraphim nicht geschäftsunfähig. Der angerufene Sippengott dürfte sicher männlichen Geschlechts gewesen sein. Jedenfalls verwenden alle Überlieferungsschichten in völliger Übereinstimmung das maskuline grammatische Geschlecht für die beiden Vätergötter. Dafür spricht auch die allgemeine Grammatik des Wortes *Elohim*, »Gott«, »Gottheit«. Von den drei in Frage kommenden Ausdrucksformen für den Allgemeinbegriff Gott – El, Elo'ah, Elohim –, die insgesamt etwa 2600mal im Alten Testament vorkommen, können nur ganz wenige auf weibliche Gottheiten bezogen werden, so z. B. in 1 Kön 11,5. In unserer Geschichte ist das unmöglich, und eine patriarchale Retuschierung läßt sich in keiner der erkennbaren Überlieferungsschichten entdecken. Kurz, wir treffen in diesem ersten Beispiel einer Vätergottgeschichte der Urzeit auf eine typische zeitgenössische Männerreligion, die im Bereich der zwischengruppalen Beziehungen wirksam wird. Die voraufgehende Erzählung vom Diebstahl des häuslichen Segensspenders, Teraphim, zeigt deutlich die Zweiteilung der alten Sippenreligion.

1 Mose 28,10–22 enthält einmal die große Gotteserscheinung für Jakob bei Bethel. Wir haben sie als Schlüsselereignis einer neuen Familienreligion gewürdigt. Danach will sich der Erzvater auf den Weg zu seinen Verwandten in Mesopotamien machen und schließt mit dem ihm erschienenen Gott einen Vertrag ab. »Wird Gott mit mir sein und mich behüten auf dem Wege, den ich reise, und mir Brot zu essen geben und Kleider anzuziehen und mich in Frieden wieder heim zu meinem Vater bringen, so soll Jahwe mein Gott sein« (1 Mose 28,20 f). Daß der Jahwename hier nachgetragen ist, merkt man sogleich bei einer wörtlichen Übersetzung: »Wird Gott (Elohim) bei mir sein ..., so soll Jahwe mein Gott sein«. Nehmen wir den ursprünglichen Text als Ausdruck der Familienreligion, und er ist zumindest sehr echt der Clansituation nachempfunden!, dann treten ganz deutlich einige Hauptansprüche an eine Sippengottheit zutage. Es geht auf der ganzen Linie um den persönlichen Schutz, die Präsenz und Begleitung des mächtigen Gottwesens, insbesondere für den Familienchef. Durch ihn vermittelt tritt aber sein ganzer Anhang, auch der im Falle des Jakob noch nicht existente, in das Schutzverhältnis mit ein, so wie es heute noch in gewissen Rechts- und Versicherungsabmachungen der Fall ist. In der Jakobgeschichte geht es konkret um Nahrung, Kleidung und Verteidigung gegen Feinde und Gefahren auf der Wanderschaft, also nicht um den Segen, der die Fruchtbarkeit eines bäuerlichen Anwesens garantieren soll. Das Schutzverhältnis zu einer Sippengottheit, so könnten wir sagen, ist Hauptinhalt des vom Manne bestimmten äußeren Familienkultes. Die im 1. Buch Mose zahlreichen Nachkommens- und Vermehrungsverheißungen an die Erzväter sprechen nur scheinbar gegen diese Sicht der Dinge. Sie gehören nicht zum Urbestand der Vätergeschichten, sondern setzen die Volksgemeinschaft »Israels« voraus, die sich durch sie der eigenen Existenz vergewisserte: Die Verheißung von Nachkommen erging ursprünglich vielleicht an die Frau (vgl. Ri 13; 1 Sam 1). Dagegen gehört die Verpflichtung eines Zeitsklavens auf Lebensdauer vor dem Familiengott am Türeingang eben nicht, wie es scheinen könnte, zu den »inneren« Angelegenheiten des Hauses (2 Mose 21,6). In Wirklichkeit ist hier eine öffentlich-rechtliche Handlung zu vollziehen, und für sie ist allein der Mann verantwortlich, weil er den Besitz der Familie nach außen hin vertritt. Das schließt aber nicht aus, daß die Hausfrau im Rahmen ihres Arbeitsbereiches Zugang zum und Verantwortung für das häusliche Gottesbild oder seine Partnerfigur trug.

Die schon erwähnte Erzählung von Micha und seinem Gottesbild (Ri 17) ist wie ein Nachhall der ursprünglichen Sippenreligion
in späterer Zeit. Reichere Leute, vor allem Großgrundbesitzer,
besaßen nicht nur eine kleine Gottesstatue in einer Nische neben
dem Türeingang, sondern konnten sich eine eigene Hauskapelle
und evtl. sogar einen Hauskaplan leisten. Wie eine solche private
Kultstätte zustande kommen kann, wird am Anfang der Erzählung
festgehalten, wohl auch mit der Absicht, das Gottesbild, welches
kurz darauf vom Stamme Dan gewaltsam entführt wird, zu diskre-
ditieren.

»Es war ein Mann auf dem Gebirge Ephraim namens Michajehu;
der sprach zu seiner Mutter: Die 1100 Silberschekel, die dir weg-
genommen worden sind, daher du einen Fluch ausgestoßen und
in meiner Gegenwart gesagt hast ... – dieses Geld ist bei mir; ich
selber habe es genommen; (aber nun will ich es dir zurückge-
ben). Seine Mutter erwiderte: Mögest du von Jahwe gesegnet
sein, mein Sohn! So gab er seiner Mutter die 1100 Silberschekel
zurück. Seine Mutter aber sagte: Ich will das Geld Jahwe
geweiht haben und zum Besten meines Sohnes darauf verzichten, damit ein Schnitz- und Gußbild daraus gemacht werde. So
gab er das Geld seiner Mutter zurück. Seine Mutter aber nahm
200 Silberschekel und gab sie einem Schmelzer, der machte daraus ein Schnitz- und Gußbild. Das kam in das Haus Michajehus.
Und der Mann Micha, der besaß ein Gotteshaus; dazu ließ er
einen Ephod und Teraphim machen und stellte einen seiner
Söhne an, daß er ihm als Priester diente« (Ri 17,1–15; nach
E. Kautzsch).

Die Erzählung gibt ein stückweit den Blick auf das Innenleben
einer patriarchalen Großgrundbesitzerfamilie der vorstaatlichen
Zeit frei. Der Familienchef wird allerdings nicht erwähnt. Vielleicht hat der Sohn den Platz des verstorbenen Vaters eingenommen. Aber was geschieht eigentlich auf diesem Hof »auf dem
Gebirge Ephraim« (Ri 17,1)? Lassen Micha und seine Mutter ein
Kultbild (aus Holz, mit Edelmetall überzogen?) für das Wohnhaus
fertigen? Bestellen sie Ephod (Kultmaske oder Wahrsagetasche?)
und Teraphim und wollen diese Gegenstände in die schon beste-
hende Kapelle einbringen? Wird hier ein neuer Familienkult
begründet? Warum redet die Mutter ständig von Jahwe, während
sie doch offensichtlich eine andere Gottheit abbilden läßt? Oder
sollen die genannten Kultobjekte, die aus dem gestohlenen und
zurückerstatteten Silber gemacht werden, Jahwe selbst darstellen?
Wie denkt sich eigentlich der Erzähler das Verhältnis der Mutter
zu dem neu entstehenden, anscheinend zur Sühne eingerichteten

Hauskult? Und zum Sohn, der eine solche Riesensumme aus dem Besitz seiner Mutter unterschlägt oder veruntreut, dann reumütig, und um den Fluch abzuwenden, zurückerstattet?

Nehmen wir an, die kleine Erzählung sei in ihrem Grundbestand keine Propagandalegende gegen das spätere Heiligtum von Dan, das mit den geraubten Utensilien der Hauskapelle des Micha ausgestattet wird. Nehmen wir an, die Geschichte spiegele die religiöse Realität der Frühzeit Israels. Dann ist bemerkenswert, wie hier aus einer Sühnehandlung und offensichtlich um einen ausgesprochenen Fluch unschädlich zu machen, ein Familienheiligtum gegründet oder erweitert wird. Ähnliche Motive spielen bei vielen Kirchen- und Klösterstiftungen in der christlichen Geschichte eine Rolle. Wie aber sind in Ri 17 die Geschlechterrollen verteilt? Die Mutter des Micha lebt anscheinend als reiche Witwe bei ihrem ebenfalls begüterten und mit Geld locker umgehenden Sohn. Vielleicht ist sie sogar die Gutsherrin. Sie besitzt jedenfalls eine erhebliche Rücklage an barem Silber. Der Sohn entwendet ihr den Schatz, und sie belegt den ihr unbekannten Dieb mit einem fürchterlichen Fluch. Solche Flüche sind damals und werden heute noch in vorindustriellen Stammesgesellschaften sehr ernst genommen. Der Sohn gibt sich als der Dieb zu erkennen. Die Mutter versucht, den Fluch rückgängig zu machen oder zu neutralisieren und schlägt die Einrichtung der Familienkapelle vor. Ausführender und Verantwortlicher für den Ausbau ist in der patriarchalen Gesellschaft, und weil er als Täter zur Sühne verpflichtet ist (?), der Sohn. Die Mutter hat anscheinend offiziell nichts mit Kultbild und Orakelwerkzeug der Gottheit, welche über den äußeren Besitz der Familie wacht, zu tun. Aber sie hat die Idee, sie gibt das Geld, sie bestimmt, was zu geschehen hat. Die beiden leitenden Figuren einer Großfamilie, eine Frau und ein Mann, hier die Mutter und ihr Sohn, sind von ihren verschiedenen Positionen her gemeinsam für den Familienkult verantwortlich. Das Bild ist also ein entscheidend anderes als jenes, das wir aus 1 Mose 28 gewannen. Es stimmt aber mit den beiden erwähnten Jakobsgeschichten darin überein, daß die Familiengottheit nach außen hin durch den Mann und nur durch ihn vertreten wird. Denn Micha ist in Ri 17–18 schließlich derjenige, der als Besitzer von Kapelle und Gottheit gilt.

Die patriarchale Außenansicht der Väterreligion läßt sich noch aus einem viel späteren Abschnitt der hebräischen Bibel erschließen. Die Rekabiter, bekannt als überaus eifrige Jahweanhänger (vgl. 2 Kön 10,15–17), sind bis in die Zeit Jeremias und der babylonischen Eroberung hinein den beduinischen Idealen treu geblieben. Als Flüchtlinge in der Hauptstadt Jerusalems bekennen sie sich noch zum Zelt- und Wanderleben der Vorväter und weigern sich strikt, Kulturlandgenüsse und Tätigkeiten zu übernehmen. Obwohl nicht ausdrücklich so definiert, hat ihre Einstellung religiöse Gründe oder zumindest Konsequenzen. Und an dieser Stelle ist wieder der Verbund von patrilinearer Sippenstruktur mit patriarchaler Entscheidungskompetenz in allen öffentlichen Belangen zu beobachten. Die Männer der Sippe verhandeln mit dem Propheten, legen Verhaltensnormen für alle Sippenmitglieder fest bzw. folgen den Normen des Urahns Jonadab und halten sie noch in der städtischen Umgebung aufrecht. Frauen und Kinder sind an die nach außen gewendeten Formen des Gemeinschaftslebens gebunden. Über die Innenseite, das häusliche Miteinander innerhalb des so abgesteckten Rahmens, redet der Text nicht. Jahwe ist – wie vermutlich in allen bisher besprochenen Texten – der männliche Schutzgott dieser Familie. Daß es wenigstens theoretisch auch weibliche Schutzgottheiten der Sippe gegeben haben kann, dürfte man nach dem paarweisen Auftreten von Tarpis und Anaris, Lamassu und Sedu wohl erwarten. Wenn in dem Namen »Schamgar ben Anat« (Ri 3,15; 5,6) die kanaanäische Göttin Anat gemeint ist – und darüber dürfte kaum ein Zweifel bestehen –, dann hätten wir wenigstens einen Beleg für eine weibliche Familienschutzgottheit aus dem Bereich der israelitischen Traditionen. Die Verehrung einer Hausgöttin auch durch den Familienchef läßt aber nicht automatisch auf eine matriarchale Familienverfassung zurückschließen.

Wir wüßten gerne sehr viel mehr über die Geschlechterrollen in der frühen Familienreligion Israels. Unsere Texte zeigen uns ganz überwiegend die patriarchale Außenseite der häuslichen Religiosität. Nur gelegentlich schimmern der religiöse Verantwortungsbereich und die kultische Aktivität der Hausfrau durch. Nach allem, was wir jedoch aus Stammesgesellschaften wissen, sind gerade auf der Familienebene weibliche und männliche Religiosität immer in einer gewissen Polarität und Balance vorhanden. Wir dürfen uns darum von der scheinbar so einseitig maskulinen Glaubenswelt der israelitischen Vorväter nicht täuschen lassen.

Kurz müssen wir noch auf eine andere Quelle zur Erschließung der Sippenreligion im vorstaatlichen Israel eingehen. Sie bestätigt uns das Bild des nach außen hin von den Männern bestimmten familiären Kultes. Es handelt sich um die in der hebräischen Bibel reichlich überlieferten Personennamen. Sie bieten uns unverfälschte Informationen über Glauben und Hoffnung der Namengeber, und weil der soziale Horizont des Namens und der Namengebung ganz überwiegend der kleine Kreis der Primärgruppe ist, reflektieren die Personennamen in der Regel auch Zustände und Beziehungen eben der Familiengruppe. Die antiken Völker waren insgesamt sehr religiös gestimmt. Sie gaben ihren Kindern gerne Namen, die Gebets- oder Lobcharakter hatten, also: Man nannte seine Tochter nicht immer einfach »Bienchen« (Debora) oder »Dattelpalme« (Tamar), seinen Sohn sicher nicht gerne »Dummkopf« (Nabal) oder »Roter« (Edom), sondern steckte Dank, Lob und Bitte an Gott in den Namen hinein. Die Gottheit kann dabei mit ihrem Eigennamen oder aber mit generischen Bezeichnungen benannt werden. Diese theophoren Namen bestehen entweder aus einem vollständigen oder verkürzten Verbalsatz oder aus einem nominalen Ausdruck bzw. einem Nominalsatz. Ein solcher Name sagt grammatisch gesehen etwas über die Gottheit aus. Darum ist er eigentlich, was seinen Träger angeht, geschlechtsneutral. »Gott hat gehört« (Jischmael, Elischama oder Schemajahu) könnte theoretisch Name für einen Jungen oder ein Mädchen sein. In der Praxis aber kommen theophore Personennamen überwiegend von Männern vor. Das bedeutet, die Beziehung zur familiären Schutzgottheit geht in rechtlich-öffentlichem Sinn über die männliche Linie einer Sippe. Übrigens vollzieht sich die Namengebung in allen semitischen Kulturen der Umwelt Israels nach ganz ähnlichen Regeln und Mustern. Manche Forscher sind deswegen frustriert und meinen, man könne den semitischen Personennamen höchstens ganz allgemeine Hinweise auf eine unspezifische Volksreligiosität, nicht aber Informationen über den besonderen Jahweglauben entnehmen. Jeder semitische Kulturkreis schreibe schließlich jedem beliebigen Gott dieselben Qualitäten des »Herrn, Vaters, Lichtes, Helfers« usw. und dieselben Aktivitäten des »Hörens, Heilens, Schützens, Leitens« usw. zu. Aber damit ist ja gerade die für uns so wichtige Tatsache ausgesprochen, daß nämlich Namengebungen im Schoße der Familie geschehen und nicht auf die große Politik und Theologie Rücksicht nehmen. Die Namen orientieren sich ganz unbefangen an den Bedürfnissen der Kleingruppe und des intimen Zusammenlebens einer überschaubaren Zahl von Menschen. Darum sind sie in den verschiedenen Kulturkreisen und religiösen Vorstellungsbereichen so gleichförmig. Die Namen sprechen, ganz gleich ob sie eine »private« oder eine hohe offizielle Gottheit nennen, im Prinzip immer über den solidarischen, zur Großfamilie gehörigen Schutzgott. R. Albertz hat das in seiner Habilitationsschrift »Persönliche Frömmigkeit und offizielle Religion« gebührend und treffend herausgestellt. Er vertieft und erweitert damit die bahnbrechende Untersuchung von H. Vorländer. Eine umfassende Studie der geschlechtsspezifischen

Gottesbeziehungen anhand der semitischen Personennamen fehlt bislang (vgl. J. J. Stamm, Hebräische Frauennamen).

Aber zurück zur Familienreligiosität. Albertz stellt fest: Die großen Inhalte der israelitischen Theologie, wie Exodus, Erwählung, Sinaioffenbarung, Davidisches Königtum usw., fehlen völlig in der israelitischen Namengebung. Die Namen beziehen sich vielmehr auf Familienerfahrungen, Glaubensproben und -erkenntnisse des Alltags, auf den kleinen Privatkult, der ja immer innerhalb der Kleingruppe und nie im stillen Kämmerlein vor sich ging. Wir können die Personennamen grob in zwei große Gruppen einteilen: jene Namen, die ein bestehendes Schutz-, Vertrauens- oder Verwandtschaftsverhältnis zum Sippengott ausdrücken, wie etwa »Gott ist Vater« (Abiel, vgl. auch: Abijah, Abimelek, Abibaal) oder »Gott ist Bruder« (Ahiel, vgl. auch: Ahijah, Ahimelek). Die Schutzgottheit wird also in mehr oder weniger metaphorischem oder symbolischem Sinn als männlicher Verwandter angesprochen. Namen mit weiblichen theophoren Elementen, also vom Typ »Gott ist Mutter, Tante, Schwester«, sind aus dem Alten Testament nicht bekannt. Sie scheinen auch im semitischen alten Orient nicht gebräuchlich gewesen zu sein, obwohl ja die Bekenntnisaussage »Gott ist Vater und Mutter« in der Umwelt Israels durchaus zur Terminologie der Gebetssprache gehört. Zur Gruppe der Verhältnisnamen gehören ferner Ausdrücke wie »Gott ist Schutzgott« (Eliel; vgl. Eliab; Eliam; Elijah; Elimelek) oder »Gott ist Heil« (Schelumiel; vgl. auch Schelemjah; Abischalom), »Gott ist Hilfe« (Elieser; vgl. auch: Joeser, Ahieser), »Gott ist Rettung« (Elischua; vgl. auch: Jehoschua; Abischua; Malkischua). Obwohl das nicht in jedem Einzelfall eindeutig festzustellen ist, wird man sich die Schutzgottheit auch in diesen Namen durchgängig als ein männliches Wesen vorzustellen haben.

Die andere große Gruppe von Personennamen beschreibt Gottes erwünschtes oder geschehenes Eingreifen zugunsten des Namensträgers und seiner Gruppe. Da tauchen dann viele verschiedene Verben auf, die eine Hinwendung zum Menschen, ein Retten, Heilen, Helfen oder Rechtverschaffen bedeuten. Einige Beispiele: Jischmael oder Schemuel drücken Bekenntnis oder Wunsch aus »Gott hat gehört« bzw. »Gott möge hören«. Jerachmeel heißt vermutlich entsprechend »Gott hat sich erbarmt« oder »Gott möge sich erbarmen«. Sacharjahu können wir übersetzen mit »Jahwe hat gedacht«; Pelatjah mit »Jahwe hat gerettet«; Pedahzur mit »der Gott Zur hat losgekauft«; Gealjahu mit »Jahwe hat ausgelöst«; Rephael mit »Gott hat geheilt«; Gamaliel mit »Gott hat Gutes erwiesen«; Jehoschaphat mit »Jahwe hat Recht verschafft«

usw. Weibliche Gottheiten sind auch aus diesen Personennamen nicht zu gewinnen. Das Vorkommen der Göttin Anat im Stammbaum des Richters Schamgar (Ri 3,31; 5,6) bleibt singulär. Gelegentlich wird allerdings in Ortsnamen auf Göttinnen hingewiesen, wie z. B. durch Astarot (1 Chron 6,71) auf die Göttin Astarte.

Wir sind geschichtlich und gesellschaftlich an einen Endpunkt oder besser an den Anfangspunkt der Glaubensüberlieferung Israels gekommen. Jahrtausendelang waren Gottesglaube und Gottesverehrung eine Sache der kleinsten menschlichen Gemeinschaft gewesen, ehe regionale und nationale Tempel und Theologien eingerichtet wurden. Das elementare menschliche Verlangen nach einer Schutzgottheit steht, vor und neben dem Bedürfnis der Fruchtbarkeit und des Segens, am Anfang aller Religion. Es hat sich auch durch alles gesellschaftliche und wirtschaftliche Wachstum hindurch bis heute erhalten. Die Männer der Familie hatten seit jeher die Schutzfunktion zu übernehmen. Darum wird der Kult für die Schutzgottheit von Männern dominiert. Die Sorge um die Fruchtbarkeit und die Harmonie des Haushaltes scheint erst in den Ackerbaukulturen stärker in den Vordergrund getreten zu sein (Badinter, 51 ff). Damit verstärkte sich der Anteil der Frau am häuslichen Kult. Aber nirgendwo im Alten Orient ist eine matriarchale Religion politisch in der Vorhand gewesen. Vielmehr war die Ursippe der Sammlerinnen, Jäger, Viehzüchter und Ackerbauerinnen mit wechselnden Akzentsetzungen, geschlechtlich und religiös, bipolar strukturiert (vgl. S. de Beauvoir; Badinter, 36 ff). Sie stand immer nach außen hin unter männlicher Führung und männlichem Schutz.

Zwei Bedenken sind hier schon für unsere heutige Diskussion anzumelden. Einmal leben wir nicht mehr in wirtschaftlich autarken Familienverbänden. Die Industriegesellschaft hat aus den Menschen Einzelne gemacht, die noch pro forma unter einem Dach zusammenhausen. Folglich sind die aus alten Sippenstrukturen gewonnenen patriarchalen oder matriarchalen Gottesbilder nicht mehr für unsere Zeit brauchbar. An ihre Stelle muß für den innersten Privatglauben ein Gottesverständnis treten, das aus der demokratischen Gruppe entwickelt und mit ihr kompatibel ist.

Zweitens sollten wir einsehen, daß Großreligionen notwendige, aber sekundäre Gebilde sind. Natürlich müssen wir die globalen und universalen Beziehungen der Menschen in der Theologie reflektieren. Wir brauchen dringender denn je ein wirklich umfassendes Welt- und Gottesverständnis, das effektiv Chauvinismen und Partikularinteressen überwindet. Dennoch darf der Wurzelboden der »persönlichen Frömmigkeit«, d. h. der Primärgruppe und der darin lebenden Einzelmenschen, nicht vernachlässigt, dürfen die Interessen der kleinen sozialen Organismen nicht überrollt und plattgewalzt werden. Eine Kirche, die nur einen abstrakten, vom Alltagsleben losgelösten und auf Großgesellschaften orientierten Gottesdienst ins Zentrum ihres Bewußtseins und Handelns stellt und die Amtshandlungen, Seelsorge, Gruppen- und Vereinsarbeit und ähnliches geringschätzt oder verächtlich macht, hat ihre Aufgabe verkannt. Auf der unteren Ebene der praktischen Arbeit, die von Mensch zu Mensch geschieht, sind in der Kirche tatsächlich überwiegend Frauen anzutreffen. Im administrativen Überbau dagegen ist die Zahl der Männer (noch) unverhältnismäßig groß. Die Wahrnehmung der Kleingruppenstruktur in der Kirche bedeutet de facto also auch Anerkennung der Frauenarbeit und Frauenverantwortung in der Kirche.

7. Der patriarchale Gott

Bisher sind wir, von den jüngsten zu den ältesten Schichten alttestamentlicher Überlieferung fortschreitend, durch die Hauptphasen der Glaubensgeschichte Israels hindurchgegangen und haben sehr unterschiedliche, gesellschaftlich und geschichtlich bedingte Gottesvorstellungen kennengelernt. Insbesondere im Blick auf Sexualität und Fruchtbarkeit deuteten sich in der Bibel spannungsvolle theologische Konzeptionen an, die zum Teil bis heute nachwirken. Das ist auch kein Wunder, analysieren wir doch mit den biblischen Zeugnissen die Quellen unseres eigenen Glaubens. Bei Analyse und Aufreihung von Gottesbildern in der israelitischen Vergangenheit können wir indessen nicht stehenbleiben. Wir brauchen eine auswertende und aktualisierende Gegenüberstellung der alten Zeugnisse mit unseren heutigen Erfahrungen.

Ein Grundproblem drängt sich bei dieser Sicht der Dinge sofort auf. Die Bibel kann uns kein zeitlos gültiges und allgemein verbindliches Gottesbild präsentieren. Zumindest fehlen im Alten Testament auch die geringsten Ansätze für eine einheitliche, in sich stimmige und über die Generationen hinausreichende, festformulierte Lehre von Gott. Statt dessen stehen wir vor einer Vielzahl von zeitbedingten Glaubensaussagen, die wir unmöglich einfach in unserer Situation nachsprechen könnten. Aber das Dilemma ist nur scheinbar ausweglos. Bei Licht betrachtet, markiert es nur die Aufgabe der Theologie aller Zeiten, im Dialog mit den Zeugen der Vergangenheit eigenständige, zeitgemäße Gottes-aussagen zu wagen. Theologie darf nicht hinter dem breiten Rük-ken der Vorväter betrieben werden, sondern muß auf die heutige Weltlage und die heutige Gottsuche eingehen. So wahr der leben-dige Gott der biblischen Zeugen auch heute noch wirkt, so wahr müssen die Gottesbilder, die wir in Antwort auf seine Wirksamkeit entwerfen, von denen der Bibel verschieden sein. So gesehen ist die Vielfalt der theologischen Traditionen in der Bibel kein Hemmnis, sondern ein Freibrief für unsere Suche nach dem richtigen Gottes-bekenntnis in unserer Zeit. Der Freibrief öffnet dabei nicht das Tor für schrankenlose Willkür, sondern gibt Raum für einen verant-wortungsvollen theologischen Auftrag, den es im Namen Gottes und aller Menschen wahrzunehmen gilt.

Das uns hier besonders bewegende Spezialproblem können wir jetzt so skizzieren: Die alttestamentliche Glaubensgeschichte gibt auf weite Strecken hin und auf unterschiedlichen gesellschaftli-chen Ebenen beiden Geschlechtern Raum zur Entfaltung des Glaubens. Zwar herrschten von Anfang an in Israel und in den vorisraelitischen Sippen patriarchale Strukturen vor. Aber inner-halb der männerorientierten Außenverfassung hatte die Frau weit-gehend eigene Bereiche häuslicher Religiosität in Eigenverantwor-tung zu vertreten. Göttin und Gott wurden auch in Israel lange Zeit nebeneinander verehrt. Erst in der Epoche des babylonischen Exils begann jene Konzentration von Kult und Glauben auf den einzigen Gott Jahwe, die im Endeffekt zu einer katastrophalen Ausgrenzung oder Diskriminierung des Weiblichen geführt hat. Feministische Theologinnen legen mit vollem Recht immer wieder den Finger auf die Wunde. Die jüdischen und christlichen Theolo-gen und Kirchenmänner haben in der überwältigenden Mehrzahl ihre sexistischen, selbstüberheblichen Entscheidungen und Urteile gegen die Frau gefällt. Sie taten es im Namen jenes einzigen und ausschließlichen Gottes, den man sich trotz aller Lippenbekennt-nisse zu seiner Überweltlichkeit als Mann vorstellte. Diese Tatsa-che ist unbestreitbar und sollte als solche nicht verdrängt, beschö-nigt oder ständig aufs neue zur Diskussion gestellt werden. Vom Verbot der »Mischehen« in Spättexten des Alten Testaments über die Degradierung der Frau bei manchen Kirchenvätern bis zu den Hexenverfolgungen zu Beginn der Neuzeit und dem Ausschluß der Frau vom Priesteramt und aus kirchenleitenden Funktionen zieht sich ein starker roter Faden von männlicher Selbstbespiege-lung und Frauenverachtung durch die jüdisch-christliche Tradi-tion. Unter dem Schirm religiöser Vorstellungen und Wertungen ist den Frauen in Kirche und Gesellschaft millionenfaches

Unrecht geschehen. Daran können wir bei unserer Suche nach einem heute verantwortbaren Gottesbild nicht mehr vorbeisehen. Wie aber ist es in Israel zu jener fatalen Verengung der Gottesvorstellung gekommen? Welches sind die Gründe für die Verbannung von Göttin und Frau aus dem Kultgeschehen des alttestamentlichen Gottesvolkes? Wenn wir heute das Jahrtausende alte Unrecht beheben wollen, müssen wir soweit und so gut wie möglich seine Ursachen aufhellen. Eine fehlerhafte Diagnose könnte nur zu einer falschen Behandlung und zum Scheitern der notwendigen radikalen Reformmaßnahmen führen.

Es scheint, als ob die sexistische Verengung des Gottesbildes in Israel im Ursprung nicht ein heimtückischer »nekrophiler« Plan verbrecherischer Männerhirne gewesen ist, sondern eher ungewollte Langzeitfolge einer anderweitig begründeten Entscheidung für den »alleinigen Gott« Jahwe. Stimmt das, dann wäre zunächst die monotheistische Verkürzung des Gottesglaubens zu untersuchen und erst in zweiter Linie die sexistische Hervorkehrung des Maskulinen und die dementsprechende Abwertung des Femininen im Kontext von Theologie und Glaubensgemeinschaft.

Die wichtigsten Spätschriften des Alten Testaments aus dem 6. Jh. v. Chr. – Deuterojesaja; Jeremia; Ezechiel; das deuteronomistische Geschichtswerk von 5 Mose 1 bis 2 Kön 25 – geben keinerlei Anhaltspunkte dafür, daß israelitische Theologen zur besagten Zeit in erster Linie für einen männlichen Gott und gegen eine Göttin optiert hätten. Die einzige Ausnahme ist möglicherweise der in Kapitel 1 besprochene Abschnitt Jer 44,15–19. Sonst geht es auf der ganzen Linie um die Entscheidung für den *einen* Gott Jahwe, der in Israel seit Stammeszeiten bekannt war und gegen die *anderen* Göttinnen und Götter der Umwelt Israels. »Höre Israel, Jahwe ist unser Gott, Jahwe allein. Du sollst Jahwe, deinen Gott, von ganzem Herzen, von ganzer Seele und mit aller deiner Kraft lieben« (5 Mose 6,4–5). Das ist das Kernstück des exilisch-nachexilischen jüdischen Glaubens bis heute. Es heißt eben nicht: Jahwe ist ein männlicher Gott, sondern: Jahwe ist der einzige (für Israel in Frage kommende) Gott. Die Geschlechtlichkeit Jahwes kann nach der Grundüberzeugung der deuteronomistischen Schreiber auch kein theologisches Problem werden. Jahwe ist seiner Natur nach unvergleichbar und darum unabbildbar (5 Mose 4). Es gibt schlechterdings nichts in der Welt, was sein Wesen bildhaft darstellen könnte. »Er« ist weder »Mann« noch »Frau« (5 Mose 4,16), und der für uns erkennbare Widerspruch wird damals nicht gesehen. Darum wird in den Zehn Geboten die doppelte Vorschrift eingeschärft: Du sollst keine anderen Götter anbeten, und: du sollst dir kein Bildnis machen (5 Mose 5,6–10). Und überall wird in diesen grundlegenden Kapiteln deuteronomistischer Theologie das Liebes- und Verehrungsgebot gegenüber Jahwe eingehämmert. Der Glaube an den einzigen Gott fordert volle und ausschließliche Hinwendung zu ihm. So selbstverständlich Jahwe mit maskulinen Wortformen benannt wird, so wenig sind doch in der deuteronomistischen Ermahnung bewußt sexistische Ober- und Untertöne zu verspüren.

In den Auseinandersetzungen mit »Götzenanbetern« und »Götzenanbeterinnen« – so sehen es die Theologen des 6. Jh.s v. Chr. – wenden sich die Jahweanhänger zwar gegen kanaanäische Fruchtbarkeitsreligion und eventuell auch gegen eine fremdländische Königin, die zum Abfall verführt. Aber dies alles geschieht doch nicht im Namen eines männlichen Gottesprinzips (vgl. 1 Kön 18). Im Gegenteil, Israel wird in der polemischen Auseinandersetzung jahwetreuer Kreise mit dem verführbaren Volk häufig als Frau oder Braut Jahwes bezeichnet (vgl. Ez 16; 23). Das weibliche Geschlecht an sich ist also durchaus Gott wohlgefällig und theologischer Aussage würdig. Es wird von Jahwe nicht nur geachtet, sondern aus seiner Sicht sogar mit unglaublich erotischen Zügen bedacht (Ez 16; Jes 62,4–5: »Jahwe hat Lust an dir, und dein Land hat einen lieben Mann. Denn wie ein junger Mann eine Jungfrau freit, so wird dich dein Erbauer freien, und wie sich ein Bräutigam freut über die Braut, so wird sich dein Gott über dich freuen.«). Vor diesem Hintergrund ist der Abfall von Jahwe soviel wie Hurerei der »Frau Israel« mit männlichen kanaanäischen Göttern. Bei einer sexistisch männlichen Betrachtungsweise müßte man an dieser Stelle den »Sohn Israel« erwarten, der sich kanaanäischen Göttinnen hingibt. Aber in der sexuellen Bildsprache ist es immer die geliebte Frau, die Jahwe untreu wird. So heißt es im Buche Jeremia an die Adresse Israels: »Wie wagst du denn zu sagen: ich bin nicht unrein, ich habe mich nicht an die Baale gehängt? Sieh doch, wie du es treibst im Tal, und bedenke was du getan hast! Du läufst umher wie eine Kamelstute in der Brunst, wie eine Wildeselin in der Wüste, wenn sie vor großer Brunst lechzt und läuft, daß niemand sie aufhalten kann!« (Jer 2,23 f). »Vergißt wohl eine Jungfrau ihren Schmuck oder eine Braut ihren Schleier? Mein Volk aber vergißt mich seit endlos langer Zeit. Wie fein findest du Wege, dir Liebhaber zu suchen!« (Jer 2,32 f). Die Bildrede von den abtrünnigen, treulosen Ehefrauen Juda und Israel durchzieht dann noch das dritte Kapitel im Jeremiabuch, das somit eine Parallele zu Ez 23 bildet. Sexismus könnte nur dann vorliegen, wenn diejenigen, welche die Anklage auf Untreue gegen Israel erheben, schon mit der weiblichen Personifizierung ihren Ekel und ihre Unreinheitsvorwürfe kundgeben wollten. Das ist aber durch den Duktus der Texte ausgeschlossen (vgl. besonders Ez 16). Die verantwortlichen Theologen befinden sich ja nach dem Verständnis der Propheten (vgl. Hos 4,4–11) und auch nach ihrem eigenen Selbstverständnis (vgl. Esra 9) auf der Seite des weiblichen Israel.

Theologische Fragen und Zweifel entstehen im 6. Jh. v. Chr. nicht aus der (unreflektierten) geschlechtlichen Zuordnung Jahwes. Vielmehr sind seine Anwesenheit, Verläßlichkeit und Macht im Volk strittig. Die politischen Ereignisse, insbesondere die Niederlagen Judas und die Deportationen der Oberschicht von 597 und 586 v. Chr., aber auch die fortdauernde Abhängigkeit und Ausbeutung durch die Siegermächte, haben das Gottvertrauen der Israeliten untergraben. »Verlassen hat mich Gott, Jahwe hat meiner vergessen« (Jes 49,14), klagt die zerstörte Stadt, gedacht als das weibliche Gegenüber der Gottheit. »Mein Weg ist Jahwe verborgen, und mein Recht geht vor meinem Gott vorüber« (Jes 40,27) sagt ein enttäuschtes, »beraubtes und geplündertes Volk« (Jes 42,22). »Jahwe, unser Gott, es herrschen wohl andere Herren über uns als du« (Jes 26,13), betet die Gemeinde noch im 5./4. Jh. Muß das Elend Israels nicht Beweis für die Passivität oder den Groll des nationalen Gottes werden? Ist er kraftlos geworden und hat seine Zeit überlebt? Hat Jahwe seine Zusagen an Abraham und David widerrufen? Ist er nun in seiner Wohnstadt, im Tempel zu Jerusalem, oder ist er außer Landes gegangen? Welche Rolle hat Israel selbst im Heraufkommen der Katastrophe gespielt?

Weil Theologie also im Israel des 6. Jh.s v. Chr. Schauplatz und Mittel des Überlebenskampfes ist, wird das Gottesbild in erster Linie im Gegenüber zu den »anderen Göttern« geprägt. Jahwe steht mit seinem Volk und stellvertretend für die Seinen in einem Kampf auf Leben und Tod gegen Marduk oder Bel von Babylon. Der zweite Teil des Jesajabuches, Deuterojesaja (Jes 40–55), ist durchzogen von den »Götzen«polemiken, in denen es um den Nachweis der (gegen jeden Augenschein!) überlegenen Macht des Gottes Israels geht. Jahwe ist der Schöpfer des Universums! Er ist der eigentliche mythische Chaosbezwinger! Er hat die Geschicke der Völker von Anfang an gelenkt! Nach seinem Willen ist Israel in Abhängigkeit und Schande gefallen, soll aber jetzt erneuert und strahlend daraus hervorgehen! Die alten Verheißungen an sein Volk gelten noch! Sie verwirklichen sich in einem neuen Auszug aus der babylonischen Gefangenschaft! Denn der Gott Jahwe ist unvergleichlich größer und stärker als die anderen Gottheiten. Sie schrumpfen vor ihm zu bloßen Idolen zusammen, sie sind eingebildete und selbstgemachte, tote Götzen (Jes 40,18–24; 44,6–20). Jahwe allein ist »ewig«, d. h. zeitlich nicht eingeschränkt. Er ist das A und das O (so in der griechischen Tradition nach dem Anfangs- und Schlußbuchstaben des griechischen Alphabets) oder im Hebräischen: der Erste und der Letzte (Jes 41,4; 44,6; 48,12). Die Theologie des Deuterojesaja gipfelt in dem Satz: »Außer mir (ihm) ist kein Gott« (Jes 43,11; 44,6.8; 45,6.21). Die anderen Götter, insbesondere die babylonischen, brechen vor Jahwe zusammen. Sie können die Befreiung Israels nicht aufhalten (Jes 46). – Die Überlegenheit Jahwes im Kampf um das Existenzrecht und die Vormachtstellung seines Volkes ist sicher älteres Glaubensgut. Es stammt aus der Jahwe-Stammestradition und wird auch in vielen anderen alttestamentlichen Texten bezeugt. Der Gedanke kommt aber erst zu seiner vollen Geltung, nachdem er mit dem monotheistischen Ausschließlichkeitsanspruch verknüpft ist, und das ist bei Deuterojesaja der Fall.

Eines wird daraus klar: Der Gott Jahwe, der sich seit dem 6. Jh. v. Chr. als die alleinige Gottheit Israels durchgesetzt hat, war nach den Vorstellungen der Zeit eine männliche Gottheit, soweit sexuelle Assoziationen überhaupt vollzogen wurden. Es ging doch in dieser monotheistisch verengten Theologie in erster Linie um Schutz- und Durchsetzungsvermögen nach außen hin, also um die von Männern zu verantwortenden Aufgaben. Familienleben und Fruchtbarkeit, die großen Bereiche der weiblichen Gottheiten und der Frauenverantwortung, traten in der politisch-religiösen Dauerkrise des unterjochten Volkes Israel zurück. Die gesamte Glaubensgemeinschaft suchte unter Führung der Männer ihre Identität einseitig auf dem Feld der Außenbeziehungen. Die männliche Führungselite bestand – nach dem Fortfall der Monarchie und der königlichen Staatsbürokratie – aus Geistlichen, die dem theokratischen Ideal verschrieben waren, und den Stammes-, Orts- oder Sippenältesten, die gewisse patriarchale Familienüberlieferungen fortführten. Von Frauen in öffentlich-religiös bedeutsamen Positionen hören wir nur noch äußerst selten, und wenn das der Fall ist, aus dem Bereich der Legende, wo das Weibliche unbeschadet aller männlich-politischen Arroganz immer eine Zufluchtstätte hat (vgl. das Buch Ester). Die theokratisch gestimmten Priester- und Levitenkreise geben bei der Ausformung der offiziellen Theologie absolut den Ton an. Familien- und Frauentraditionen können bei dem immer schärfer durchgesetzten Ausschließlichkeitsanspruch der männlichen Jahwereligion nur noch im Untergrund oder in einer orthodoxen Vermäntelung weiterbestehen. Dazu gehören auch die von feministischen Theologinnen immer wieder hervorgehobenen weiblichen Züge Jahwes, sein »Erbarmen«, seine »Geisteskraft« – Geist ist im Hebräischen ein Femininum, also »Geistin« –, seine »Weisheit« und »Liebe« (vgl. Ph. Trible, Rhetoric; Chr. Mulack). Die Verwendung solcher sexuell geprägten Sprache beweist selbst für die exilisch-nachexilische Zeit noch eine große Unbefangenheit der patriarchalen Theologen gegenüber dem Weiblichen.

Die Konzentration auf den einen und alleinigen Gott Jahwe war im Ansatz nicht sexistisch gemeint, mußte sich aber aufgrund der patriarchal-theokratischen Gesellschaftsstruktur sexistisch auswirken. Das Gottesbild, obwohl bewußt transzendent angelegt (vgl. 5 Mose 4; 1 Kön 8,27; Ps 90,2), mußte sich nach den geheimen Wunschvorstellungen der männlichen Hirne, die es artikulierten und mit konkretem Inhalt füllten, auf der Schiene männlicher Interessen, Aufgaben und Ängste bewegen. Der Ausschluß der Frauen von Öffentlichkeit und Kult sollte sich bitter rächen. Vom eigentlich transzendenten, übersexuellen, in Wirklichkeit aber mit starker Affinität zur Männerwelt behafteten Gott ergaben sich – denn es fehlten die weiblichen Gegengewichte – theologische Verschiebungen, die sich in einer zunehmenden Diskriminierung der Frau auswirkten.

Ironischerweise ist anscheinend nicht einmal der erste Diskriminierungsschub aufgrund einer sexistischen Verschwörung der Priesterschaft zustande gekommen, sondern vermutlich als ein theologischer Betriebsunfall. Wir sprachen von der unwillkürlichen Hervorhebung des nur noch maskulinen Jahwe und der ebenso unbeabsichtigten, weil grammatikalisch vorgegebenen Identifizierung seines Partnervolkes als Braut und Ehefrau der Gottheit. Bei akutem Sünden- und Schuldbewußtsein nach der Katastrophe von 586 v. Chr. mußte auf das (weibliche!) Verhalten Israels, das doch hauptsächlich durch die männlichen Führungsschichten zu verantworten war, ein sehr schlechtes Licht fallen. »Hurerei« als Metapher für die religiöse und völkische Untreue traf eigentlich nur die verantwortlichen Männer. Der Vorwurf konnte aber leicht – heutige Psychologen würden sagen: im Zuge einer verdrängenden Projektion eigener Schuld auf andere – als ein Werturteil über das weibliche Wesen verstanden werden. Die prophetische Botschaft in den Büchern Hosea, Jeremia und Ezechiel scheint diese Entwicklung auszuweisen. Wo nur ein ausschließlich von Männern definiertes Gottesbild übrig bleibt, muß das weibliche im Himmel und auf Erden minderwertigere Züge annehmen, weil sich unbewußt männliches Überlegenheitsgefühl auch bei aller ernstgemeinten Selbstkritik im Gottesbild kondensiert. Bei gesteigertem und mit dem weiblichen Verhalten negativ verknüpften Sündenbewußtsein wird sich dann eine unreflektierte, sich scheinbar von Gott her nahelegende Herabsetzung des Weiblichen wie von selbst ergeben.

Die Schöpfungsgeschichten lassen diesen Vorgang in den Grundzügen erkennen. In der älteren Form (1 Mose 2) ist gegen jede biologische Vernunft und Erfahrung der Mann der Erstgeschaffene, aus dessen Körper eine Frau das Licht der Welt erblickt. Männliche Selbstbespiegelung, d. h. die Überbewertung der maskulinen Schutz- und Arbeitsfunktionen, und patriarchale Vormachtstellung lassen sich darin unschwer erkennen. Die Frau soll »Gehilfin«, Dienstleistende und Ergänzung für den erstgeschaffenen Mann sein. Es liegt ein »eindeutig androzentrisches Weltbild« vor (Crüsemann, 57). Die Interpretation als »Retterin« des Mannes (vgl. Terrien, 10 f) entspringt modernem Wunschdenken. Die Vormachtstellung des »Herrn der Schöpfung« wird dann im folgenden Kapitel (1 Mose 3) durch die Anfälligkeit der Frau für die Sünde, d. h. den Ungehorsam gegen Gott, legitimiert. Der jüngere Bericht (1 Mose 1) kennt nur noch die männlich dominierte Menschheit, die zum Zweck der Vermehrung und aus Reinheitsgründen in zwei Geschlechter differenziert ist (1 Mose 1,26 f). Von einer demokratischen Gleichberechtigung beider Geschlechter ist in beiden Berichten mit keiner Silbe die Rede.

Hatte sich aber erst einmal die »Vermännlichung« des Gottesbildes als Folge der monotheistischen Beschränkung auf einen einzigen Gott eingestellt und war das Weibliche in den Geruch der religiösen Unzuverlässigkeit gekommen, dann zogen sich leicht aus anderen Traditionen und Lebenserfahrungen belastende Motive über dem Geschlechterverhältnis zusammen. Im geschichtlichen Rückblick kann man von heute aus kein mechanisches Kausalverhältnis zwischen Monotheismus und Frauenverachtung postulieren, aber doch Momente benennen, die die tatsächlich eingetretene Entwicklung gefördert haben mögen.

A. Das Verhältnis der Geschlechter weist in allen menschlichen Gesellschaftsformen gewisse biologisch und funktional zu erklärende Spannungen auf, die sich auch in Rangfolgestreitigkeiten Luft machen. Ist die Frau besser als der Mann? Diese und ähnliche Fragen und daraus entstehende Wortgefechte konnten innerhalb eines polar organisierten patriarchalen Systems ohne wesentliche Nachteile für ein Geschlecht aufgeworfen werden. Sobald solche Neckereien aber theologisch überhöht und mit absoluten Werturteilen versehen werden, ist das polare Gleichgewicht gestört. Das scheint in der Schöpfungsgeschichte bzw. in ihrer frühen Ausdeutung bereits der Fall zu sein. Die daraus resultierende menschliche und religiöse Herabsetzung der Frau gewinnt dann in der jüdisch-christlichen und moslemischen Tradition vor allem im Zusammenhang mit den beiden folgenden Momenten an Gewicht.

B. Die soziale Desintegration der ursprünglich autarken Wirtschaftseinheit Großfamilie oder Sippe geht immer zu Lasten der schwächsten Glieder dieses sozialen Gebildes. Frauen und Kinder sind die Leidtragenden, wenn das Familieneinkommen nicht mehr gemeinsam in ausreichendem Maß erwirtschaftet werden kann. Das wird schon aus manchen Spätschriften des Alten Testaments deutlich. Nach Neh 5 konnten die judäischen Bauern der Perserzeit Steuern und Abgaben nicht mehr aufbringen. Sie waren gezwungen, Darlehen aufzunehmen oder Kinder in die Schuldsklaverei zu verkaufen. Frauen, vor allem Nebenfrauen, mag ein ähnliches Schicksal geblüht haben. Der Mann galt als Besitzer des Familienvermögens. Er hatte für die von außen kommenden Forderungen geradezustehen. Folglich mußte er den Druck an seine Familie weitergeben, wenn es galt, mehr zu produzieren und weniger zu verbrauchen. Der Familienchef wurde zum Vorarbeiter in einem kleinen Familienunternehmen, das auf Gnade und Ungnade den politischen und wirtschaftlichen Mächten der Zeit ausgeliefert war. Die gewachsenen Familienstrukturen zerbrachen. Vertrauen und Solidarität unter den Anverwandten verschwanden. »Niemand glaube seinem Nächsten, niemand verlasse sich auf einen Freund! Bewahre die Tür deines Mundes vor der, die in deinen Armen schläft! Denn der Sohn verachtet den Vater, die Tochter widersetzt sich der Mutter, die Schwiegertochter ist wider die Schwiegermutter; und des Menschen Feinde sind seine eigenen Hausgenossen« (Mi 7,5–6). Bauernfamilien verlieren ihr Land, werden lohnabhängig, geraten in Schuldskalverei und enden als vagabundierendes Proletariat. Fremde und Kollaborateure reißen den Grund und Boden an sich oder saugen die arme Bevölkerung aus. Das »umsonst arbeiten«, also: säen und nicht ernten, Häuser bauen, so daß andere darin wohnen, wird zum Alptraum der geplagten Bevölkerung (vgl. 5 Mose 28,29–34; Mi 6,15; Jes 62,8 f). Unter solchen Umständen geht es der Hausfrau noch schlechter als dem Mann. Proletarisierung einer Bevölkerung – das sieht man heute in erschreckendem Maße im Weltmaßstab – erniedrigt die Frau mehr noch als den Mann. Die Frau hat schließlich vor allem für die hungernden Kinder zu sorgen. Der Mann hat sich auch in der Antike häufig dieser Verpflichtung entzogen, er hat sich abgesetzt und ist in den Alkoholismus oder den Untergrund ausgewichen. Männliches Selbstbewußtsein allerdings leitet die eigenen

Minderwertigkeitsgefühle gern auf die Frau ab, wenn der Unterdrücker übermächtig wird und sich der vergleichenden Kräftemessung entzieht. Die soziale Abwertung der Frau verstärkt also ihre religiöse Entmündigung und umgekehrt.

C. Am tiefsten hat die priesterliche Reinheitstheologie das Verhältnis der Geschlechter beeinflußt. Spätestens mit dem Wiederaufbau des Tempels im Jahre 515 v. Chr. hat die Jerusalemer Priesterschaft eine Schlüsselstellung bei der Reorganisation des zerstreuten judäischen Volkes eingenommen. Zwar gab es Glaubensgemeinschaften fern von der geistlichen Metropole, zwar organisierten sich viele Gemeinden relativ selbständig und hielten Wort- und Gebetsgottesdienste ohne blutige Opfer ab, zwar standen die Tora und die Toragelehrten in äußerst hohem Ansehen, aber vom Tempel und dem Tempelpersonal ging doch ein eigener und einzigartiger Einfluß bis in die letzte jahwetreue judäische Wohngemeinschaft aus.

Priesterliche Theologie ist aber in einem für uns bestürzenden Maße vom Gedanken des Heiligen und Reinen in seinem Gegensatz zum Unreinen und Unheiligen bestimmt. Nach unseren von physikalischen Erfahrungen bestimmten Kategorien ist Gott in dieser Theologie eine geballte Kraft und Lichtsphäre, ein Energiezentrum, das durch Berührung mit andersartigen Partikeln zur »Explosion« gebracht werden würde. Und die Folgen wären verheerend. Im Vokabular der alten Israeliten heißt das: Das Reine und Heilige schließt absolut alles Unreine und Unheilige aus. Zwei Seinssphären stehen in völligem, ausschließlichem Gegensatz zueinander, und die Frau ist – darin kommen uralte religiöse und magische Gesetzmäßigkeiten zum Tragen – dem Heiligen nicht nur durch die allgemeine menschliche, sondern speziell auch durch die frauliche Unreinheit entfremdet. In einem konzentrisch sich abstufenden Heiligkeitskreis befindet sich die Frau nach dieser Anschauung weiter vom Mittelpunkt, der Gottheit, entfernt als der männliche Laie, und dieser wiederum steht außerhalb der Priestersphäre. Jenseits der israelitischen Frau wiederum wären allenfalls Ausländer und Ausländerinnen und von Gott Gebannte anzusiedeln.

Der größere Abstand zum Zentrum des göttlichen Seins symbolisiert sich für die Priester in der Menstruation der Frau (vgl. 3 Mose 15,19–30). Im Blut liegt die besondere Lebenskraft, die kein Mensch, außer dem geweihten, diensttuenden und stellvertretend handelnden Priester, in seine Verfügungsgewalt nehmen darf. Alles Blut gehört allein Gott. Ob die Priester deswegen die in Intervallen menstruierende Frau als gefährliche Konkurrentin ansahen? Oder ob sie einfach unkontrollierbare, unheilbringende Berührungen des Heiligen mit »anderem« als durch Priesterhand vergossenem Blut verhindern wollten? Jedenfalls führte nach ihrer Anschauung die bloße Berührung mit einer Menstruierenden bzw. einem Gegenstand ihres persönlichen Gebrauches zu zeitweiser Verunreinigung. Keine neuzeitliche Angst vor Infektion mit Krankheitserregern oder vor der Verseuchung durch strahlende oder giftige Materialien könnte tiefer wirken als jene Berührungsangst mit dem »Unreinen« oder »Nicht-Heiligen«.

So kamen also zur Monotheisierung der Theologie verschiedene Vorurteile und Projektionen der patriarchalen Elite hinzu und wirkten sich im Verein mit ihr zum Nachteil der Frau aus. Der im sexistischen Sinne patriarchale Gott ist ein Produkt dieser Entwicklung. Die Ausgrenzung der Frau aus dem offiziellen Kult und der offiziellen Theologie in Israel und im frühen Judentum ist damit nicht das Ergebnis einer gewaltsamen patriarchalen Machtübernahme und der damit gegebenen Unterdrückung bzw. Ausmerzung matriarchaler Strukturen. Vielmehr ergab sich die Zurückdrängung des Weiblichen eher beiläufig aus der fortschreitenden Konzentration des israelitischen, männlichen Glaubens auf einen einzigen, eifersüchtigen Gott. Das ganze Volk hatte sich in höchster Bedrängnis und zur Wahrung der eigenen Identität diesem einzigen Jahwe verschrieben. Der alleinige Gott Israels wurde in Abgrenzung von den Göttern der herrschenden Völker zum höchsten und ausschließlichen Bekenntnisinhalt. Seine Tora und sein Tempel, die von ihm eingesetzten Zeichen der Beschneidung und des Sabbats waren die konkreten Symbole des einzigen legitimen Schutzherrn. Er selbst war nach den geltenden theologischen Anschauungen völlig transzendent, also bild- und geschlechtslos. Jede Darstellung der Gottheit war verpönt. Sie würde Gott in die menschliche Sphäre herabziehen und damit zum Spielball des Menschen machen. Die tatsächlichen gesellschaftlichen Zustände ließen sich aber trotz aller Bemühungen der Theologen auch aus einer bildlosen Theologie und einem bildlosen Kult nicht heraushalten. Theologie und Gesellschaft der nachexilischen Zeit waren wie üblich von Männern bestimmt. Also verdichteten sich auch männliche Vorstellungen, Ängste und Träume in der bildlosen Anschauung und Verehrung Gottes. Die aufgezeigten Vorurteile und Spannungen, Frustrationen und Herrschsüchte der allein für den Kult verantwortlichen Männer mußten sich gegen die Frau auswirken. Das wirksamste Korrektiv, die gleichberechtigte Stellung der Frau in der Öffentlichkeit, fehlte vollkommen; und keine weibliche Gottheit konnte mehr die innerpatriarchale Balance der

Geschlechter garantieren. Immerhin mag es bemerkenswert sein, daß die Ausgrenzung des Weiblichen als des Sündhaften schlechthin nur in wenigen jüdisch-christlichen Splittergruppen radikal praktiziert wurde, daß der Glaube an Gott patriarchal-inklusiv für die ganze Familie galt, daß sporadisch Protestbewegungen der Frau die gleiche Menschenwürde wie dem Mann zugestanden (vgl. die Jesusbewegung, manche hellenistischen und gnostischen Gemeinden; R. Ruether, Sexismus 52 ff; E. Schüssler-Fiorenza), daß die bewußte theologische Reflexion sich selten zu Frauenhaß und offener Verherrlichung des männlichen Geschlechts verstieg, sondern wohl eher ernst gemeinte Anstrengungen unternahm, das Gottesbild transsexuell und neutral zu halten (was aber, wie wir gesehen haben, nicht gelingen konnte).

Dies alles soll aber keineswegs eine Entschuldigung oder Verharmlosung der Sünden einer vermännlichten Theologie sein. Die Konsequenzen einer patriarchalen und sexistischen Verengung des Gottesbildes waren und sind nämlich verheerend. Was als Hinwendung zu dem einen Gott und als unbewußte Abkehr vom und Abwehr des Weiblichen begann, überhöhte theologisch das immer vorhandene Grundmißtrauen des Mannes gegenüber der Frau und mündete häufig in eine ungehemmte brutale Herabsetzung, ja Verfolgung und Schikanierung der Frau. Die sogenannte »Auflösung der Mischehen« (Esr 10/Neh 13) ist nur eine erste Episode in der langen Geschichte des jüdisch-christlichen Frauenhasses. Er flammte periodisch auf und erreichte wohl einen grausigen Höhepunkt in den mittelalterlichen Hexenprozessen. Neben den akuten Herabsetzungen und Peinigungen der Frau sind die theologischen männlichen Einseitigkeiten ebenso schwerwiegend. Die Göttin war aus dem Gedankengut und Erfahrungsschatz der frühjüdischen Theologie verschwunden. Ihre Spuren erhielten sich zwar in der Sabbatliturgie, in weisheitlichen Vorstellungen und kabbalistischen Spekulationen (vgl. Chr. Mulack) sowie sicherlich auch im schriftlosen Volksglauben. Auch Maria und die weiblichen Heiligen der katholischen Kirche boten Unterschlupf für manches weibliche Glaubensgut. Aber in der jüdisch-christlichen Theologie, die ausschließlich oder fast ausschließlich von Männern gemacht wurde, kamen Schöpfung, Zeugung, Geburt, Sexualität, Natur tatsächlich schlecht weg. Zumindest wurden in allen diesen Denkfeldern einseitig männliche Modelle entworfen und auf den Mann und seine privilegierte Stellung abgestimmte Verhaltensnormen ersonnen.

Ganz natürlich erhebt sich die Frage, ob die Entscheidung für den Monotheismus notwendig die Diskriminierung der Frau nach sich ziehen mußte. Ich meine: nein. Die gesellschaftlichen Zustände waren für die Ausgrenzung des Weiblichen verantwortlich. Ein leider nur kurzer Rundblick über die polytheistischen antiken Kulturen und Religionen mag das bestätigen. Bis zu welchem Maße war ein Götterpantheon, war die Existenz von Göttinnen eine Garantie gegen die Herabsetzung der Frau in Kult und Gesellschaft? Im näheren Umkreis Israels, in Kanaan, Mesopotamien, Ägypten und Kleinasien erfreute sich die Frau im Durchschnitt einer höheren Wertschätzung und eines größeren kultischen Verantwortungsbereiches (vgl. J. Ochshorn; I. Seibert) als im nachexilischen Judentum. Zum Teil ist in diesen Kulturräumen auch das Eigentums-, Ehe- und Familienrecht nachweislich liberaler gewesen als im Alten Testament. So konnte z. B. nach der berühmten Rechtssammlung des altbabylonischen Königs Hammurapi die Frau sich scheiden lassen, selbständig Eigentum verwalten, den »öffentlichen« Beruf einer Schankwirtin ausüben usw. Die grundlegenden patriarchalen Gesellschaftsordnungen sind aber auch in den polytheistischen Kulturen des alten Orients keinesfalls durchbrochen. Selbst wenn im Götterpantheon die weiblichen Gottheiten äußerst aktiv an allen Auseinandersetzungen und Feierlichkeiten teilnehmen – sie sind ja auch kaum durch Schwangerschaft und Kinderaufzucht belastet –, so ist doch in der irdischen menschlichen Gestalt der Führungsanspruch der Männer in allen öffentlichen Belangen unumstritten. Aus den religiösen Bekenntnissen und den Göttermythen einer Kultur lassen sich darum unmöglich direkte Folgerungen für den Gesellschaftsaufbau ziehen. Es entbehrt einfach jeder geschichtlichen Grundlage, die uns aus schriftlichen Quellen bekannten Kulturen des alten Orients als im politischen Sinn matriarchal oder als im Übergang vom Matriarchat zum Patriarchat begriffen einzustufen. Der überwältigende Eindruck, den uns zahllose Rechts- und Wirtschaftsurkunden aus dem Zweistromland seit dem Jahre 3000 v. Chr vermitteln, ist genau der, den wir auch aus den früheren Schichten des Alten Testaments gewonnen haben. Die Aufgabenbereiche sind nach Geschlechtern aufgeteilt und nach festen Traditionen unumstößlich fixiert. Aus meiner Sicht der Dinge herrscht im Altertum eine mehr oder weniger erträgliche Ausgewogenheit zwischen Aufgabenbereichen und Rollenzuweisungen an die Geschlechter (vgl. J. Ochshorn; J. M. Asher-Greve). Dem Mann obliegt die Außenarbeit und die öffentliche Repräsentanz der Familie, des Haushalts. Er ist »Haushaltsvorstand«, wie das noch nach dem deutschen Bürgerlichen Gesetzbuch von 1896 bis in unsere jüngste Vergangenheit geltendes Recht war. Ein Vergleich der alttestamentlichen Befunde mit dem, was wir aus altorientalischen Religionen und Rechtssystemen über die Stellung der Frau erfahren, führt also zu dem Gesamteindruck: Bis zum babylonischen Exil entspricht die Geschlechterbalance in Israel dem, was wir aus altorientalischen Nachbarkulturen kennen. In der nachexilischen Zeit verschlechtert sich in Israel die Lage der Frau unter dem mittelbaren Einfluß des sich konsolidierenden männlichen Eingottglaubens. Männliche Vorurteile können sich unter der Schirmherrschaft eines einzigen Gottes, der sich ausschließlich männlicher Sprachrohre bedient, ungehemmter, ungestrafter, unkontrollierter entfalten. Dennoch scheint es mir unstatthaft zu sein, eine direkte monokausale Beziehung zwischen der Entstehung des Monotheismus in Israel und der Abwertung des Weiblichen herstellen zu wollen. Gottesbilder und Gottesvorstellungen sind nie die alleinigen Ursachen von gesellschaftlichen Veränderungen. Wäre es so, dann hätte z. B. auch die Geschichte der Sklaverei erheblich anders verlaufen müssen. Wie aber eine bestimmte Theologie unter bestimmten gesellschaftlichen und religiösen Verhältnissen der Diskriminierung einer Menschengruppe Vorschub leisten kann, das sei noch einmal an dem biblischen Spannungsverhältnis der Frau zur Sünde dargestellt.

Daß die Frau in gewissen biblischen Überlieferungsschichten in die Nähe des Bösen gerückt ist, hat sicherlich verschiedene Ursachen. Einmal ergeben sich aus dem Unterschied der Geschlechterrollen und -funktionen, aus verschiedenen Interessen und Erfahrungsbereichen von Frau und Mann von Anfang an und gleichsam natürlich auch innerfamiliäre Konflikte. Ein absolut harmonisches spannungsloses Miteinander der Geschlechter und Altersgruppen ist auch bei größter Anstrengung der Phantasie selbst in einer wohl ausgewogenen Gesellschaft nicht vorstellbar. Aus Konflikten und Ängsten, Schuldgefühlen und auch Machtansprüchen entstehen aber leicht Schuldzuweisungen, die sehr bald generalisiert werden: Frauen können sein und sind darum auch – irritierbar und zänkisch (Spr 19,13; 21,9.19; 25,24; 27,15 f). Der Typ der rechthaberischen, in häuslichen Auseinandersetzungen ihre starke Stellung ausspielenden Ehefrau ist durch solche geflügelten Worte festgeschrieben. Der Mann möchte sich vor ihrem ständigen Nörgeln und Schimpfen am liebsten in eine Dachecke verkriechen. Umgekehrt ist nach Meinung der Frau der Ehemann, der seinen Außendienst bei ausgiebigen Gelagen vergißt und sich besser in der Schwätzerrunde seiner Kollegen auskennt, so weit von der Lebenswirklichkeit entfernt, daß er nicht mehr realistisch entscheiden kann. Er ist ein lebensuntüchtiger, überheblicher Dummkopf

(1 Sam 25,25). Die Hausfrau muß in diesem Falle resolut die Geschicke der Familie in ihre Hand nehmen, um die Katastrophe abzuwenden. Wir begegnen also im Alten Testament den beiderseitigen Negativklischees vom anderen Geschlecht. Sie sind beide aus der Alltagserfahrung gewonnen und enthalten eine Menge notwendiger Wahrheit. Die Aufteilung der Arbeitsbereiche kann auch in »natürlichen« gesellschaftlichen Strukturen zu typischen Fehlleistungen, zu chronischer Unzufriedenheit und zu Herrschaftsansprüchen der Frau wie zu paschahafter Überheblichkeit, zu Müßiggang und Trunksucht des Mannes führen. Varianten desselben Themas sind Neugierde, Schwatzhaftigkeit, Eitelkeit, Prunksucht auf seiten der Frau, aus der männlichen Perspektive betrachtet, und Feigheit, Willkür, Borniertheit, Protzerei auf seiten des Mannes, gesehen aus weiblicher Sicht. Indianische Männererzählungen erklären z. B. die weibliche Neugierde zur Wurzel allen Übels in der Welt. Zweitens haben Männer das weibliche Geschlecht immer als attraktiv und gefährlich erlebt. Die sexuelle Begierde – auch wenn wir von einer nichtsexualisierten antiken Gesellschaft ausgehen – kann besonders mit dem unerfahrenen jungen Mann, aber beileibe nicht nur mit ihm, durchgehen und ihn in heillose Verwicklungen stürzen (2 Sam 11; 13; Spr 5; 7). Das Hohelied läßt erahnen, daß für die Frau die Dinge im Grunde ganz ähnlich lagen, auch wenn wir in der Bibel darüber sonst aus weiblicher Sicht nicht informiert werden. Die uns zur Verfügung stehende Männerliteratur stellt einseitig den Reiz und die Verführungskünste der anderen Seite dar, projiziert also eigenes männliches Verlangen und Versagen auf die Frau. Gelegentlich ist zwar das Bestreben zu einer gewissen Objektivität spürbar (vgl. 1 Mose 38; 2 Sam 13), aber insgesamt kommt die Perspektive der Frau doch zu kurz. Erst die neuzeitliche, von Frauen verfaßte Literatur und die dahinterstehende Bewußtseinsveränderung ermöglichen eine ausgewogenere Abschätzung der gegenseitigen Schuldzuweisungen. Dabei zeigt sich naturgemäß, daß im sexuellen Zusammenspiel der Geschlechter die Frau ihrerseits den Mann in die Nähe des Bösen rücken kann. Er wird gelegentlich zum Alleinschuldigen an allen Störungen der Sexualbeziehungen (vgl. Sh. Firestone, S. Hite). Als Gegengewicht gegen die einseitige Verurteilung der Frau sind auch solche pauschalen Bewertungen wichtig. Andererseits bemühen sich auch viele Frauen aus ihrer eigenen Sicht um möglichste Objektivität. Eine Journalistin kommentierte die erschreckende Zahl von Vergewaltigungen in der Bundesrepublik und stellte tröstend fest, daß es vermutlich eine noch größere Zahl von Zweierbeziehungen gäbe, in denen Vergewaltigung ausgeschlossen sei.

Ein drittes Moment ist wieder die Furcht vor kultischer Verunreinigung, die in der Spätzeit besonders von priesterlichen Kreisen gepflegt wurde. Dabei wird das weibliche Wesen nicht so sehr an sich für böse oder sündhaft erklärt, als daß die Fremdartigkeit, die gegenpolige Mächtigkeit der Frau als akute Gefahr für den eigenen Kultbetrieb erscheint. Aus diesem – manchmal fast hysterischen – Abgrenzungsbemühen kann natürlich leicht die Bewertung der Frau als »unheimlich und böse« entstehen.

In jedem Falle spielten bei der Ausgrenzung des Weiblichen in der jüdisch-christlichen Tradition alle genannten Faktoren eine mehr oder weniger schwerwiegende Rolle. Die Frau wurde aus der Sicht des religiös dominanten Mannes gerade nach der eingetretenen Monotheisierung mehr auf der Seite des Bösen oder in der Nähe der Sünde angesiedelt: Die Sündenfallerzählung 1 Mose 3 und ihre Nachwirkung ist dafür ein schlagender Beleg. Auf der gleichen Linie liegt die Vision des Sacharja, nach der das Böse sich in einer Frau verkörpert und in einem mit einem Bleideckel verschlossenen Faß außer Landes gebracht werden muß (Sach 5,5–11). Hier und da tauchen in der Bibel Teilaspekte eines männlichen Urmißtrauens gegen die Frau auf, etwa in der Figur der Isebel (1 Kön 21,4–7), in dem Amoswort gegen die Basanskühe (Am 4,1), der Schelte der überheblichen Jerusalemerinnen durch Jesaja (Jes 3,16–24) oder der Anklage götzendienerischer Prophetinnen durch Ezechiel (Ez 13,17–23). Sie fließen zusammen in manchen jüdischen Vorurteilen gegen das weibliche Geschlecht, die sich wieder in den Spätschichten des Neuen Testamentes auswirken (vgl. 1 Tim 2,13–14; 5,11–15). Die theologische Reflexion über das Verhältnis und den Ursprung der Geschlechter kann sich, so scheint es, nach dem Wegfall der weiblichen Gottheit und Religiosität und unter der allgemeinen Verantwortung von Männern ungehemmter gegen die Frau richten. Sie erscheint mit dem Bösen, der Sünde, den Götzen näher bekannt oder verwandt als der Mann.

Zur Kontrolle müßten wir allerdings eine sehr weite Rundreise durch die Religionen anderer Kulturkreise und Zeiten antreten. Ohne einen solchen umfassenden Vergleich läßt sich die Frage, wie weit der Monotheismus für die Zurückstellung der Frau verantwortlich ist, nicht beantworten. Einige wenige Bemerkungen müssen jedoch an dieser Stelle genügen.

Im streng monotheistischen Islam hat die Frau in der Öffentlichkeit in der Regel noch weniger Rechte als in der jüdisch-christlichen Tradition. Die Sure 4 des Koran bestimmt: »Die Männer stehen über den Frauen, weil Gott sie (von Natur vor diesen) ausgezeichnet hat ...« (Übers. R. Paret). Der Ausschluß der Frau vom aktiven Kultgeschehen ist auch hier besonders markant. Im Hinduismus und Buddhismus hat die Frau gelegentlich größeren Spielraum und genießt höhere Achtung. Aber männlich ambivalente Einstellungen machen sich auch hier bemerkbar und führen oft zu entgegengesetzten Bewertungen (vgl. D. Y. Paul). Brahmanische Überheblichkeit tritt uns aus der Forderung entgegen: »Selbst wenn ein Gatte aller Tugenden bar ist, nur den Lüsten frönt und keinerlei gute Eigenschaften besitzt, muß er von einer tugendhaften Frau stets wie ein Gott geehrt werden« (W. Schrage, Frau und Mann, 194, Anm. 85). Die Stammesgesellschaften Afrikas sind und waren meist patriarchal organisiert (vgl. H. Loth; er hält allerdings am Übergang vom Mutterrecht zum Vaterrecht in historischer Zeit fest). Ähnlich waren auch die Gesellschaften der indianischen Kulturen beider amerikanischen Kontinente überwiegend patriarchal organisiert (vgl. R. Underhill). In der vorwiegend matrilokalen und matrilinear geordneten Navajo-Gesellschaft ist z. B. nach außen hin der Mann tonangebend: »formal gesehen ist der Ehemann aus der Sicht der Navajos das ›Familienoberhaupt‹. Ob er das in Wirklichkeit ist, hängt von seiner Persönlichkeit, Intelligenz und von seinem Ansehen ab. Die Navajo-Frauen sind oft energisch und klug, sie setzen häufig ihre Zungen sehr kräftig ein und kehren Entscheidungen ihrer Männer um oder annullieren sie« (C. Kluckhohn, D. Leighton, 101). Das Image der Frau ist auch hier ambivalent, und die eben zitierte Autorin und der Autor haben dafür eine Erklärung: »Das Bild der Frau, das meistens warm, positiv und kraftvoll erscheint, enthält aber auch eine Komponente von Mißtrauen und sogar Haßgefühle, die gelegentlich auch ausbrechen. Liegt das teilweise daran, daß die Mutter diejenige ist, die am Anfang alles erlaubt und gibt, aber in der Phase der Entwöhnung das Verlangte vorenthält, die schimpft und das Kind, das nach der Brust lechzt, wegstößt? Männer sind immer ein wenig unzuverlässig. Der Vater verhält sich zwar liebevoll zu seinem Kind, aber von Anfang an kommt er und geht er; das Kind kann niemals fest mit seinem Trost rechnen. Der Mann ist wankelmütig – aber von ihm erwartet man nichts anderes. Die Frau dagegen ist entweder ganz schlecht oder ganz gut. Sie gibt alles oder verweigert alles.« (a.a.O. 199) Auch die Südseegesellschaften sind und waren vorwiegend von Männern geleitet, die Frau besaß und besitzt aber gemäß ihren für die Familie so wichtigen Funktionen ein bedeutendes religiöses und gesellschaftliches Eigengewicht (M. Mead). In den griechischen und römischen Gesellschaften und Kulturen schließlich gingen liberale und frauenverachtende Tendenzen neben- und nacheinander her, trotz der allseitigen Anerkennung von weiblichen Gottheiten (J. Leipoldt). Die schockierende Abwertung des Weiblichen durch Aristoteles und andere Philosophen beweist die These, daß polytheistische Grundanschauungen letzten Endes doch nicht vor dem Sturz in einen männlichen Monismus und die Diskriminierung der Frau schützen können.

Vorläufiges Fazit: Die Gottheit ist zu keiner Zeit »an und für sich« männlich oder weiblich gewesen. Geschlechterdifferenzierungen in der Theologie gehören eindeutig zum menschlichen, unzureichenden Vorstellungsgut. Die patriarchal-sexistische Vereinnahmung der Gottheit hat sich aus vielerlei sozialen und geschichtlichen Faktoren und Entwicklungen ergeben. Sie ist keine jahrtausendealte Generalstabsarbeit machtbesessener Männer (was uns nicht der Verantwortung für die herrschenden Zustände enthebt). Der monotheistische Glaube, der im frühen Judentum entstanden ist, hat besonders in seiner priesterlichen Variante zweifellos schon vorhandene patriarchale Denk- und Verhaltensweisen verstärkt. Das ist Grund genug, über das traditionelle Gottesbild und die heute notwendige Theologie nachzudenken.

8. Geschlechterrollen und Gottesbild

Zwischen gesellschaftlichen Strukturen und Gottesvorstellungen, so sahen wir, besteht eine Beziehung. Diese Korrespondenz ist nicht in der einen oder anderen Richtung mechanistisch festgelegt, so daß eine bestimmte gesellschaftliche Ordnung automatisch ein fixes Gottesbild hervorbringen müßte und umgekehrt. Die gesellschaftlichen Verhältnisse sind zu komplex, als daß sie eine solche eindimensionale Schau gestatteten. Vor allem gilt das wegen ihrer geschichtlichen Tiefendimension. Wenn wir heute nach den Geschlechterrollen und dem jetzt legitimen und richtigen Gottesbild fragen wollen, dann tun wir gut daran, die geschichtliche Entwicklung und die Vielschichtigkeit der heutigen Situation neben- und miteinander zu berücksichtigen.

Sichere Aussagen über geschlechterspezifische Aufgaben und ihre gesellschaftliche Bewertung können wir erst für die Zeit vom 3. Jahrtausend v. Chr., d. h. von Beginn der schriftlichen Überlieferung an, machen. Aus älteren archäologischen Funden, Grabausstattungen, Höhlenzeichnungen, Siedlungsresten usw. sind höchstens vorsichtige Rückschlüsse möglich. Seit dem Beginn der schriftlichen Tradition im Zweistromland und in Ägypten aber sind genauere Angaben zu erwarten. Es erweist sich, daß die Grobaufteilung der Arbeit in einen Innendienst für die Frau und die weiblichen Mitglieder des Haushaltes und einen Außendienst für alle Männer das in allen bekannten Kulturen vorherrschende Ordnungsschema gewesen ist (vgl. o. Kap. 6; S. de Beauvoir; M. Mead; E. Badinter). Diese Unterscheidung von geschlechtsspezifischen Zuständigkeiten ist in Jahrtausenden menschlicher Geschichte gewachsen; von ihr müssen wir als vorgegebener Tatsache ausgehen. Die Kernfragen werden dann sein: Müssen wir heute auf Grund veränderter gesellschaftlicher, wirtschaftlicher und politischer Bedingungen diese uralte Scheidung der Arbeits- und Lebensbereiche aufgeben? Welche Theologie begleitet und kontrolliert die damit angedeuteten tiefgreifenden Umgestaltungen unserer Gesellschaft und Persönlichkeitsstruktur?

Nun sind schon in alttestamentlichen Zeiten die Grenzen zwischen männlichen und weiblichen Tätigkeits- und Verantwortungsbereichen nie ganz starr gewesen. Es hat vielmehr pragmatische Verschiebungen vermutlich in beiden Richtungen gegeben. Auch Frauen sind gelegentlich Aufgaben zugewiesen oder zugestanden worden, die weit in männliche Bereiche hineinragten. Sicher, ganz überwiegend sind in der Bibel Frauen unter ihren Hauptfunktionsbezeichnungen »Ehefrau« und »Mutter« sowie in verwandtschaftlichen Beziehungssystemen als Tochter, Frau, Mutter, Schwester, Witwe usw. erwähnt. Sehr selten wird sie einmal »Herrin« eines Anwesens (1 Kön 17,17) oder »Fürstin« eines Gebietes (meist als Frau oder Tochter des Fürsten: Ri 5,29; 1 Kön 11,3; Jes 49,23) genannt. Aber aus der allgemeinen Beschränkung der Frau auf Haus- und Kinderverwahrung fallen jene Berufsangaben heraus, die sich mit der königlichen Hofhaltung ergeben. Nach 1 Sam 8,13 – dem späten rückblickenden Urteil über das Königtum – braucht man bei Hof Salbenbereiterinnen, Köchinnen und Bäckerinnen. Da schon in der Antike die höhere Kochlaufbahn anscheinend Domäne der Männer war (vgl. 1 Mose 40,1–2) und weil in späterer Zeit sicherlich Unreinheitsbedenken gegen Frauen im Küchendienst geltend gemacht worden wären, bedeutet der zitierte Berufskatalog einen kleinen Freiraum für Frauen in der monarchischen Gesellschaft. Die Minister- und Heldenlisten Davids und Salomos weisen natürlich keine Frauen als Amtsträgerinnen aus. Nur die Königinmutter (*gebira*) hatte traditionell und institutionell, die jeweilige Hauptgattin des Königs spontan je nach Gelegenheit und Möglichkeit, gewisse Einflußmöglichkeiten bei Hofe. Die oben erwähnte Salbenbereitung hingegen mag etwas mit alten religiös-magischen Weisheiten zu tun gehabt haben. Spuren solchen Wissens und solcher Verantwortung finden sich denn auch an anderen Stellen des Alten Testamentes. Joab benutzt eine weise Frau aus Tekoa, um den König David umzustimmen (2 Sam 14,2). Die Beschwörerinnen und Prophetinnen sind schon früher genannt worden. Paukenschlägerinnen (Ps 68,26), Klageweiber (Jer 9,16), heilige Frauen (Kultprostituierte, Hos 4,14), Tempeldienerinnen (1 Sam 2,22) gehören zumindest zeitweise fest zu bestimmten rituellen und kultischen Handlungen, ganz abgesehen von der häuslichen religiösen Praxis, die wir für die Frühzeit Israels vermuteten. Kurz, die alte patriarchale Ordnung hatte bei der Grenzziehung zwischen den Geschlechtern eine gewisse Flexibilität bewahrt. Doch stand immer grundsätzlich fest, welcher Lebenslauf sich für einen Jungen oder ein Mädchen schickte. Das Leben verlief durch Traditionen und die besonderen Lebensumstände bestimmt auf vorgezeichneten festen Schienen. Die Kinder wurden nach der Väter und Mütter Art und fast ohne jede Aussicht auf Veränderung durch Erziehung und Sozialisation der gesellschaftlich sanktionierten Ordnung angepaßt. Das heißt auch, sie wurden vom ersten Lebenstag an auf die geschlechtsspezifischen Rollen vorprogrammiert. Diese geschlechtsspezifische Erziehung wird in den Grundzügen übrigens auch heute noch praktiziert.

Mit dem Anbruch des Industriezeitalters sind spätestens die traditionellen Geschlechterrollen durch die veränderten Lebensbedingungen fragwürdig geworden. Die Tragik der letzten zwei Jahrhunderte im Blick auf die Lage der Frau liegt allerdings darin, daß diese Veränderungen so wenig und mit so starker Verzögerung überhaupt erst erkannt und die gesellschaftlichen, kirchlichen, theologischen Folgerungen und Anpassungen so schleppend vollzogen werden. Zwar mag dies alles für die Landbevölkerung in geringerem Maße gelten, weil sich außerhalb der Städte alte Familienstrukturen mit einer zum Teil guten Ausgewogenheit der Geschlechter erhalten haben. Auch müßte man gesondert über die wohlsituierten Bürger- und Handwerkerfamilien reden. Aber die rapide zunehmende Arbeitnehmerschaft, die bald die Mehrheit bildende, industrieabhängige großstädtische Bevölkerung mußte sich auf völlig neue Lebensbedingungen einstellen. Frauen und Kinder wurden zwangsläufig mit in den Produktionsprozeß hineingezogen. Die räumliche Trennung von Wohn- und Arbeitsstätte, die Verarmung großer Teile dieser städtischen Bevölkerung, die Atomisierung der Familie durch zentrifugale Differenzierungen der Aufgaben für jedes einzelne Familienmitglied bezeichnen die ganz andersartige Ausgangssituation gegenüber den bäuerlich strukturierten und allen vorindustriellen Gesellschaften. In der Industriegesellschaft hat die Frau in den unteren sozialen Schichten keine eigene »Hausmacht« mehr. Sie besitzt kein »eigenes Reich«. Das ist räumlich-physisch wie besitzstandsmäßig und auch psychisch-emotional gemeint. Die Frau verzehrt sich im Überlebenskampf für ihre Familie oder besser, sie wird als schwächstes Glied der wirtschaftlich bedrängten und ins Abseits geratenen Kleinfamilie im Überlebenskampf aufgerieben. Es geht, wie gesagt, zunächst um die Frau aus der sozial schwachen Mehrheit der Bevölkerung, und bis auf wenige fette Jahre und auf einzelne Wohlstandsinseln ist die Mehrheit in Industriegesellschaften immer sozial schwach. In extremer Weise wird das heute an der absoluten Mehrheit der Weltbevölkerung in den sogenannten Entwicklungsländern sichtbar. Die Frau verwaltet mehr schlecht als recht den Mangel im eigenen Haushalt, versucht die Kinder großzuziehen und den gleichfalls unterdrückten und abhängigen, aber gerne den Druck nach unten hin weitergebenden Mann bei Kraft und Laune zu halten. Überdies ist sie bemüht, das Familieneinkommen durch eigene Teilnahme am Produktionsprozeß, d. h. durch eigene, in der Regel schlecht bezahlte Außenarbeit, aufzubessern. Dieses System der Doppelarbeit für die Frau im Hause und draußen hat ihr allerdings selten mehr Ansehen, in der Regel nur größere Belastungen und Entbehrungen eingebracht. Also: Mit dem Beginn der Industrialisierung veränderten sich die Lebensverhältnisse für die Mehrheit der Bevölkerung. Die Abhängigkeit von Fabrikarbeit und maschinellen Fertigungsmethoden nahm dem Mann die bäuerliche Selbständigkeit und führte die Frau in eine doppelte Abhängigkeit vom Arbeitgeber und dem eigenen Ehemann.

Die wirtschaftlichen und gesellschaftlichen Umbrüche der letzten zwei Jahrhunderte zogen weitere Veränderungen nach sich. So mußte das Bildungssystem sich insgesamt den Erfordernissen der neuen Zeit anpassen. Es genügte nicht mehr eine elterliche und häuslich selbstgemachte Hinführung zu den Fertigkeiten, die Vater und Mutter in ihren vorgeprägten Arbeitsbereichen besaßen. Traditionelles Wissen genügte ja überhaupt nicht mehr, es setzte nicht in den Stand, mit der rasanten Entwicklung der Technologie Schritt zu halten. Das Wissen der Eltern war immer schon veraltet, wenn die Kinder ins Berufs- oder Arbeitsleben eintreten sollten. Folglich mußte ein neues, von der Großgesellschaft gesteuertes Ausbildungs- und Schulsystem die Vorbereitung der Jugendlichen zur Eingliederung in die industrielle Produktion übernehmen. Das war gleichzeitig auch ein Schritt auf dem Weg zur weiteren Entmündigung der Familie. Und weil die Frauen mit in den Produktionsprozeß eingespannt werden sollten, brauchten sie immer mehr auch ein mathematisch-naturwissenschaftliches Grundwissen. Die früher streng nach Geschlechtern getrennten Lern- und Lehrpläne wurden immer mehr gleichgeschaltet. Nach dem Zweiten Weltkrieg kam es auch in der Bundesrepublik – übrigens nach schweren Debatten besonders in kirchlichen Kreisen – zur grundsätzlichen Koedukation von Jungen und Mädchen. Es liegt in der Logik dieser Entwicklung, daß Frauen heute auch, nachdem sie die gleichen schulischen und beruflichen Qualifikationen erreicht haben, dieselben Berufschancen, wie Männer sie haben, einfordern und vor allem das Allgemeinwissen, die Allgemeinbildung, die Tätigkeit in nach außen, zur Öffentlichkeit hin, gerichteten Berufen als unverzichtbare Elemente der eigenen Persönlichkeitsentwicklung ansehen. Die Forderung nach Gleichstellung im Wirtschafts- und Bildungsleben hat jetzt ihr volles Recht, denn die geschlechtsspezifische Arbeitsteilung ist aufgehoben. In den vorindustriellen Gesellschaften wäre sie weitgehend unmöglich gewesen, weil die materiellen, gesellschaftlichen und geistigen Voraussetzungen für eine autonome Lebensgestaltung von Frauen und Männern nicht vorhanden waren. Die Teilnahme am Bildungs- und Arbeitsleben der industriellen Gesellschaft zieht ihrerseits ganz logisch die Forderung nach Mitgestaltung, Mitbestimmung und Verantwortung in den politischen, wirtschaftlichen und kulturellen Institutionen und Gremien nach sich.

Eine weitere wohlbekannte und manchmal arg strapazierte revolutionäre Tatsache kommt hinzu. Bis zum Ersten Weltkrieg war es an der Tagesordnung, daß die Familien jeweils fünf bis zehn Kinder zählten, d. h. daß Frauen zwischen ihrem 20. und 40. Lebensjahr (und ein hoher Prozentsatz der Frauen überlebte diesen Lebensabschnitt nicht) eine fast ununterbrochene Serie von Schwangerschaften und Geburten durchmachte. Die biologische Bestimmung (oder müssen wir sagen, der Fluch, vgl. 1 Mose 3,16?), welche in erster Linie für die Gebundenheit der Frau an Haus und Herd verantwortlich war, ist also bis in unser Jahrhundert hinein ungebrochen wirksam gewesen. Erst allmählich wurden die empfängnisverhütenden Mittel zuverlässiger, wurde der einer wachsenden Industriegesellschaft entgegenkommende Wille zur Klein- und Kleinstfamilie stärker, trat die Sozialversicherung an die Stelle der Altersversorgung durch gut geratene Söhne (vgl. Ps 127,3–5). Mit der Entdeckung der hormonalen Empfängnisregulierung und der Verfeinerung anderer antikonzeptioneller Methoden in den letzten Jahrzehnten war dann endlich der Frau eine Möglichkeit zur Befreiung von häufigen Schwangerschaften gegeben. Auch bewußte, geplante Kinderlosigkeit – in der Antike undenkbar, weil selbstmörderisch – ist jetzt eine reale Option.

Die Revolutionierung des ganzen Lebens seit dem Beginn der Industrialisierung hat natürlich auch eine Wandlung des Denkens mit sich gebracht. Wir können mit gleichem Recht sagen: Der Umbruch zur Moderne ist durch die radikal veränderte Denkart der Aufklärung vorbereitet, angestoßen oder ermöglicht worden. Streitfragen nach dem Primat von Aufklärung oder technischer und gesellschaftlicher Veränderung, wie nach der eigentlichen Wurzel des autonomen Bewußtseins (liegt sie im Zeitalter der Entdeckungs- und Kolonisierungsfahrten des 15./16. Jh.s? Oder in der biblischen Entmythisierung der Welt? Oder im hellenistisch-römischen Rationalismus?), brauchen wir hier nicht zu lösen. Fest steht, daß mit dem Beginn der Industrialisierung im frühen 19. Jh. ein tiefer Einschnitt im Leben und Denken der betroffenen Menschen markiert ist, ein Umbruch, der sich unmittelbar auf die Lage der Frau auswirkte. Es scheint mir am sachgemäßesten, in dieser Phase unserer Geschichte den eigentlichen Beginn und die bis heute andauernde Schubwirkung der Frauenbewegung zu sehen. Das schließt in keiner Weise aus, daß auch in vorindustriellen Gesellschaften gelegentlich die Benachteiligung der Frau als Problem erkannt wurde und daß hier und da emanzipatorische Gegenbewegungen entstanden. Aber erst die entstehende Industriegesellschaft bereitet durch tiefgreifende Strukturveränderungen den Boden für einen allgemeinen Bewußtseinswandel und eine breite Frauenbefreiungsbewegung.

Die »moderne« Zeit beginnt auf der geistigen Ebene, aber in ständiger Verflechtung mit gesellschaftlichen Vorgängen, ein wenig früher, nämlich mit dem Erwachen eines neuen Ich-Bewußtseins. Auch hier reichen die Wurzeln weit zurück in die menschliche Geschichte. Ansätze mögen in der angeblich seit dem 6. Jh. v. Chr. aufkommenden Wertschätzung des Einzelnen und seiner Lösung aus dem Kollektiv der Gruppe (vgl. Ez 18) oder in den Glaubensaussagen des Paulus (vgl. Röm 7–8), in der griechischen und römischen Philosophie oder der Renaissance vorhanden sein. Doch setzt die bis in die konkrete Gesellschaftsstruktur hineinwirkende theoretische Individualisierung am Ende des 18. Jh.s eine neue Qualität des menschlichen Selbstseinwollens. Die philosophischen, moralischen und religiösen Vorstellungen von der Würde, Gottunmittelbarkeit und grundsätzlichen Freiheit jedes einzelnen Menschen gewinnen in den Menschenrechtserklärungen von 1776 in den USA (»All men are by nature equally free and independent and have certain inherent rights ...« »Alle Menschen/Männer sind von Natur aus gleichermaßen frei und unabhängig und besitzen gewisse wesensmäßige Rechte.«) und 1789 in Frankreich eine politisch und gesellschaftlich wirksame Fassung. Nur, leider, denken die Verfasser dieser Erklärungen, ausschließlich Männer der jeweils herrschenden Schicht, an Frauen, Versklavte, Besitzlose, Unmündige und Andersdenkende höchstens in patriarchaler Vereinnahmung und Mitverantwortung. Dennoch ist der Funke der allgemeinen, allen Rassen, Klassen, Geschlechtern, Altersstufen zukommenden Menschenrechte gelegt. Er glimmt und flackert noch heute.

Wo in offiziellen Dokumenten und Reden immer wieder das allgemeine und individuelle Recht auf Freiheit und menschenwürdiges Leben gepredigt wird, kann es schließlich auch dem borniertesten Verfechter einer Männervorherrschaft nicht verborgen bleiben, daß auch Frauen zu den Menschen zählen und die Grundrechte für sich in Anspruch nehmen müssen. Das Ideal der Freiheit für die Einzelperson schließt nun in hohem Maße die Freiheit von festgelegten Geschlechterrollen und traditionellen Unter- und Zuordnungen ein. Jeder Mensch soll nach dem in ihm angelegten Wesen seine eigene Selbstverwirklichung suchen dürfen. Jeder und jede ist seines/ihres Glückes Schmied. Fremdbestimmung und Zwang darf es nicht mehr geben. Das eigene Ich ist der Mikrokosmos, der alle Impulse und Werte in sich enthält. Die Frauenbewegungen wollen – und in dem geschilderten geistigen Umfeld geschieht das mit vollem Recht –, daß die Frau ebenfalls ihr Ich entdeckt. Selbstbestimmung kann und darf nicht nur für Männer gelten und auf Kosten des »anderen Geschlechts« ausgelebt werden. Die Frau ist eigenständiges, selbstverantwortliches Subjekt und muß mit gleichem Recht wie der Mann ihr Leben in die eigene Hand nehmen können. Traditionelle Rollenklischees haben keine normative Kraft mehr.

Es wird deutlich, wie sehr sich die biblischen wirtschaftlichen, gesellschaftlichen und psychischen Tatbestände von den Verhältnissen des Industriezeitalters unterscheiden. Die zwischen beiden Epochen liegende geschichtliche Kluft macht eine unreflektierte Übertragung biblischer und traditionell kirchlicher Normen auf die Geschlechterbeziehungen und Geschlechterrollen heute einfach unmöglich. Wir können lediglich analoge Situationen und Bestrebungen damals und heute miteinander vergleichen und in Auseinandersetzungen mit den biblischen Zeugnissen die heute sachgemäßen Schlußfolgerungen ziehen.

Hinter die Erklärung der Menschenrechte können wir auch als Christinnen und Christen nicht mehr zurück. Ebensowenig können wir die Wirklichkeit der industriellen Produktion und das damit verbundene Streben nach individualistischer Selbstverwirklichung rückgängig machen. Daß die patriarchale Fehlentwicklung der jüdisch-christlichen Tradition leider nicht ungeschehen zu machen ist, haben wir schon gesagt. Doch können wir in der Verantwortung vor dem befreienden Gott heute (vgl. Kap. 10) die verheißungsvolle und gefährliche Geschichte der Menschen damals und heute theologisch bedenken und die überfälligen Veränderungen in Gesellschaft und Theologie zu einem menschenwürdigen Zusammenleben hin in Angriff nehmen.

Geschlechtsspezifisches, standardisiertes Rollenverhalten und schematische Berufszuweisungen oder -reservierungen darf es in unserer Gesellschaft nicht mehr geben. An vielen Stellen sind die Barrieren auch schon niedergelegt, und oft arbeiten Frauen und Männer problemlos nebeneinander in gleichen Aufgabenbereichen. Die Diskriminierungen der Frau als ungeeignet für »Männerberufe« und »Männerverantwortung« haben sich sämtlich als unhaltbar erwiesen. Geschlechterspezifisch sind eigentlich nur noch die biologischen Vorgänge um Zeugung und Geburt und die Stimmenverteilung beim Chorgesang. Darüber hinaus können nach psychologischer Erkenntnis Männer und Frauen in der Zweierbeziehung wie im allgemeinen Lebensvollzug ihre angeblich maskulinen und femininen Seelenanteile frei zur Entfaltung bringen, sofern die Gesellschaft es erlaubt. Denn die jahrtausendealten Rollenfestlegungen wirken bis heute kräftig nach und sind nicht leicht aus dem Bewußtsein zu tilgen.

Zwei andere Probleme erscheinen mir jedoch ebenso schwerwiegend. Sie ergeben sich aus dem Dialog mit den biblischen Glaubensaussagen. Welche Art von Gemeinschaft wollen und können wir auf der Grundlage der Gleichberechtigung von Frauen und Männern anstreben? Oder müssen wir im Zuge der Zeit die vorherrschende Tendenz zum vereinzelten Dasein konsequent zu Ende denken? Sollen wir am Ende die Fortpflanzung der Menschheit den Retorten und Menschenfabriken überlassen, uns auf kurzfristige mitmenschliche Begegnungen einrichten und im übrigen der autonomen Selbstverwirklichung leben? Ist ein Zusammenleben, das über teilnahmslose Koexistenz hinausgeht, von völlig autonomen »ICHS«, die jedes zu eigener Selbstentfaltung verpflichtet sind, überhaupt möglich? Und: Wie soll die Gottheit aussehen, die das Zusammenleben aller begleiten und korrigieren soll? Braucht nicht, streng genommen, jedes autonome Ich eine ureigene Gottheit? Müßte nicht zumindest jede gleichgestimmte Gruppe, Schicht oder Klasse eine eigene göttliche Bezugsperson haben? – Eines dürfte klar sein: Die vorgeprägten Geschlechterrollen für die Lebensführung, d. h. eine hierarchische Rangfolge, kann und darf es in Zukunft nicht mehr geben. Die Überwindung der traditionellen Denk- und Verhaltensmuster ist durch die industrielle Lebensweise aufgegeben; sie wird sich vermutlich über kurz oder lang auch verwirklichen. Vielleicht liegt es sogar im Interesse der Industrie – und der sonstigen Machtzusammenballungen –, die Menschen möglichst zu vereinzeln und zu normieren, damit sie beweglicher und austauschbarer werden (vgl. I. Illich). In vielen heutigen Produktions- und Kommunikationsprozessen ist der Mensch ohnehin nur ein potentieller Störfaktor oder ein unnützes, viel zu lohnintensives und streikanfälliges Element. Demgegenüber steht – das beweist pastorale wie jede andere Art von mitmenschlicher Erfahrung – die tiefe Sehnsucht der vereinzelten und produktionsabhängigen Menschen nach sinngebender menschlicher Gemeinschaft. In zahllosen Gesprächen, besonders auch im Rahmen von Selbsterfahrungs- und Selbsthilfegruppen, taucht immer wieder die unerfüllte Sehnsucht nach Mitmenschlichkeit, nach echter und dauerhafter Beziehung auf, ohne die Menschsein zutiefst unmöglich zu werden scheint. Aus den tiefsten Schichten des menschlichen Seins taucht also eine Regung auf, die der vorhin beschriebenen Tendenz zur gesellschaftlichen Atomisierung strikt entgegenläuft. Sie trifft sich mit dem, was wir aus der Bibel über mitmenschliche und zwischenmenschliche Solidarität und Liebe erkennen. Wenn das richtig ist, dann ist die Frage nach der Art des zukünftigen menschlichen Zusammenlebens berechtigt, dann müssen wir über alle Befreiungsbewegungen hinaus nach den Möglichkeiten einer neuen Gemeinschaft in einer neuen Gesellschaft suchen. Die Auskunft »wenn nur die Unterdrücker entmachtet und die Unterdrückten zu eigener Selbstbestimmung befreit wären, dann würde sicherlich schon der Wolf mit dem Schaf weiden und das Kind an der Höhle der Natter spielen können« reicht so nicht aus.

Im Gespräch mit der Bibel heißt diese Frage so: Gelten mitmenschliche Solidarität und Liebe in unserer Zeit weiter oder sind sie durch patriarchale Strukturen diskreditiert und mit der Auflösung der alten Familienbande vergangen? Tatsächlich können wir den weiten Abstand zwischen damals und heute an der Geltung der Familienbindungen klarmachen. In der biblischen Zeit, und bis zum Beginn des Industriezeitalters, war trotz aller patriarchalen Vorrechte die Großfamilie das oberste Gut. Heute steht eindeutig die Selbstverwirklichung des autonomen Individuums an der obersten Marke unserer Wertskala, und wir können nicht einfach die Entwicklung zurückdrehen und per Dekret eine Familienstruktur wiedererstehen lassen, die uns gleichzeitig volle Geborgenheit und absolute Freiheit gewährt. Was dann? Welche Formen muß unter den gegenwärtigen Bedingungen das intime Zusammenleben der Menschen annehmen? Oder sind andere Gestalten menschlicher Gemeinschaft als Partnerschaft, Familie, Wohngemeinschaft denkbar?

Die Chancen für die herkömmliche Familienstruktur sind denkbar schlecht. Das Leben wird in der »Keimzelle der Gesellschaft« kaum mehr erlitten, erarbeitet, gefeiert. Die traditionelle Rollenverteilung hatte ja den Sinn, die gemeinsamen Aufgaben zu bewältigen. Arbeit, Altersversicherung, Ausbildung usw. sind aber längst an andere Institutionen der Gesellschaft abgegeben worden. Viele Familien sind heute froh, sich am Frühstücks- oder Abendbrottisch einmal pro Tag zu begegnen. Vielen gelingt nicht einmal die einmalige kurze Begegnung. Die gemeinsame Nacht ersetzt nicht die fehlende Gemeinschaft und die nicht vorhandenen gemeinsamen Aufgaben bei Tage. Die legitimen persönlichen Interessen der Eltern, und vom Kindergartenalter an auch der Kinder, lassen sich schon terminlich, beförderungsmäßig und räumlich kaum noch auf einen Nenner bringen, geschweige denn in ihrer Konflikträchtigkeit untereinander versöhnen. Bei der Partnerwahl mögen junge Menschen in gleichen Ausbildungsgängen noch die besten Möglichkeiten haben, sich aufeinander abzustimmen. Bald darauf gibt es jedoch in Beruf und häuslichem Zusammenleben allerlei große und kleine Kollisionen. Sie entwickeln sich aus alltäglichen, banalen Fragen nach dem (zeitweisen) Vorrang der einen oder anderen Berufskarriere, aus der Aufteilung der häuslichen Pflichten vom Kochen, Reinemachen bis zum Einkaufen und Kinderwickeln, aus der Art und Weise, wie Außenkontakte zu Freunden, Freundinnen, Institutionen, Freizeitangeboten gehandhabt werden, und aus unzähligen Nebensächlichkeiten, die sich als hinderlich für die Freiheit des anderen erweisen. Wo die jungen Partner weit auseinanderliegenden Bildungs- und Berufszielen nachstreben, mögen sich ungemein interessante Gesprächsmöglichkeiten eröffnen. Die Eigeninteressen jedes einzelnen produzieren aber auch ihre Eigendynamik, die bei Berufs-, Wohnorts- und Freizeitwahl dann oft diametral auseinanderstreben. So gesehen hat die alte Geschlechterrollenverteilung sicherlich die früher bestehenden Familieneinheiten zu konsolidieren vermocht, während die jetzt vorgegebene Individualisierung eine länger dauernde

Gemeinschaft fast unmöglich macht. Die Scheidungs- und Trennungsziffern belegen diese Tendenz.

Befürworterinnen und Befürworter der neuen Autonomie des Individuums werden, soweit sie nicht dem strengen Solipsismus das Wort reden, auf die demokratische Strukturierung auch der menschlichen Kleinstgruppen hinweisen. In dieser Art von ausgewogener Grundbeziehung liegt tatsächlich die einzige Chance, gleichberechtigte Einzelmenschen zu funktionsfähigen, sozialen Organismen zusammenzufügen. Ohne eine grundlegende Bereitschaft, vom Prinzip der eigenen Selbstverwirklichung zugunsten des anderen Abstriche zu machen, geht es dabei nicht. Das gilt für beide Geschlechter, nicht für Frauen allein! Im biblischen Sinne Solidarität üben heißt, für die Gemeinschaft und besonders für ihre schwächeren Mitglieder Pflichten auf sich zu nehmen. Im biblischen Sinne Nächstenliebe üben heißt, im anderen Menschen, besonders dem weniger glücklichen, gelegentlich oder konstant ein gleich- oder höherwertiges Dasein zu sehen und von der eigenen Autonomie Stücke abzutreten. Der Selbstverwirklichung tritt also die Selbstbeschränkung und die Selbstaufgabe an die Seite. Das ist ganz offensichtlich eine spannungsreiche Konstellation, die auch die künftig möglichen Gemeinschaftsformeln prägen wird. Wie weit wir in Zukunft auf lebenslange Bindungen werden verzichten müssen (oder wie weit wir von ihnen dank einer allgemeinen Bewußtseinsumstellung endlich befreit sind), das wird die Erfahrung sehr schnell zeigen. In welchem Maße gleichgeschlechtliche Beziehungen die traditionellen Partnerbindungen verdrängen oder ergänzen, wird ebenfalls die Zukunft erweisen.

Alle Grundentscheidungen für (und eventuell gegen) neue Formen des Zusammenlebens müssen sich zwangsläufig auch in den Gottesanschauungen niederschlagen. Die Aufkündigung des traditionellen christlichen Gottesbildes von seiten unterdrückter Minderheiten ist immer gleichzeitig auch ein Bruch der Gemeinsamkeit mit der Machtelite gewesen. Malcolm X hat sich mit messerscharfen Argumenten vom Gott der »Weißen« losgesagt und den schwarzen Gott Allah gesucht. Radikale Feministinnen suchen anscheinend den weiblich bestimmten Urgrund des Seins (vgl. M. Daly) oder wollen die Göttin ins Leben zurückrufen, weil sie befürchten, selbst eine angemessene Berücksichtigung weiblicher Elemente im traditionellen Gottesverständnis zementiere nur die tatsächliche männliche Vorherrschaft. Unbegründet ist diese Befürchtung nicht. Auch die besten Integrationsgesetze in den USA haben bisher die Gesellschaft der Weißen nicht wirklich für die Schwarzen geöffnet. Ist demgegenüber der Bruch mit der traditionellen Gottesvorstellung wirklich ein Ausweg für die Frauen? Mir scheint, der Ruf nach der Göttin basiert auf den alten Geschlechterrollen-klischees, die doch gerade überwunden werden sollen. Die alten Kulturen und Religionen, die wir versucht haben zu verstehen, gingen von der Polarität und Komplementarität der Geschlechter im Himmel und auf Erden aus. Sie sahen (so auch im vorexilischen Israel) das Gegenüber als gleichgewichtig, aufeinander bezogen, in ein größeres Ganzes eingebettet und eben nicht dualistisch, antagonistisch und einseitig abwertend. Die dualistische, einander ausschließende Betrachtungsweise ist erst durch priesterliche, männerbündische Selbstüberschätzung aufgekommen und hat im Laufe der Christengeschichte manchen traurigen Triumph gefeiert. Ausgerechnet diese dualistische Sicht aber, die sich selbst den Weg zur Mitmenschlichkeit durch Verachtung der anderen Seite verbaut (oder: die durch Entfremdung vom anderen Menschen die eigene Selbstentfremdung aufheben will; oder: die meint, durch Gegenhaß Liebe erzeugen zu können), soll nun in der Absage an den »Männergott« und der Verehrung der Göttin weiter gestärkt werden? Ist die Gemeinschaft mit den herrschenden Männereliten in ihren eingefahrenen Rollen so absolut unmöglich, daß frau die autonome Göttin als Rückhalt braucht? Muß die »todverfallene« männliche Theologie erst durch die »lebenspendende« Göttin erlöst werden, bevor eine neue, harmonische Gemeinsamkeit der Geschlechter wieder möglich wird? Zählen die langsamen Veränderungen in Richtung auf Gleichberechtigung der Frau und Abbau des männlichen Gottesklischees überhaupt nichts?

Wie oben schon kurz angesprochen: Mir scheint die befreiendste Möglichkeit die zu sein, am alten Monotheismus festzuhalten. Der Eingottglaube birgt mindestens theoretisch die weitestgehende Offenheit für die berechtigten Gleichheitsansprüche aller Menschen. Wer die Ungleichheit, die er überwinden will, an den Himmel projiziert, baut sich in jedem Falle eigenhändig Barrieren auf. Eine Götterpluralität widerspricht geradezu dem Gleichheitsgrundsatz, weil sie zu überwindende Unterschiede theologisch wiederbelebt. Im Grunde ist aber für das jeweilige Gottesbild in hohem Maße die gelebte Wirklichkeit – und nicht Logik oder Theorie – ausschlaggebend. Eine für beide Geschlechter gleich offene Gesellschaft wird auch eine Gottheit (oder mehrere Götter und Göttinnen?) haben, die von allen gleichermaßen angerufen werden kann/können. Diese Gottheit wird aber auch der geheimen Sehnsucht aller Menschen nach Solidarität und Liebe entsprechen und die nur noch Autonomiesüchtigen ganz unzeitgemäß an ihre Mitmenschlichkeit erinnern.

9. Frau und Kirche

Feministische Theologinnen und Theologen weisen mit vollem Recht darauf hin, daß ein enger Zusammenhang zwischen der Stellung der Frau in der Kirche und dem dort gepredigten Gott besteht. Zwar ist dieses Verhältnis von »Frauenbild« und »Gottesbild« nicht einfach, sondern komplex, nicht einseitig von einem, sondern wechselseitig von beiden Polen her geprägt. Aber die Grundregel ist doch erschütternd wahr: Je stärker die Glaubensgemeinschaft ausschließlich von Männern regiert wird, desto eher werden sich in der Theologie männliche Interessen und Vorurteile niederschlagen, desto leichter wirken solche Verfremdungen Gottes auf die Struktur der Religionsgemeinschaft zurück, dienen zur Legitimation von Männerherrschaft und zur Entmündigung und Ausgrenzung der Frau aus der religiösen Verantwortung. Im Namen eines einzigen, eifernden, männlichen Gottes läßt sich die Entwürdigung der Frau von dem einseitig privilegierten Geschlecht perfekt durchführen. Wenn bis ins 20. Jahrhundert hinein Theologen von der Größe Karl Barths starr an der Zweitrangigkeit der Frau als unabänderlicher Schöpfungs- und Erlösungsordnung festhalten, dann ist das ein Zeichen für die sträfliche Uneinsichtigkeit der kirchlichen Führungsschichten. Wer das Unglaubliche nicht wahrhaben und etwa so argumentieren möchte: »Nein, Männer schätzen doch weibliche Liebe und Fürsorge viel zu hoch ein, als daß sie die Frau aus der Kirche verbannen könnten! Der katholische Marienkult ist doch der beste Beweis dafür!« – der unterschätzt den Egoismus und den Selbstbehauptungswillen von Menschen, die ängstlich an Vorzugspositionen festhalten. Fortschreitende zivilisatorische Differenzierung und Wegfall der Geborgenheit der Intimgruppe in der Moderne haben diese Neigung zur isolierten Selbstbehauptung verstärkt. Feministische Theologinnen weisen mit Recht darauf hin, daß die Idealisierung von weiblicher Fürsorge und Hingabe, auch in Gestalt der »Himmelskönigin« Maria, dazu dient, Frauen in untergeordneten Positionen zu halten (vgl. R. Ruether, 171 ff).

Die Frau ist/war also – das ist sattsam bekannt und dokumentiert – in den christlichen Kirchen wie auch im Judentum und Islam von der aktiven selbstverantwortlichen Teilnahme an Kult und öffentlichem, religiösem Leben mehr oder weniger ausgeschlossen. Sie ist/war nach uralten gesellschaftlichen Rollenmustern in den kirchlichen und diakonischen Innenraum abgeordnet, dort, wo es um die handfeste Arbeits- und Dienstleistung geht.

Dort sind Frauen immer äußerst willkommen. Aber zu den Aufgaben der Gemeinde- und Kirchenleitung und zur Mitverantwortung in theologischen Ausbildungsstätten und Gremien finden sie nur schwer Zugang. Frauen bilden die Stammgemeinde, die sich sonntags anpredigen läßt; sie stellen die »Frauenhilfs«-Truppen der Gemeinde und die meisten Mitglieder in Arbeits- und Interessengruppen. Aber in den Leitungsgremien sind sie großenteils immer noch unterrepräsentiert, nicht zu reden von den theologischen Schulen und Fachbereichen. Es war z. B. ungeheuer schwer, in den 60er Jahren Frauen zur Kandidatur für das Presbyteramt zu gewinnen. Auch bei interessierten und in der Gemeinde sehr aktiven Frauen machten sich innere Hemmungen bemerkbar, die aus alten Rollenklischees stammten, wenn nicht gar der Ehemann kurzerhand von einem solchen Amt um der Familie willen dringend »abriet« oder geradezu ein Verbot aussprach. Noch im Jahre 1988 ist es eine Erfolgsmeldung wert, wenn in katholischen Pfarrgemeinderatswahlen nach intensiver bewußtseinsbildender Laienarbeit die Frauen 40 oder 50 Prozent der Sitze erlangen. Immerhin zeigen die beiden vergleichbaren Situationen auch die Entwicklung der letzten Jahrzehnte auf. Viele noch »lupenreine« männliche, theologische Fachkorporationen stehen allerdings erst ganz am Anfang eines Umdenkungsprozesses. Einerseits fehlen noch vielfach qualifizierte Bewerberinnen für die ausgeschriebenen Stellen, andererseits macht sich mancherorts wie eh und je männliche Selbstgerechtigkeit und angemaßte Fachkompetenz breit.

Das alles ist in der israelitisch-jüdisch-christlichen Tradition nicht immer so gewesen. Wir haben gesehen, daß die Frau im alten Israel ihren persönlichen, religiösen Freiraum hatte, daß männliche und weibliche Religiosität auch miteinander verkoppelt oder komplementär angelegt waren, daß bis zur Durchsetzung des reinen Monotheismus wahrscheinlich auch weibliche Gottheiten verehrt wurden. Mit der Monotheisierung und Verpriesterlichung des religiösen Lebens aber trat eine Wende zur potentiellen Verdächtigung und Diskriminierung der Frau in der Religionsgemeinschaft ein. Die in der Neuzeit aufbrechenden gesellschaftlichen Veränderungen haben im Prinzip alle alten patriarchalen Strukturen überholt und damit auch das religiöse Ungleichgewicht zwischen den Geschlechtern radikal neu zu Bewußtsein gebracht.

Im Grunde wurden also schon bei Etablierung des Monotheismus die Gewichte verschoben: Der Frau wurde ein eigener religiöser Verantwortungsbereich entzogen. In der Glaubensgemeinschaft der Männer bekamen sie höchstens einen Seiten- oder Emporenplatz zugewiesen. Diese religiöse Entmündigung der

Frau hätte nie geschehen dürfen. Sie wird heute besonders augenfällig und unerträglich, wenn in der Gesamtgesellschaft die Gleichberechtigungsbestrebungen in Gang kommen und in Kirche und Theologie archaische Strukturen und Denkmuster weiterbestehen. Also ergibt sich die längst überfällige Frage: Wie müssen Männer und Frauen die kirchlichen Strukturen reformieren, damit die Frau zu ihrer berechtigten Mitsprache und Mitverantwortung kommt? Oder soll man radikaler fragen: Wie kann die Kirche zu dem werden, was sie ihrer Substanz nach lange schon ist, eine Frauenkirche? Alle demokratischen Spielregeln, nach denen angeblich unsere Gesellschaft funktioniert, legen nur diese Schlußfolgerungen nahe: Die Kirche gehört den Frauen! Denn sie besteht mehrheitlich aus Frauen!

Weil aber die christlichen Frauen überwiegend Einzelkämpferinnen sind und keine Gesamtorganisation besitzen, welche die erforderlichen Kündigungsschreiben an Kirchen, Gemeinderäte, Landeskirchenämter und theologische Fachbereiche zu verschikken hätte, können sie pragmatisch nur den langen Weg von unten durch die Institutionen antreten.

Hier sollen in diesem Zusammenhang nur einige signifikante Teilfragen angerührt werden. Das Zentralproblem der katholischen, orthodoxen und zum Teil der anglikanischen Kirche ist die Zulassung der Frau zum Priesteramt. Die Argumente gegen die Gleichbehandlung der Geschlechter berufen sich im Grunde auf die alten Rollenklischees, die Frau habe eine ureigenste gesellschaftliche und religiöse Berufung, die eben anders aussehe als die des Mannes. Die weibliche Berufung schließe den Umgang mit dem Altarsakrament nicht ein. Jesus und seine Jünger hätten die Verwaltung dieses Sakramentes nur in der männlichen Linie zugelassen. Hinter diesen, dem modernen demokratischen Bewußtsein schon recht uneinsichtigen Behauptungen steht aber als entscheidendes Faktum die jahrtausendealte Jagd- und Opfertradition des Mannes, die besonders den Umgang mit dem Opferblut für Frauen tabuisiert hat. W. Burkert hat diese Entstehung des Opferprivilegs für den Mann aus steinzeitlichen Jagdgewohnheiten zu erklären versucht. Christen aber müssen verstehen, daß auch kirchliche Gewohnheiten und Setzungen, wie die der Eucharistie, in zeitgemäßen Formen geschehen und darum veränderbar sind. Daß die Spendung dieses Sakraments in der ersten christlichen Gemeinde nur den Männern vorbehalten war, ist zudem ja gar nicht sicher. Jedenfalls herrschte im Kreis um Jesus und in der Urgemeinde wohl unter dem Eindruck des nahen Gottesreiches eine solche Unbekümmertheit gegenüber älteren Regeln und

Zwängen, daß diese Phase der Kirchengeschichte bis heute anregend, befreiend wirken kann (vgl. E. Moltmann-Wendel; L. Schottroff). Warum lassen sich Christen des ausgehenden 20. Jahrhunderts nicht davon anstoßen? Warum treten sie nicht bewußt aus dem Schatten überlebter Traditionen und jahrtausendealter unreflektierter Bluttabus heraus und sagen beherzt: Ja, Frauen sind dem Mann auch im Blick auf das Altarsakrament gleichwertig? Sie könnten, wenn ihnen das moderne Erfordernis von Priesterinnen nicht starr genug und der Hinweis auf religionsgeschichtliche Parallelen unerlaubt erscheint, doch immerhin an das Beispiel der Zippora (2 Mose 4,26) anknüpfen.

Das Wort ist in der biblischen und auch in anderen religiösen Traditionen kaum je mit einem so starken Tabu belegt worden wie das Opferblut. Sicher, es hat auch Bemühungen gegeben, das heilige Wort zum Geheimbesitz einer Kaste zu machen. Aber weil beide Geschlechter gleichermaßen sprechen können und die Sprache in ihren jeweiligen Arbeitsbereichen notwendig brauchen, lag über dem Verkündigungsdienst in der Kirche nie ein ähnlich irrationales Verbot wie über dem Opferdienst. Es gelang der Frau, seit dem Ende des Zweiten Weltkrieges in vielen evangelischen Kirchen in das Pfarramt einzudringen und den erstaunten Gemeinden und Männereliten zu beweisen: Frauen versehen das Pfarramt nicht schlechter als Männer, eher besser! Das alte, mißtrauisch bis feindselig vorgetragene Männerargument (es gibt auch spiegelbildlich entsprechende Frauenargumente): Dieser Beruf ist nichts für Frauen! Das können sie nicht!, konnte man eben nur durch Tatsachen widerlegen. Erst Statistiken können den Skeptikern, die nachzudenken willens sind, zeigen, daß Autofahrerinnen, Ärztinnen, Politikerinnen nicht wegen ihres Geschlechtes minderwertiger als Männer in vergleichbaren Positionen sind. Männliche Vorurteile, genährt aus uralten Klischeevorstellungen, scheitern also erst an der nachprüfbaren Wirklichkeit. So auch in der Kirche. Pfarrerinnen haben sich heute vielerorts die Gleichachtung der Mehrheit erobert. Wieder kann man mit gutem Grund auf die Prophetinnen des Alten Testaments und die in der Zeit Jesu und der Urgemeinde aufbrechende Befreiung auch der Frau verweisen. Das Alte Testament redet sonst in Zukunftsvisionen von der Gleichstellung der Geschlechter. »Nach diesem will ich meinen Geist ausgießen über alles Fleisch und eure Söhne und Töchter sollen weissagen ...« (Joel 3,1). »Der Herr wird ein Neues im Lande schaffen: die Frau wird den Mann umgeben« (Jer 31,22). Es gibt also in der biblischen Tradition ein Bewußtsein, daß die Vorordnung des Mannes vor der Frau in Synagoge und Kirche zutiefst die

Würde beider Geschlechter verfehlt. Dieser Fehler muß heute korrigiert werden, ganz gleich, ob die Endzeit gekommen ist oder nicht. Die gesellschaftlichen Bedingungen heute und die von alters in der israelitisch-jüdisch-christlichen Tradition überlieferte Botschaft vom befreienden Gott fordern die Gleichstellung der Frau. In der Wortverkündigung der Gemeinden ist da, wo Pfarrerinnen unangefochten ihres Amtes walten, das Ziel auch schon handgreiflich nahegerückt.

Anders ist es in der Gemeinde- und Kirchenleitung sowie in der Theologie. Auf den »Chefetagen« der Gemeinde und Kirche geben Männer noch immer fast »unveredelt« durch eine einzige Alibifrau den Ton an. Daß sie sich in ihrer chemisch reinen Männeratmosphäre wohlfühlen, ist schon eigenartig. Bei der überall geführten Debatte um die Stellung der Frau muß doch deutlich werden, daß Frauen heute überall als minderberechtigte Gruppe Anteil am Leben und Denken, an Entscheidungen und Urteilen fordern. Das Recht dazu ist biblisch und christlich belegbar. Wie könnte ausgerechnet die von Frauen an der Basis getragene Kirche auf den weiblichen Sachverstand in Leitungs- und Entscheidungsgremien verzichten wollen? Warum werden dann von der herrschenden theologischen Männerelite nicht energischere Anstrengungen gemacht, Frauen zur Mitverantwortung zu ermuntern? Aus welchem Grunde werden Gesetze, Einrichtungen, Gewohnheiten, die etwa die Beteiligung der Frau am kirchlichen Leben behindern, nicht entschlossener und zügiger verändert? Warum hört man noch so häufig fadenscheinige Argumente, die die Untauglichkeit der Frau zu Theologie und Kirchenleitung behaupten? Wir können sehr leicht die Uneinsichtigkeit der südafrikanischen weißen Elite oder der lateinamerikanischen Großgrundbesitzer gegenüber den landlosen, entrechteten Massen feststellen und denunzieren. Diese Unrechtsverhältnisse liegen ja in weiter Ferne. Der Balken im eigenen Auge ist oft schwerer zu erkennen als selbst der Splitter im Auge des anderen.

Trotz aller Schwierigkeiten auf dem Weg zur Gleichberechtigung: Auch in der Kirche wird sich die alte Rollenverteilung nach Geschlechtern endgültig als überlebt erweisen und die Frau die ihr gebührende Stellung einnehmen. Was bedeutet das für das Gottesverständnis? Werden die allzu menschlichen Hilfskonstruktionen bei der Rede über Gott, die männlichen Attribute und Wesensmerkmale der Gottheit, wie sie in Anrede, Handlungsaussagen, Eigenschaftsbeschreibungen durchscheinen, ihren männlichen Charakter verlieren? Wird Gott künftig weniger majestätisch, eifersüchtig, rächend, strafend, richtend, tötend dargestellt werden und statt dessen liebevoller, verständnisbereiter, vergebender, leidender, offener? Denkbar ist ein solcher Ausgleich von geschlechtsabhängigen Qualifizierungen im Gottesbild. Aber in dem Maße, wie sich in der Gesamtgesellschaft die Rollenklischees verwischen, werden wohl auch die alten Projektionen auf das Gottesbild an Kraft verlieren. Zu erwarten wären dann weiblich-männliche, d. h. menschliche theologische Aussagen über Macht und Autorität, Toleranz und Fürsorge der Gottheit. Ob sie sich dann wesentlich von den heute gängigen theologischen Sätzen unterscheiden werden? (Vgl. das »Mitleiden« Gottes: Hos 11,1–9; Jer 31,20)

Das alles läuft auf die Frage hinaus, welchen speziellen Beitrag Frauen und Männer heute innerhalb der Kirche und im Blick auf die Gottesvorstellung erbringen können. Jede Antwort erfordert eine etwas umfassendere Klärung der Grundlagen, von denen aus gefragt und geantwortet werden kann. In der feministischen Theologie ist oft nachdrücklich von der weiblichen Spiritualität die Rede, die, jahrhundertelang unterdrückt, nun endlich wieder ans Licht befördert und zu ihrer eigenen Geltung kommen müsse. Was ist das: die spezifisch »weibliche Spiritualität«? Hier müssen wir wohl grundsätzlich Stellung beziehen. Wollen wir von der Grundlage einer naturhaften, unüberbrückbaren Eigenart eines jeden Geschlechtes ausgehen oder von der bloß funktionalen, kulturellen Differenzierung der Geschlechterrollen durch geschlechtsspezifische Sozialisation? Sind wir von dem Moment an, in dem sich der Embryo geschlechtlich differenziert, in eine bestimmte geschlechtseigene Verhaltensweise hineingezwängt oder wird das Rollenmuster in den ersten Lebensjahren erworben, also von außen aufgeprägt? Im ersten Fall glauben wir an einen vorgegebenen Dualismus, der die in der biblischen Periode weithin gültige Polarität der Geschlechter bei weitem übersteigt. Im anderen Fall rechnen wir mit einer biologischen Differenziertheit, die auf dem Fundament eines allgemeinen menschlichen Erbgutes geschieht und einen großen Spielraum für Anpassungen und Veränderungen des männlich-weiblichen Verhaltens offenläßt. Die Ausgangsposition wird weithin die Resultate der Überlegungen beeinflussen. Mir scheint, daß die alten Kulturen meistens unbefangen von einer Polarität der Geschlechter ausgingen, die in keiner Weise dualistisch seinsmäßig festgelegt war. Die Rollenüberschreitungen der Debora, Jael usw. im Alten Testament sprechen für eine sehr pragmatische Einschätzung der geschlechtlichen Polarität. Die spätere Entwicklung allerdings, besonders im nachexilisch-priesterlichen Denken, hat eine dualistische ontologische Gegenüberstellung des Männlichen und des Weiblichen gefördert.

Sie ist dann in der patriarchalen Reflexion der griechischen und jüdisch-christlichen Tradition immer tiefer zementiert worden. Der Mann war der eigentliche Mensch, die Frau das komplementäre bis defiziente, entgegengesetzte Wesen. Es konnte von Natur aus nicht den Vollkommenheitsgrad des maskulinen Gottesebenbildes erreichen und wurde darum hier und da regelrecht zum negativen Gegenbild des Mannes gemacht. Schon der priesterliche Theologe meint in 1 Mose 1,27 wohl nicht die Gleichberechtigung, sondern mindestens in kultischer Hinsicht die qualitative Unterschiedenheit der Geschlechter, wie er das auch sonst überall in seinem priesterlichen Werk ausführt (1 Mose 5,1–2; 6,19–20; 7,2–8; 3 Mose 16,3–10). Alle reflektierten Formen patriarchaler Vorherrschaft leben von der strengen Unterscheidung der Geschlechter und der angeblich biologischen Minderwertigkeit der Frau. Wer also jetzt umgekehrt naturhaft vorgegebene Qualitäten des Weiblichen betont, die dem Mann von seiner physischen und psychischen Konstitution her unerreichbar sind, der bewegt sich in den Seinskategorien des ausgeprägten Patriarchats. Die »weibliche Spiritualität« scheint in der feministischen Literatur manchmal die Merkmale einer solchen Seinskategorie anzunehmen. Nur wird sie jetzt positiv und das entgegenstehende Männliche negativ gewertet, und die daraus zu ziehende Konsequenz scheint zu lauten: Kirche und Welt können nur am weiblichen Wesen genesen. Verwunderlich ist eine solche Umkehrung des traditionellen männlichen Weltbildes keinesfalls. Vielleicht vermag auch nur eine derart radikale Antithese das männliche Selbstbewußtsein zu erschüttern. Aber die These vom qualitativen Bessersein eines Geschlechtes wird durch die Antithese einer seinsmäßigen Höherqualifikation des anderen weder aufgehoben noch widerlegt, noch durch eine bessere Wahrheit ersetzt. Beide Behauptungen, sprich Weltanschauungen, sind schlichtweg falsch. Sie verabsolutieren Teilaspekte einer komplementären Wirklichkeit.

Die Frauenbewegungen des 19. und 20. Jahrhunders gehen im Grunde nicht von einem seinsmäßigen Dualismus der Geschlechter, sondern von der Voraussetzung aus, daß Frauen gleichwertige Menschen sind und als solche gleiche Würde und gleiches Recht in der Gesellschaft beanspruchen. Aus der biblischen Sicht können wir hinzufügen: Frauen werden – ähnlich wie die unterdrückten Völker der »Dritten« und »Vierten« Welt – aus ihrer jahrtausendealten Leidenserfahrung und ihrer auf erzwungener Unterordnung gegründeten Sozialisation überall eine tiefe menschliche Weisheit einbringen. Weibliche Spiritualität ist wie die Spiritualität der Basisgemeinden Lateinamerikas ein die Kirche und die Gesellschaft erneuerndes Ferment. Es lebt von der Sehnsucht nach und der Erfahrung gewaltfreier, liebevoller mitmenschlicher Beziehungen. Insofern haben Frauen als die unterdrückte und leidende Mehrheit der Menschen die Chance, zur Heilung der Welt von Krieg und Unterdrückung beizutragen. Nur die am eigenen Leib Geschundenen wissen wirklich, wie unmenschlich Herrschaft der Menschen über Menschen ist, und können vielleicht die Fehler der (bisher von Männern gesteuerten) Geschichte korrigieren.

Mir scheint also die dualistische Zerspaltung der Welt in gute und böse Seinsweisen, Personen- oder Geschlechtergruppen, soziale Schichten, Völker oder Gesellschaftssysteme in jedem Fall ein gefährlicher Irrweg zu sein. Biologische, anthropologische und sozialwissenschaftliche Beobachtungen sprechen eher für die Annahme, daß wir erst im Laufe der kindheitlichen Entwicklung z. B. zu Frauen und Männern werden, angefangen von der relativ zögerlichen Differenzierung der Embryonen bis hin zur geschlechtsspezifischen und kulturell sehr unterschiedlichen Sozialisation als männliche und weibliche Mitglieder der Gesellschaft. Die tatsächlichen biologischen Unterschiede legen unter den heutigen Lebensbedingungen nur noch in sehr geringem Maße die Aufgabenstellungen für Frau und Mann von vornherein fest. Wir haben schon festgestellt, daß bis zu Beginn der Neuzeit die biologischen Faktoren wohl viel stärker für die Rollenverteilung unter den Geschlechtern mitverantwortlich waren.

»Weiblichkeit« ist überwiegend das Ergebnis der patriarchal vorgeprägten und aufgezwungenen Rollenklischees. Nicht umsonst verlangt M. Mitscherlich, daß Frauen ihre Aggressionen nicht mehr, wie in patriarchalen Verhältnissen gefordert, nach innen, gegen sich selbst, sondern, wie die Männer, nach außen wenden sollen. »Weibliche Spiritualität« ist demnach die von Frauen in der christlichen Kirchengeschichte unter Schmerzen, Entbehrungen und Leiden aller Art erworbene Menschen- und Gotteserfahrung. Theologisch gesehen ist sie wie alle Armenspiritualität das kostbarste Gut der Kirche, denn paradoxerweise ist nach biblischer Anschauung das wahre Gottesverhältnis und die wirklich christliche Lebensgestaltung eher in Not und Entäußerung als in Machtpositionen zu finden (vgl. Mt 5,3–12; 1 Petr 4). Die Kirchen- wie überhaupt die Frömmigkeitsgeschichte wohl aller Religionen bietet beliebig viele Beispiele für diese Sicht der Dinge. Wir brauchen nur an die Negerspiritualität in den USA und in Südafrika zu erinnern. Die heute den Kirchen der industriellen Welt so bitter fehlende Bescheidenheit, Offenheit, Mitmenschlichkeit, kurz: Liebe, ist nur von ganz unten her oder auf dem Wege nach ganz unten hin zu erlernen. Die kirchlichen und gesellschaftlichen Bemühungen um Sicherung von Herrschaft und Wohlstand sind dagegen die garantiert erfolgreichen Mittel, die von der biblischen Botschaft angebotene spirituelle Erneuerung zu verhindern (vgl. A. Tevoedjre; J. Hinkelammert).

Wenn Frauen willens sind, überhaupt noch in einer Männerkirche zu bleiben und auf Hoffnung in ihr auszuharren, anstatt sich enttäuscht abzuwenden und eigene religiöse Schwesternschaften zu gründen (das ist eine sehr bedauerliche, aber reale Möglichkeit!), dann müßten sie ihre geistlichen Erkenntnisse mit mehr Nachdruck in die Kirche einbringen können, als Hildegard von Bingen oder Theresa von Avila es zu ihrer Zeit konnten. Die herrschenden Männereliten aber sollten gegen ihre eigenen Herrschaftsgelüste der weiblichen Spiritualität breiten Raum geben. Sie sollten von ihr als von dem in Bedrängnis geläuterten christlichen Verhalten lernen. Schließlich hat auch Jesus, der Christus, Niedrigkeit vorgelebt und immer wieder auf die Schwachen, Hilflosen als Beispiele für Reich Gottes und Gotteserkenntnis hingewiesen. Er hat wahrlich den Blick nach unten gelenkt und darum gebeten, von denen da unten, den Kleinen und Hilflosen, zu lernen. Er hat sogar dazu aufgefordert, sich den Niedrigen und Schwachen zuzugesellen. Die Frauen kommen von unten, in der Kirche noch sichtbarer als in manchen weltlichen Bereichen. Darum ist es der evangelische Auftrag für die Kirche, sich mit den Frauen wie mit allen anderen, die unten sind, zu solidarisieren.

Was kann und muß die Kirche heute lernen? Sie steht ständig in der Versuchung, sich triumphalistisch über andere Menschen, Religions- und Gesellschaftsgruppen zu erheben. Sie wird ständig hineingezogen in das allgemeine Leistungs- und Profitstreben, die Geltungssucht und das falsche Vertrauen auf die Manipulierbarkeit aller Dinge. Frauen als lange Zeit Unterdrückte wissen, daß Gewalt, Macht und Prestigedenken den Auftrag Jesu Christi und die Menschlichkeit korrumpieren und in ihrer neuzeitlichen Übersteigerung geradewegs in den Abgrund führen. Unterdrückte erkennen das klarer als Herrschende und Profitierende. Frauen haben ja in der Geschichte der Kirche – erzwungenermaßen und aus eigenem Antrieb – viel mit Diakonie zu tun gehabt. Als die Vorherrschaft der Männer im Diakonenamt (vgl. Apg 6,1–6) überwunden war, sind unübersehbare Scharen von Frauen als diakonische Hilfskräfte in den christlichen Gemeinden und Kirchen angestellt worden. Als Ordensschwestern und Diakonissen, als Pfarrfrauen, Verwaltungsangestellte, Katechetinnen, Mitglieder der Frauenhilfe, ehrenamtliche Mitarbeiterinnen haben sie die dienende Funktion der Kirche verkörpert. Sie haben die weitaus größte Last aller praktischen Gemeindearbeit getragen und immer die »Richtlinienkompetenz« der übergeordneten Theologen und der kirchlichen Männerhierarchie hinnehmen müssen. In wievielen Fällen haben sie ihre Arbeit gegen bessere, an der Basis gewonnene Einsicht nach dem Diktat der Herren Pfarrer ausrichten müssen. Mir sind die vier Kaiserswerther Gemeindeschwestern unserer Gemeinde noch in lebendiger Erinnerung. Sie hatten oft die besseren und tieferen praktischen und theologischen Einsichten. Aber wir, die Gemeindpfarrer, bestimmten die Richtlinien der Gemeindearbeit. Insgesamt aber müssen wir, so paradox das klingt, trotz der sträflichen Zurücksetzung der Frau für die Diakoniegeschichte der christlichen Kirchen dankbar sein. Solche Dankbarkeit darf selbstverständlich nicht mißbraucht werden. Es wäre schlimm, wenn man die Frauen mit ihrer Hilfe auf dienende Aufgaben festschreiben wollte. Im Gegenteil: Die Kirche muß von ihren diakonischen Erfahrungen her, d. h. von unten, bis in die »Spitzen« erneuert werden. Dienst und nicht Macht ist das leitende Motiv für Christen und Christinnen (vgl. Mt 20,25–28; Joh 13,14 f). Die Geschichte des Dienstes am Nächsten und für den anderen Menschen hat mit überwiegender Beteiligung der Frauen den Auftrag des Evangeliums, Heil und Frieden zu verkündigen und Liebe und Solidarität zu üben, eindeutig besser bewahrt als alle theologischen Erörterungen und herrschaftlichen Ambitionen der Kirchenmänner. Der Dienst der Frauen an dem und der nahen und fernen Nächsten entspricht dem biblischen, der Gesamtgemeinde gegebenen Auftrag. Die aus dem Dienst am Nächsten erwachsene Spiritualität ist heute wichtiger als je für die Kirche und darüber hinaus für die Industriegesellschaft, die sich schamlos auf Wohlstandsideologie und Herrschaftssicherung festgelegt hat. Die Kirchen haben sich nach ihrer Öffentlichkeitsseite hin weitgehend auf die in der Gesellschaft geltenden Prinzipien eingelassen. Zu ihren größten Sorgen zählen die rückläufigen Mitgliederzahlen und Steuereinnahmen. Weibliche Spiritualität hingegen steht in direkter Kontinuität mit dem biblischen Ethos der Nächstenliebe. Die Armenfrömmigkeit der Psalmen (vgl. Ps 37), die Gottesknechtsverehrung in Deuterojesaja (Jes 52,13–53,12), die Bescheidenheitslehre der Weisheit (vgl. Spr 30,7–9), ja das uralte Familienethos selbst (vgl. 3 Mose 19,9–18) und selbstverständlich die Seligpreisungen der Bergpredigt (Mt 5,3–10), das Beispiel Jesu (vgl. Mt 20,25–28; Joh 13,1–17), die urchristliche Lebenslehre (vgl. Gal 6,1–3; 1 Kor 10,23–24) liegen genau auf derselben Linie. Alle innergemeindlichen, ethischen Reflexionen der Bibel sind in einem erstaunlichen Maße auf den anderen Menschen abgestimmt. Diese Ausrichtung des Ethos stammt offensichtlich auch von sensiblen Männern, wie das Gros der biblischen Schriften. Das biblische Ethos ist in allen seinen geschichtlichen und gesellschaftlichen Ausprägungen ein gemeinschaftsförderndes Ethos. Es kommt aus kleinen Familienverhältnissen und aus Jahrhunderten der Unterdrückung, aus generationenlangen Leidenserfahrungen. Darum wendet es sich von Macht, Gewalt und Willkür ab und sucht Liebe, Frieden und Verständigung mit dem Nächsten. Die weiblichen Erfahrungen aus Jahrtausenden erlittener Zweitrangigkeit passen nahtlos in das biblische Ethos hinein, solange sie den anderen Menschen im Blick behalten und die Nächstenliebe zum Fundament und Ziel haben. Wo in der Hitze und der Verbitterung des Emanzipationskampfes die Selbstfindung zum dringlichsten Ziel wird, können sich Konflikte mit der christlichen Tradition ergeben. Aber sind Identitätssuche und Nächstenliebe einander ausschließende Bestrebungen? Nach biblischen Auffassungen (s. o.) bedingt eins das andere.

Die heute in manchen feministischen Schriften ausschließlich für das Weibliche in Anspruch genommenen Tugenden des integralen Seins, der Friedensstiftung und Menschlichkeit, der Wärme und Offenheit gelten also in der Bibel weithin als generell von Gott geboten und für die ganze Gemeinde verbindlich. Das heute als männlich demaskierte Macht- und Gewinnstreben, die Aggressivität in Kirche und Gesellschaft gilt in der Bibel weithin als gemeinschaftszerstörendes, menschliches Fehlverhalten. Die diakonischen Aufgaben der Kirchen sind zwar Domäne, aber nicht ausschließlicher Besitz der Frauen gewesen. Auch Männer haben immer in Dienstfunktionen an der Verwirklichung des Evangeliums mitgearbeitet. Die Trennung in Außen- und Innenaufgaben ist in den christlichen Gemeinden nie streng nach den Geschlechterdifferenzen erfolgt. Darum ist der Vergleich der Frauen im Innendienst mit jenen Männern, die traditionell die Leitungsfunktionen nach außen wahrnehmen, einseitig. Er muß ergänzt werden durch die parallele Darstellung von Frauen und Männern, die in der Kirche gleiche Funktionen in Diakonie und Verwaltung ausgeübt haben. Der Irrtum, gutes und böses Verhalten seien säuberlich auf das weibliche und männliche Geschlecht zu verteilen, kommt letztlich aus einer vom patriarchalen Ungeist erfundenen dualistischen Weltsicht und aus der verabsolutierten Aufgabenteilung: Die Frauen sind für die niederen Dienste, die Männer für die höheren Aufgaben der Kirche berufen. Dieses Prinzip ist zum Glück in der Kirchengeschichte weder praktiziert noch theoretisch mit ganzer Konsequenz vertreten worden. Es wird auch durch seine Umkehrung – das Weibliche ist gut und übergeordnet, das Männliche böse und untergeordnet – nicht richtiger. Verständlich ist das feministische Aufbegehren: Die herrschende Elite in der Kirche, wie in Wirtschaft und Politik, besteht seit Jahrtausenden aus Männern, und sie haben sich immer mehr in die aggressive Wissenschaftlichkeit, Technologie, Wirtschafts-, Gesellschafts- und bürokratische Kirchenstruktur hineingesteigert (vgl. D. Sölle). Trotzdem ist die dualistische Gegenüberstellung von weiblicher Spiritualität und männlich selbstzerstörerischem Allmachtswahn falsch. Die schlimmen Tendenzen in unserer Gesellschaft und Kirche entwickeln sich nicht aus dem männlichen Erbgut, sondern aus den Funktionen, die in der Gesellschaft verteilt sind. Frauen sind an dieser aggressiven, imperialistischen Entwicklung sporadisch beteiligt gewesen. Sie waren nie vollständig abgesondert und haben sie hier und da stillschweigend oder aktiv gefördert. Der Außendienst der Kirche zeigt das weniger deutlich als die wirtschaftlichen und politischen Institutionen unserer Zivilisation, doch können wir sagen, wo immer Frauen Mitverantwortung übernommen haben, verhielten sie sich durchaus menschlich, nämlich zum Teil solidarisch, liebevoll und zum Teil dominant, macht- und erfolgsbesessen. Es gibt schöne Beispiele für Regentinnen des Friedens, und auch Männer haben gelegentlich als echte Friedensherrscher fungiert. Die Geschichte kennt auch blutdürstige Tyranninnen. Ein einziges Beispiel dieser Art würde schon die Behauptung von der naturgegebenen Güte der weiblichen Erbsubstanz ins Wanken bringen. Aber es gibt mehrere solche Beispiele, und die tägliche Erfahrung im Zusammenleben der Geschlechter zeigt, daß die Frau durchaus »von Natur her« zum Bösen fähig ist. Gleiche Aufgaben im Innen- und Außendienst einer Gemeinschaft produzieren denn auch bei Mann und Frau sehr vergleichbares menschliches Wohl- oder Fehlverhalten (vgl. Krankenpfleger und Krankenpflegerinnen, Lehrerinnen und Lehrer).

Im kirchlichen Leben gibt es darüber hinaus, abseits von allen Doktrinen und zum Teil in Widerspruch zu ihnen, Beispiele für traditionell von Männern geleitete und dennoch offene, nichtaggressive, frieden- und heilstiftende Gemeinschaft. In den europäischen und amerikanischen Industriegesellschaften mögen sie in der Tat nur mit der Lupe aufzufinden sein. Sie entgehen darum auch dem geschärften Blick feministischer Theologen und Theologinnen auf der nördlichen Halbkugel. In den vom Norden her unterdrückten südlichen Hemisphären jedoch sind solche Kirchengemeinschaften deutlicher sichtbar, und selbst wenn sie manchen Idealvorstellungen nicht hundertprozentig entsprechen, so widerlegen sie doch durch ihre Existenz die schematische Behauptung, männergeleitete Kirchen und Gemeinden könnten nur selbstzerstörerisch, egozentrisch, chauvinistisch agieren oder eine den Frauen geraubte Menschenfreundlichkeit zur Schau stellen. Ich denke an Kirchen und Diözesen, die von der Spitze her solidarisch mit den Armen sind, die sich ihrer Machtmittel und Besitztümer entäußert haben oder sie ganz in den Dienst der Schwachen stellen. Helder Camara, Everisto Arns, Pedro Casaldaliga, Adriano Hipolito, Jose Maria Pires, Oscar Romero, Eduardo Pironio, Leonidas Proano sind Namen von Bischöfen und Erzbischöfen der heiligen römisch-katholischen Kirche, die ihre traditionelle Männerorientierung höchstens um Millimeter aufgegeben hat. Und doch stehen diese Männer für die beste biblisch-evangelische Tradition der Solidarität mit den Schwachen, der Selbsthingabe im Dienst für den anderen, der Entäußerung von Macht und Besitz. Soziologisch und psychologisch gesehen ist vollkommen unerfindlich, warum sie das tun. Sie müßten nach unserer Erwartung und den funktionalen Theorien von der Machtentfaltung genau entgegengesetzt handeln, nämlich kraft ihres hohen Amtes mit Autorität und Anmaßung auftreten. Das Gegenteil ist der Fall. Bischöfe, Männer, sensibel für das Menschsein der »geringsten Brüder und Schwestern«, begegnen uns mit einer ungewöhnlichen persönlichen Ausstrahlungskraft, die oft gepaart ist mit poetischem Schwung und ansteckendem Humor. Nach meinem Verständnis ist das ein Wunder, weil diese Männer gegen Tradition und sozialwissenschaftliche Regeln verstoßen. Vielleicht haben sie nicht einmal alle Barrieren des »machismo« abgebaut. Sie haben z. B. keine gleichberechtigten Priesterinnen in gleichem Amt neben sich. Aber sie leben und demonstrieren auch in traditioneller Gebundenheit eine grundsätzliche, befreite Offenheit in ihrem theologischen Denken und in ihrer kirchlichen Praxis, die solche menschlichen Unvollkommenheiten vergessen macht. Ihr kirchlicher Führungsstil setzt zugleich kämpferische und liebevolle Energien für die Befreiung der Unterdrückten aus sich heraus. Und wenn sie im Befreiungskampf der wirtschaftlich und politisch Entrechteten noch nicht voll wahrnehmen, daß es innerhalb der Klassen noch einmal eine besondere Unterdrückung der Frau gibt, dann mag das, aus der Entfernung betrachtet, eine weitere menschliche Unvollkommenheit sein. Sie wiegt dort leichter, weil die wirtschaftliche und politische Unterdrückung so übermächtig ist. Aus der lateinamerikanischen Perspektive würde jedenfalls kaum jemand, weder Frau noch Mann, die Behauptung mancher Feministinnen unterschreiben, daß die sexistische Unterdrückung die Wurzel allen Übels sei. Sie scheint vielmehr primär eine die Industriegesellschaft begleitende und alle Gesellschaftsschichten durchziehende Form der wirtschaftlichen Ausbeutung zu sein. Menschliche Unterdrückungskapazität ist wahrscheinlich zuerst in sekundären Organisationsformen und nicht in der Familie erfunden worden.

Einige lateinamerikanische Diözesen und sehr viele Basisgemeinden zeigen also ein Befreiungspotential innerhalb der Kirche, das potentiell auch die Unterdrückung der Frau aufheben kann und stellenweise tatsächlich aufhebt. Kommt eine so orientierte kirchliche Gemeinschaft nicht dem Idealbild nahe, das z. B. M. Daly u. a. von der »kosmischen Schwesternschaft« entwerfen? Integration in das sich entfaltende Sein, ohne negierende Widersprüche; echte menschliche Beziehungen; genuine gleichberechtigte Gemeinschaft zwischen allen Menschen; heilende prophetische Funktion der Kirche; aktiver gewaltloser Kampf für die Unterdrückten; Freude aneinander und in der gemeinsamen Meditation und Arbeit; gemeinschaftsfördernder Gottesdienst; ungehinderte Teilnahme und Mitwirkung am Sakrament; Kreativität, Phantasie, Humor als Grundgegebenheiten der Gemeinschaft; Freiheit von Angst, Vertrauen und Liebe zueinander: das sind Kennzeichen für die von Anfang an von biblischen Zeugen geforderte Gemeinschaft. In den Basisgemeinden Lateinamerikas sind sie real anzutreffen, genauso wie in der Jesusgefolgschaft und in den ersten urchristlichen Gemeinden. Kann man diese Tatsache einfach ignorieren unter dem dualistischen Motto: Weibliche Spiritualität ist lebensfördernd! Männliches Engagement produziert nur Tod!?

Das Gottesbild der feministischen Theologie nimmt in starkem Maße die biblischen Grundlinien von der Barmherzigkeit und Treue Jahwes auf. Dagegen werden Gottes Macht und Aggressivität, sein Strafen, Richten und Herrschen zu Recht hinterfragt und relativiert. Dasselbe geschieht in den Befreiungstheologien Lateinamerikas und Afrikas. Feministische Theologinnen drängen ebenfalls mit vollem Recht darauf, die »weiblichen« Dimensionen im Gottesbild neu zu entdecken. Sie verweisen etwa auf den 3. christlichen Glaubensartikel und die dahinterliegenden Traditionen vom Geist Gottes, der Kirche und des Volkes Gottes, die in der Antike immer als weibliche Wesen vorgestellt wurden (E. Moltmann-Wendel, Land, 106 f; E. Sorge). Auch das Personsein Gottes ist im Gespräch. Nicht nur nach buddhistischer Tradition sind durch die Aufspaltung der Welt in autonome Ich-Einheiten antagonistische Widersprüche begründet, die auf der höchsten Vollkommenheitsstufe ganz und gar überwunden sein müssen. Mit dem Wegfall der Personhaftigkeit Gottes würden automatisch auch alle Versuchungen, ihn/sie als geschlechtlich bestimmtes Wesen vorzustellen, dahinfallen. Jüdisch-christliche Theologie kennt eigentlich keine absolut und unveränderlich vorgegebenen und festgeschriebenen Gottesaussagen. Folglich sind alle Vorstellungen von Gott, auch die, welche aus der Erfahrung der Unterdrückten und aus der Erfahrung der unterdrückten Frauen kommen, in der Kirche diskutabel. Gottesvorstellungen können andererseits nicht das »Werk« eines oder einer Einzelnen sein. Sie unterliegen der gegenseitigen Kritik derer, die miteinander Gott suchen und auf Gottes Gegenwart antworten, und sie müssen sich der historischen Konfrontation mit den Glaubenszeugnissen der Vorväter und Vormütter im Glauben stellen (vgl. Hebr 11: schon diese patriarchale Liste der Glaubenszeugen enthält zwei Frauen). Außerordentlich wichtig, ja von äußerster Dringlichkeit wäre es, alle theologischen Erörterungen innerhalb der Kirche nur noch unter gleichberechtigter Beteiligung von sachkundigen und engagierten Frauen zu führen. Auf Fachkonventen, Dekanats- und Kreissynoden, in Kirchengemeinderäten und Presbyterien ist das heute oft schon möglich. Die Lehrstühle der hohen theologischen Schulen dagegen sind zu mehr als 90 Prozent noch von Männern besetzt. Theologinnen haben bisher nur minimale Chancen, vielleicht auch nur geringe Motivation, in diese theologische Hierarchie einzudringen. Dabei ist ihre Mitwirkung auch auf dieser Ebene so dringend erforderlich. Intensive Ausbildungsförderung und eventuell Quotierungsregelungen sind notwendig, um dieses Ziel zu erreichen.

Nun haben Frauen aber außer ihrer Unterdrückungserfahrung, die sie mit vielen minderprivilegierten Männern teilen, als ihr ureigenstes auch ihre biologische Existenz in Kirche und Theologie einzubringen. Sie ist und war dem Manne immer genauso fremd, wie umgekehrt die sexuelle Bestimmtheit des Mannes der Frau fremd bleiben muß. Jedes Geschlecht kann in der Regel vom anderen nur aus der Beobachtung und vom Miterleben sprechen, nicht aus eigenster Selbsterfahrung. Die Urteile übereinander müssen darum behutsam sein. Eines steht fest, bei wirklicher Gleichstellung der Geschlechter in Theorie und Praxis der Kirche müssen die biologischen Seinsweisen von Frau und Mann gleichgewichtig zur Geltung kommen. Menstruationszyklus, Empfängnis, Schwangerschaft, Geburt, Stillen des Kindes – auch bei sonst weitgehender funktionaler Gleichheit der Geschlechter im sozialen und kulturellen Kontext – sind spezifisch weibliche Daseinsweisen, wie umgekehrt der männliche Hormonhaushalt und das grundlegende männliche Sexualverhalten spezifisch maskuline Existenzbedingungen darstellen. Und so wahr männliche sexuelle Bestimmtheit bedeutungsvoll für Theologie und Kirche geworden sind, so sicher muß im Zuge einer echten Rehabilitierung der Frau in der Kirche die weibliche Sexualität in die Gottesvorstellung mit einfließen. Männliches Lamentieren, mit diesem Ansinnen würden entgegen dem ersten Gebot »andere Götter« eingeschleust oder die Ehre des einen Gottes verletzt, hilft überhaupt nichts. Es trifft nur auf das durchschlagende feministische Argument, de facto sei das Fremdgötter- und Bilderverbot der Bibel permanent von den Männern in sexistischer Weise übertreten worden. Es bleibt also nur die gleichberechtigte weibliche Verbotsübertretung neben der männlichen oder eine gründliche Überholung bzw. eine gänzlich neue Formulierung der Gotteslehre. Der letzteren Möglichkeit soll im nächsten Kapitel nachgegangen werden. Jetzt möchte ich nur noch einmal an einem Beispiel die Problematik der weiblichen Gottesattribute aufzeigen.

Die Bibel enthält am Anfang zwei Schöpfungsgeschichten (1 Mose 1–2). Beide sind aus der männlichen Perspektive entworfen. Im älteren Bericht ist Gott ein Handwerker, der den männlichen Menschen aus Erde formt, ihm das Leben einbläst und dann aus seinem Unterleib eine ihm entsprechende »Gehilfin« schafft (1 Mose 2,4 b–25). Gott ist homo faber, ein Schöpfer, der, wie der Mann, mit den Händen formt, die einzige materiale, kreative Arbeitsweise, die der Mann kennt. Entsprechend männlichem patriarchalem Selbstverständnis ist der Mann das erste menschliche Geschöpf, dann erst kommt die ihm nachgeordnete Frau. So entsprach es der damaligen Gesellschaftsstruktur und Mentalität. Der jüngere Bericht (1 Mose 1,1–2,4 a) redet von der Schöpfung durchs Wort (vgl. Ps 33,6–9). Akademisch gebildete und befehlsgewohnte Männer, in diesem Falle wohl Priester, sind zu solchen Vorstellungen fähig. Beide Schöpfungsberichte müssen die selbstbewußte Frau von heute, vielleicht auch manche über ihre eigene Gesellschaft hinausdenkende Frau der vorindustriellen Geschichte, beleidigen. Warum ist der elementarste lebengebende Vorgang aus dem Ei, aus dem Mutterschoß heraus, das Gebären also, im Urgeschehen nicht berücksichtigt? Kann er nicht als Analogie für göttliche Schöpfung dienen? Warum wird die Welt in der Bibel gleich zweimal auf verschiedene Weise, aber immer männlich gezeugt und nicht aus dem weiblichen Schoß geboren? Daß die Geburt der Welt und der Menschen aus einem Ur-Uterus auch eine in Israel verbreitete Vorstellung war, geht aus, allerdings geringfügigen, Andeutungen hervor. Ps 90,2 heißt es: »Bevor die Berge geboren wurden, bevor Erde und Weltkreis in Wehen lagen …« Und in Ps 139,15 ist auch die Geburt des (ersten?) Menschen in der Urmutter Erde vorausgesetzt: »… Da ich im Dunkeln gebildet wurde, kunstvoll gewirkt in der Tiefe der Erde« (vgl. auch die Vorstellung von einer Ur-Gebärmutter in Hi 38,8.29). Die mütterlichen Urvorstellungen waren mithin in Israel in der einen oder anderen mythologischen Form vorhanden, doch wurden sie überlagert und zurückgedrängt von der rein männlichen Erfahrung des Formens, Machens und Gebietens. In der alttestamentlichen Zeit der lebendigen Glaubensüberlieferungen muß diese männliche Ausprägung der Schöpfungsberichte nicht gravierend gewesen sein. Das gelebte Leben, die zahllosen mündlichen, jetzt verlorenen Traditionen und eventuell gar eigene weibliche Kultlegenden für den Bereich der religiösen Verantwortung der Frau bestimmten Glauben und Kultgeschehen. Nach der Verschriftung aber und durch die einsetzende Kanonisierung bekamen die biblischen Texte eine normierende Autorität. Jetzt verengte sich das Leben auf die in der Schrift festgehaltenen Richtlinien. Mündliche Überlieferungen von Frauen und die eigenverantwortliche kultische Praxis der Frau sind vor der Schriftwerdung der Bibel noch denkbar. Mit der Verschriftung jedoch dominieren die männlichen Texte, denn nur Männer sind am Entstehungsprozeß der biblischen Literatur beteiligt.

Dieser entscheidende Mangel der schriftlichen, theologischen Hinterlassenschaft des Volkes Israel und der urchristlichen Gemeinden wird nicht wettgemacht durch die gelegentliche Verwendung von weiblichen Gottesattributen wie »Erbarmen« (aus dem Wort für »Mutterschoß« entwickelt; vgl. Jer 31,20), »Geist« (1 Mose 1,2), »Mutter« (Jes 66,13; zum ganzen vgl. Ph. Trible, Rhetoric). Die sexuelle Metaphorik ist im Alten Testament zum Teil bereits so verallgemeinert oder in patriarchales Denken aufgesogen, daß sie nicht als repräsentativ für weibliche Theologie gelten kann. Zum Teil beweist sie nur, daß in der damaligen patriarchalen Gesellschaft feminine Religion problemlos in die maskuline Kultsprache integriert werden konnte. Weibliche Religiosität wurde nicht unterdrückt oder als gefährlich und verunreinigend ausgeschieden, sondern in männliche Glaubensvorstellungen hineingenommen. Wie aber vermutet (z. B. Kap. 5), existierten männliche und weibliche Religiosität in der Frühzeit ausgeglichen nebeneinander. Das profane Hohe Lied kann noch Zeuge sein für diese einstige Gleichgewichtigkeit der Geschlechter innerhalb von patriarchalen Ordnungen.

Nach der Eliminierung der weiblichen Kulte und nach dem gesellschaftlichen Umbruch in der Neuzeit muß der Mangel an weiblicher theologischer Substanz kompensiert werden. Es geht nicht an, daß einseitig auf männlichen Konzepten beruhende Gottesvorstellungen unsere Theologie beherrschen. Biblischer Glaube ist vorzugsweise Glaube der Entrechteten und Unterdrückten. Ihre Gotteserfahrungen und nicht die der mächtigen Eliten haben in erster Linie das Gottesbild geprägt. Das gilt von Mose und dem hebräischen Sklavenvolk an über die mit den Randgruppen sympathisierenden Propheten bis hin zu Jesus, der selbst aus der untersten Schicht kam. Die Schwachen und Armen haben mit ihren Hoffnungen das Bild des gerechten, mächtigen, vergeltenden und vor allem liebenden Gottes geschaffen. Sie sind mit ihrer Klage und ihrem Vertrauen in der biblischen Theologie aufgehoben. Jetzt, nachdem die Lage der Frauen bewußt geworden ist, müssen sie auch als eine spezifische Mehrheit »aus der Tiefe« in der Theologie Aufnahme finden.

10. Der befreiende Gott

Theologische Aussagen sind zu keiner Zeit einfach gewesen. Sie wollen ja Grund und Ziel des Seins, Ursprung und Sinn und Tod und Leben, andeuten. Darum müssen sie sich der Wahrheitsfrage intensiver stellen als andere menschliche Sprachgebilde. Theologische Sätze wollen den Glauben, das Grundvertrauen des Menschen, orientieren, ermöglichen, absichern. Darum entscheidet Wahrheit oder Falschheit einer Theologie mit darüber, ob wir das Leben erreichen oder verfehlen. Theologie mit ihren säkularen Töchtern Weltanschauung, Ideologie, Aberglaube, Esoterik ist für den Einzelnen und die Gemeinschaft überlebenswichtig. Eine falsche Theologie fördert die Todesbereitschaft, eine richtige Theologie unterstützt das Leben.

Für die biblischen Schriften aller Zeit und Epochen ist die richtige Gotteserkenntnis ein zentrales Problem. Wer ist und was will Gott von den Menschen? Die Möglichkeit, die wahren Intentionen und Dimensionen Gottes zu verfehlen oder zu mißachten, werden in der Bibel überraschend vielschichtig und deutlich im Geflecht der jeweils geltenden gesellschaftlichen und politischen Ordnung diskutiert. Es geht den biblischen Zeugen dabei darum, den wahren Gott zu erkennen und die falschen Götzen, das sind die nicht zuständigen, die nicht effektiven und die nicht lebensfördernden

Mächte, zu demaskieren. Der gemeinsame Nenner aller Götzenkritik nach außen und nach innen ist die Erkenntnis, daß Menschen sich gerne in Überschätzung ihrer eigenen Fähigkeiten der Gottheit bemächtigen und sie vor den Wagen der egoistischen oder partikularen Gruppeninteressen spannen wollen. Die biblischen Zeugen sehen die Beziehung des Menschen zur Gottheit weitgehend unter dem Stichwort der Macht. Was H. E. Richter als modernen Wahn der Selbstmächtigkeit und Autonomie schildert, was uns aus der heutigen Diskussion um das Überleben der Menschheit als Problem der Beherrschung von Atomenergie, Raumfahrt, Gentechnologie begegnet, ist schon im Alten Testament erkannt: Der Mensch greift, weil er Mensch ist, nach der höchsten Macht. Er will sein wie Gott (1 Mose 3,5; 11,6). Müssen wir nach unserer heutigen Kenntnis sagen, daß nur der Mann von diesem Allmachtswahn befallen worden ist? Die biblischen Zeugen belasten den Menschen beiderlei Geschlechts. Sofern der Mann überwiegend mit dem Außen- und Öffentlichkeitsdienst seiner Gruppe betraut war, fiel Machtabsicherung und Machterweiterung natürlich vor allem in seinen Verantwortungsbereich. Bei der Umkehrung der Geschlechterfunktion allerdings kam nach Meinung der biblischen Autoren die Frau sofort in eine ähnliche Versuchung. Die Beispiele der Königinnen Isebel (1 Kön 21) und Atalja (2 Kön 11) beweisen das zur Genüge. Geschichtliche Erfahrung und empirische Forschung in der Neuzeit bestätigen meines Erachtens, daß Aggression und Machthunger bei Männern und Frauen nicht der Art nach, sondern höchstens in Nuancierungen oder in der Stoßrichtung voneinander unterscheidbar sind (vgl. M. Mitscherlich; Kap. 8). Daß aber Männer als die Hauptverantwortlichen für das »Sein-wollen-wie-Gott« die primäre Verantwortung auf die Frau abwälzen wollten und wollen, das ist, schlicht gesagt, ein Zeichen von Feigheit und Gemeinheit (vgl. das Märchen »Der Fischer und sine Fru«). Das Rollenspiel der Geschlechter ist aber nur in 1 Mose 3 zur Erklärung des Bösen in der Welt mit herangezogen worden. Von dort aus hat die angebliche Drahtziehertat der Frau eine einseitige und überdimensionale Wirkung in der Theologiegeschichte bekommen. Die anderen »Sündenfallgeschichten« in 1 Mose 1–11 oder Ez 28,11–19 reden ganz anders vom Aufkommen des Bösen. In 1 Mose 4 ist es der Zwist unter den ersten Brüdern, der die Abgründigkeit der menschlichen Natur andeutet und das Verhängnis des Brudermordens in Gang setzt. Dann wieder sind die Gottwesen, welche sich mit Menschenfrauen paaren, die Hauptverantwortlichen für die Entstehung des Titanischen in der Geschichte (1 Mose 6,1–4).

Oder die städtische Lebensweise verführt die Menschen, ihre schon große Macht noch zu übersteigern und auch den Gotteshimmel einzunehmen (1 Mose 11,1–9). Die Geschichte der Eva und des Adam hätte nie isoliert ausgelegt werden dürfen. Mindestens die ihr zugeordneten »Sündenfälle« der mosaischen Urgeschichte hätten mit ihren anderen Akzentsetzungen als gleichberechtigte theologische Erkenntnisquellen im Blick auf das Böse und die Sünde dienen müssen. Vielleicht müßten wir heute um der Ausgewogenheit willen den modernen Mythos von der Verschwörung des Patriarchats gegen die weibliche Gotteserfahrung mit in die Reihe der Urerzählungen über die Entstehung des Bösen aufnehmen.

Der Drang zur absoluten Autonomie ist also nach den biblischen Zeugnissen ein Hauptgrund für die Verfehlung des wahren Gottes und die Verzerrungen des Gottesbildes. Israel hat in seiner langen Geschichte mehrere Schwerpunkte falschen Gottesdienstes schmerzvoll erkannt. Die Anbetung der Vegetationskräfte und ihrer göttlichen Repräsentanten barg die Gefahr in sich, den Gott der geschichtlichen Rettungen und der sozialen Gerechtigkeit zu vergessen (vgl. Hos 2; Jer 2). Wirtschaftliche Macht kann die Menschen so sehr benebeln, daß sie sich als unangreifbare Autokraten gebärden (vgl. Ez 27–28). Sie verachten dann den wahren Gott und leben rücksichtslos nur für den eigenen Gewinn (vgl. Ps 10; Lk 12,13–21). Aber das Geld darf im Glauben Israels nicht zur »Zuversicht«, d. h. zur letzten Lebensgrundlage, werden (vgl. Hi 31,24; Ps 49,7). Der »fette Gottlose« (Jer 5,26–28; Ps 73,4–12) ist das Gegenbild zum frommen Gerechten. Eine weitere Variante der Abgötterei ist das Vertrauen in politische und militärische Potenz. Gegen das aufkommende oder schon zerbrochene Königtum gilt der Satz: »Jahwe ist unser Herrscher« (vgl. Ri 8,23; Ps 8,2.10). Israel wartet auf Jahwes Hilfe (vgl. Jes 7,4; 30,15). »Verlaßt euch nicht auf Fürsten«, so ermahnt man sich im Gottesdienst (Ps 146,3), und so feiert man das Andenken des Erniedrigten, durch den sich Jahwe mächtig erwiesen hat (Jes 52,13–53,12; vgl. die Niedrigkeit Jesu und seiner Gefolgsleute sowie der ersten Christengemeinden: 1 Kor 1,26–28). Die politischen Machthaber stehen für biblische Zeugen meistens auf der Gegenseite, so der Pharao Ägyptens, die abtrünnigen Könige Israels und Judas, der Statthalter Roms und die einheimischen Vasallen des Kaisers. Und ein viertes Ausscheren aus der richtigen Gottesverehrung: die klerikale Autonomie. Priester und Propheten können wie Fürsten und Könige Falschgötter propagieren und das Volk irreführen (vgl. Hos 4,4–6; Mi 3,5–8; Jer 5,31; 27–28; Ez 13). Pharisäer und Sadduzäer, die geistlichen Elitegruppen, sind die erbitterten Gegner Jesu. Kurz, die biblische Botschaft denunziert radikal die jeweils bewußt werdenden Machtmißbräuche von Menschen, die sich autonom und gottgleich dünken und dementsprechend einen falschen Gottesdienst praktizieren.

Das Problem für uns ist folgendes. Der patriarchale Machtmißbrauch, die Überheblichkeit des Mannes gegenüber dem weiblichen Geschlecht, wird in der Bibel so gut wie nirgends thematisiert. Zwar heißt es, wie wir sahen, zur Frau gewandt und bedauernd schon in der älteren Schöpfungsgeschichte: »Er (der Mann) wird über dich herrschen« (1 Mose 3,16). Nach allem, was wir sonst an Herrschaftskritik im Alten Testament vorfinden, kann dieser Satz nur meinen: Die Vorrangstellung des Mannes vor der Gehilfin Frau ist kein Idealzustand und müßte eigentlich überwunden werden. Und die ebenfalls schon zitierte, etwas mysteriöse Stelle in Jer 31,22 könnte den Fluch über die Frau, ihre Abhängigkeit vom Mann, rückgängig machen wollen (vgl. F. Crüsemann, 94 ff). Ferner dürfen wir mit Fug und Recht auf die befreiende, die jüdischen Traditionen radikal in Frage stellenden Verhaltensweisen Jesu gegenüber den Frauen und auf frauenfreundliche Strukturen und Gottesdienstordnungen in den frühesten christlichen Gemeinden (und in manchen »häretischen« Gemeinschaften) hinweisen, ehe das »die Frau schweige in der Gemeinde« und das »sie werde selig durch Kindergebären« wieder Platz griff. Aber alles das trägt im Grunde nicht viel aus. Die Bibel enthält keine direkten Anweisungen zur Sklavenbefreiung. Ebensowenig sind in ihr deutliche Imperative zur Frauenemanzipation ausgesprochen. Warum ist das so? Es ließen sich mancherlei zeitgeschichtliche Gründe, angefangen von der chronischen patriarchalen Blindheit bis zur endzeitlichen Naherwartung der christlichen Gemeinde, nennen. Mir scheint ein wesentliches Moment darin zu liegen, daß gesamtgesellschaftlich und rollenübergreifend das Problem der Benachteiligung der Frau nicht empfunden worden ist. Frauen und Männer lebten und dachten in den Zimmern ihre spezifischen Aufgaben und im Gehäuse der gemeinsamen Familie. Auch Probleme haben ihre »Entdeckungszeit«, das merken wir in unserer heutigen Situation oft sehr dramatisch. Vorgänge und Einstellungen, die vor einigen Jahren noch als nicht bedenklich oder bedrohlich empfunden wurden, verwandeln sich manchmal in kürzester Frist zu schreckenerregenden Ungeheuern. Die geistigen Wurzeln für die heutige Debatte um die Frauenemanzipation sind in der Aufklärungszeit gelegt worden. Die äußeren Bedingungen für die Frauenbefreiung sind vollständig erst seit wenigen Jahrzehnten gegeben. Es gibt bis heute zahllose Frauen, die den Wendepunkt zum emanzipatorischen Bewußtsein noch gar nicht durchgemacht haben. Feministische Autorinnen schreiben erstaunt, ja erschüttert darüber, wie sie selbst den Schritt zu einem neuen Bewußtsein vollzogen haben (nachzulesen in vielen feministischen Büchern von Mary Daly bis zu Gerda Weiler). Darin zeigt sich aber doch sehr deutlich die Zeitgebundenheit und Zeitgemäßheit des feministischen Aufbruchs. Das bedeutet anders herum, daß Frauen und Männer der Bibel dieses moderne Bewußtsein noch nicht haben konnten. Die geschichtliche Erkenntnis der Verschiedenheit der Lebensverhältnisse damals und heute enthebt uns dem Zwang, die Bibel als unwichtig beiseite zu legen. Das wäre unklug, weil ihre Nachwirkungen, gerade auch die diskriminierenden Einflüsse, so stark sind. Wir haben andererseits die biblischen Zeugnisse auch nicht auf unsere heutige Gedankenwelt hin zu frisieren oder schönzufärben. Das wäre unklug, weil sich derartige Eintragungen über kurz oder lang als aufgepfropft und unverträglich erweisen würden. Nein, die Tatsache, daß die Bibel die Frauenemanzipation noch nicht thematisieren konnte, lädt uns zum Dialog mit unseren geistlichen Voreltern ein. Sie verhindert also nicht unsere Anfragen, auch nicht unsere kritischen Anfragen, an die biblischen Texte. Ausgehend von den heute gegebenen Problemen dürfen wir fragen: Wie sollen wir hier und jetzt im Blick auf die von der feministischen Theologie vorgetragenen Modelle und Kritiken entscheiden? Welche Aussagen können wir über die Gottheit machen, der wir heute gegenüberstehen? (Die Auskunft, es sei derselbe Gott Abrahams, Moses und Jesu Christi, hilft nicht weiter, weil wir immer nur mit zeitgebundenen Gottesbildern, nicht aber mit »Gott an sich« kommunikativ umgehen können).

Die Hauptschwierigkeit, den Dialog mit den Voreltern des Glaubens zu beginnen, liegt in der oben (Kap. 1–6) dargestellten, unausweichlichen Tatsache, daß das Alte Testament, und darüber hinaus die ganze christliche Bibel, uns nicht eine einheitliche, in sich stimmige Lehre von Gott bietet, sondern eine Vielzahl von zeit- und gesellschaftsbedingten Glaubensaussagen. Sie sind, jede für sich genommen, nicht auf unsere heutige Situation übertragbar. Wir müssen darum zunächst nach Kriterien für das Gottesverständnis, in unserem Falle der alttestamentlichen Zeugen, suchen, die epochenübergreifend sind und für unsere heutige Situation Bedeutung haben. Bewußt oder unbewußt verfährt jede Theologie, die sich auf antike Texte stützt, nach solchen ausgewählten Vorgaben. Im Auslegungsprozeß muß sich der Ausleger zwischen Text und eigener Situation hin und her bewegen. Wichtig dabei ist, daß die Vorgaben, die er mitbringt, das kritische Potential der biblisch-theologischen Erkenntnis nicht zudecken. Theologie darf nicht zur Zwangsjacke für Gott werden. Leider ist sie es nur allzu oft. Ein gewisser Schutz vor der Selbstmächtigkeit des Theologen bzw. der Theologin, sei es Gemeindeglied oder Pfarrer, Frau, Kind oder Mann, ist dann gegeben, wenn alle Argumente kritisch gegeneinander abgewogen werden und der Dialog nicht nur in der Studierstube mit den alten Texten, sondern in der Alltagswirklichkeit mit lebendigen Menschen geführt wird. Mir scheinen die vier folgenden Leitlinien typisch für die biblischen Gottesbilder. Gleichzeitig sind sie entscheidend wichtig für unsere Zeit.

1) Der biblische Gott ist ein menschlicher Gott. Die Menschenähnlichkeit des biblischen Gottes, Kehrseite der Gottesebenbildlichkeit des Menschen (1 Mose 1,26), ist nie unproblematisch gewesen. Daß Gott in der Abendbrise im Garten Eden spazierengeht (1 Mose 3,8), daß er mit einzelnen Menschen spricht, mit einem sogar »wie von Mann zu Mann« (2 Mose 33,11), daß er menschliche Emotionen wie Zorn, Reue, Mitleid zeigt und menschlich unberechenbar handelt, dies alles bringt unsere an philosophisch abstrakten Vorstellungen geschulten Begriffe in nicht geringe Turbulenzen. Dennoch: Es ist gut, daß die biblischen Traditionen bei allem Bemühen, Gottes Sein als weltüberlegen darzustellen, die starken antropomorphen Züge, die aus langen vorgeschichtlichen Epochen überkommen sind, nicht unterdrückt haben. Der Gott der Bibel ist dem Menschen zugewandt, darin liegt seine Menschenähnlichkeit begründet. Die letzte Seinsmacht ist kein undurchdringliches, blindes Schicksal, sie ist kommunikationsfähig. Sie schafft und erhält das Leben nicht nur des Menschen, sondern der ganzen Schöpfung. Heute müssen wir diesen Ausgangspunkt, der sich besonders in der weisheitlich geprägten biblischen Überlieferung findet, nachdrücklich hervorheben, weil unsere Welt durch den Menschen endgültig bedroht ist.

Die menschenfreundliche Gottheit der Bibel zeigt sich den Menschen in vielerlei Gestalt, sie trägt vielerlei Namen und wandelt sich mit den Veränderungen der menschlichen Lebensweise und Gesellschaftsstruktur. Im Mittelpunkt göttlicher Aufmerksamkeit, so sagen es die biblischen Zeugnisse immer wieder, steht zu allen Zeiten das Wohl und Wehe des einzelnen Menschen in seinem Lebenskreis, d. h. in seiner kleinen Lebensgemeinschaft. »Ich wohne sicher unter meinen Leuten«, sagt die Sunamitin zu Elisa. Sie braucht keine Fürsprache höheren Orts (2 Kön 4,13). Die Bilder vom ruhigen Leben unter eigenem Feigenbaum und Weinstock (vgl. Mi 4,4) oder vom friedlichen Zusammenleben der Brüder und ihrer Familien (Ps 133,1) drücken die religiöse Erwartung der Glaubenden aus. Die Gottheit kämpft für das gute menschliche

Zusammenleben, denn nur in der Gemeinschaft kann Leben verwirklicht werden. Konflikte mit Nachbarn, Feindgruppen und Eroberern nötigen zur Abwehr, zur Selbstverteidigung und führen dann leider auch zu Rachegelüsten und zum Vormachtstreben. Die Israeliten sind überwiegend Opfer der Völkerbewegung gewesen, die ihr Land überfluteten. Sie haben, wie alle Menschen, um ihr Überleben gekämpft und den eigenen Gott in diesen Kampf hineingezogen. Die immer stärker werdende Bedrängnis führte im Exil zu der Lehre von der einzigartigen Erwählung Israels und der entsprechenden Unterordnung aller Völker unter den einzigen Gott Jahwe. (Vorher hatten allerdings schon einmal in einer imperialistischen Ausdehnungsphase die Assyrer die Weltherrschaft für ihren Gott Assur beansprucht!) Weltherrschaft Gottes ist aber in der Bibel kein Selbstzweck. Sie soll das Leben der »Frommen« und »Gerechten« in der Glaubensgemeinschaft ermöglichen (vgl. die späten Psalmen, etwa Ps 19; 37; 49; 119). So bleiben auch die größten theologischen Entwürfe, die sich um die Vorstellung eines geschlossenen Volkes Israel herum aufbauen, auf das elementare menschliche Leben bezogen. Der israelitische Nationalismus des Alten Testaments dient, bei Licht besehen, dem Wohl der Sippen und Gemeinden. Gottesbilder von Herrschaft, Pracht, von der Überlegenheit über die Völker und die Endabrechnung am jüngsten Tag (vgl. Zeph 3,8; Matt 25) haben darin ihre Berechtigung, daß sie von Leidenden, Unterdrückten erträumt werden und die Herstellung menschenwürdiger Lebensverhältnisse zum Ziel haben (vgl. Jes 65,17–25). Die Ausgrenzung und Vernichtung von Völkern oder Gruppen (vgl. Jes 65,13–16) kann nur bedingten oder zeitweisen, nicht aber grundsätzlichen Charakter haben (vgl. Jes 19,16–25; 56,1–8).

Der biblische Gott unterscheidet also Freund und Feind: Das läßt sich im Überlebenskampf Israels ebensowenig vermeiden wie im gegenwärtig andauernden Todeskampf der »Dritten« und »Vierten« Welt. Dieser Gott sieht aber bei der Zumessung der lebensspendenden Gerechtigkeit nicht die Person an (vgl. Ps 58,2; 82,1–4; 2 Mose 23,1–9). Ob für arm oder reich, für Einheimische oder Fremde: Es gelten die gleichen Maßstäbe des Zusammenlebens. Paulus führt diesen Grundsatz in klassischer Weise näher aus. »Hier ist nicht Jude noch Grieche, hier ist nicht Sklave noch Freier, hier ist nicht Mann noch Frau« (Gal 3,28). Vor Gott sind die tiefsten völkischen und gesellschaftlichen Unterschiede belanglos. Der biblische Gott ist der Menschheit in ihren Gruppierungen zugewandt. Formen menschlicher Vergesellschaftung und die in ihnen zusammengeschlossenen Glieder empfangen von Gott

Stütze und Zurechtweisung. Der Schwerpunkt liegt traditionell und dem Wesen der Gottesbeziehung entsprechend auf der Kleingruppe. Die Gottheit steht Frauen und Männern grundsätzlich mit gleicher Erwartung und Hilfe gegenüber. Die Bibel kennt keine ausgeführte sexistische Theorie oder Theologie (vgl. Kap. 1–6). Ansätze zur Abwertung der Frau sind Irrwege einer grundsätzlich offenen selbstkritischen Theologie. Das beweist u. a. die Tatsache, daß Frauen in der biblischen Überlieferung Gottesbegegnungen gehabt haben und Gesprächspartnerinnen Gottes waren (1 Mose 16; Ri 13; 1 Sam 1–2; Lk 1; Mk 16). Die Verehrung von Göttinnen ist, so sagten wir, bis in die Königszeit zu vermuten. Jedenfalls haben Frauen vor dem Exil ihren berechtigten Anteil am israelitischen Kult gehabt.

2) Der biblische Gott ist transzendent und universal. Gott zeigte sich den alten Israeliten in seiner »Menschlichkeit«, und anders zeigte er sich ihnen nicht. In dieser Feststellung liegt aber gleichzeitig ein Hinweis auf jene Überlegenheit Gottes, die wir als Beweis der Vollkommenheit werten und deshalb so sehr ersehnen und die wir so unvollkommen erklären oder »dingfest« machen können. Eigentlich sollten wir über den absoluten Gott schweigen, so wie die Mystiker schweigend-beredt vom Göttlichen, dem einen Ur- und Endpunkt allen Seins, bewegt und durchdrungen waren. Wir können wirklich über den an-und-für-sich-seienden Gott nichts aussagen, als daß er/sie/es sich im Konkreten, in den Einzelzuwendungen zeigt. Aber wir sollen und müssen einige biblische Fluchtlinien aufzeigen, die von konkreten Einzelpunkten vieler Glaubenserfahrungen ausgehen, über sich hinausweisen und sich im Unendlichen treffen. So wie aus der Vielfalt der Arten aller Lebewesen ein geheimnisvoller Gesamtplan für alles Leben zu erahnen und bruchstückhaft zu erkennen und nachzuzeichnen ist, so wie in der unbelebten Natur die unendliche Mannigfaltigkeit der Erscheinungen auf eine Einheitlichkeit des stofflichen Seins hin transparent ist, so ist auch in den zeitbedingten, sich wandelnden Glaubensaussagen und Gottesvorstellungen der Bibel und wahrscheinlich darüber hinaus in den Glaubenszeugnissen anderer Religionen ein ferner, verborgener Vereinigungspunkt zu erahnen.

Die Linien, die von den einzelnen biblischen Texten und aus jedem erkennbaren Glaubensakt unserer jüdisch-christlichen Überlieferung heraus auf das Göttliche schlechthin zielen, geben uns den Halt, daß wir nicht im Gewirr von flüchtigen Einzeleindrücken untergehen, und den Mut, uns vor einer übersteigerten Nabelschau und einem verderblichen selbstgefälligen Absolutheitswahn in Theologie und Kirche zu hüten. Denn die Ahnung von der Vollkommenheit und Unerkennbarkeit des Göttlichen relativiert alle Gottesvorstellungen und gesellschaftlichen Verhältnisse in Geschichte und Gegenwart. Sie relativiert auch die patriarchale Theologie in allen ihren Spielarten, sie macht die theologisch-sexistischen Männerphantasien zu zeitbedingten Phänomenen wie andererseits auch alle feministischen theologischen Modelle und Gegenmodelle. Erst in dem Wissen um die Relativität aller unserer Versuche, Theologie zu treiben, können wir befreit denken, diskutieren, streiten und gemeinsam nach der Wahrheit für unsere Zeit suchen. Wir können den Stückwerkcharakter und die Kurzatmigkeit unserer eigenen Entwürfe eingestehen und brauchen bei aller Bereitschaft, ehrliche Positionen zu beziehen, niemanden in alle Ewigkeit hinein zu verdammen. Die Transzendenz und damit auch die Universalität der Gottheit sind notwendige Korrelate zu ihrer Menschlichkeit.

Das menschliche Bewußtsein ist geheimnisvollerweise auf Dauerndes und Überweltliches hin angelegt. Unsere Hoffnung klammert sich an das Feste, Beständige, und ähnlich ist es auch in Israel gewesen. Man hat in den alttestamentlichen Texten aus den verschiedenen gesellschaftlichen und kulturellen Situationen heraus und mit unterschiedlichem Vorstellungsinstrumentarium das überweltliche Sein der Gottheit wahrgenommen. Ich möchte das kurz an den Begriffen Leben, Heiligkeit, Macht und Dauer aufzeigen.

Jahwe ist die »Quelle des Lebens« (Ps 36,10; vgl. Jer 2,13; 17,13). Er hat das Leben erschaffen (1 Mose 2,19) und dem Menschen eigens die Atemseele eingehaucht (1 Mose 2,7). Er kann über alles Leben nach Belieben verfügen (vgl. Hos 6,2; 2 Kön 5,7; 5 Mose 32,39). Kein Wunder, daß er der »lebendige Gott« genannt wird (z.B. 1 Sam 17,26; Jer 10,10; 23,36; Ps 42,3; 84,3). Darin mögen Erinnerungen an ein kanaanäisch-mesopotamisches Fest zur Wiederauferstehung der verstorbenen Vegetationsgottheit nachklingen. Fest steht, daß der Gott der Bibel (auch im Neuen Testament) Besitzer und Geber des Lebens ist. Weiter: Die »Heiligkeit« einer Gottheit ist im Alten Orient eigentlich die Sphäre geballter Kraft und konzentrierten Lichtes, die das Göttliche umgibt, von ihm ausgeht und es mit dem menschlichen Leben sowohl verbindet wie von ihm fernhält. »Glanz«, »Helle«, »Strahlkraft«, »Glorienschein« und ähnliche Begriffe gehören in der Bibel zum Wortfeld der Heiligkeit (vgl. 1 Sam 6,20; Jes 6,3; Ps 63,2–4; 99,3; 104,1–2; 2 Mose 24,16 f). Das Volk Gottes und die ganze Erde nehmen an den Segnungen der Heiligkeit und des Glanzes teil, aber in vorsichtiger Dosierung (vgl. 2 Mose 19,5 f; 3 Mose 19,2; Ps 65,10–14). Direkte Berührung mit der göttlichen Sphäre muß dagegen sofort zum Tode führen (vgl. 2 Sam 6,6–7; 5 Mose 5,24–26). Noch in der frühen christlichen Gemeinde heißt es, Gott »wohnt in einem Licht, da niemand zukommen kann« (1 Tim 6,16). Wir können uns die Vorstellungen der antiken Menschen am besten verdeutlichen, wenn wir an uns bekannte Energiezentren wie die Sonne, maschinelle Brennkammern, hochaktives strahlendes Material, Sprengstoffe oder an hochkonzentrierte Medizin denken. Auch hier geht es um Ballungen, die in ihrer Konzentration tödlich, aber in vernünftiger Dosierung lebensspendend wirken. Ferner: Ähnliche Eigenschaften sind Jahwes »Kraft«, »Macht«, »Gewalt«, »Stärke« zuzuschreiben. Dieses Wortfeld stellt sozusagen die nach außen gewendete Heiligkeit Jahwes dar. Seine Macht wendet sich vor allem gegen die Feinde (vgl. Ps 29; 68,29; 74,13; 89,11; Jes 59,16 f). Die Existenz des Bösen in der Welt provoziert Jahwes Machtentfaltung. Jedoch wird das Böse in der Bibel nach Ursprung und Wesensart nie richtig definiert. Es wird auch nicht dualistisch abgespalten. Folglich kann es nicht mit dem Weiblichen oder einer anderen generischen Erscheinung gleichgesetzt werden. Das Böse ist in Chaos und Todesmächten ständig erfahrbar. Der Mensch ist ihm teilweise ausgeliefert (vgl. Ps 73; 74; 77; 78). Und schließlich: Das Reservoir der göttlichen Lebenskräfte wird nicht erschöpft, es ist in die Zukunft hinein aktiv vorhanden, denn Jahwe ist ein Gott auf »Dauer«. Ewigkeit wäre nicht der angemessene Ausdruck für das, was die theologischen Sätze mit dem Wort ʿōlām meinen (vgl. Jes 40,28; Ps 9,8; 66,7; 90,2; 92,8 f). Aber vom Menschen aus gesehen währt Gottes Leben unendlich lange. »Tausend Jahre sind vor dir wie der Tag, der gestern vergangen ist« (Ps 90,4). Die Zeitangabe mag uns angesichts von hinduistischen und buddhistischen Weltzeitvorstellungen oder von heutigen astronomischen Zeitbegriffen her gering erscheinen. Für den Altisraeliten aber hatten die Faktoren Eintausend und Zehntausend die Qualität des Unermeßlichen und Unmeßbaren. Eine über alles menschliche Maß hinausgehende Beständigkeit und Zuverlässigkeit wird also Jahwe beigemessen.

Die Wortfelder »Leben«, »Heiligkeit«, »Macht« und »Dauerhaftigkeit«, bezogen auf Israels Gott Jahwe, verraten ein dynamisches, auf Lebensförderung und Lebensschutz gerichtetes Gottesverständnis. Die Gottheit verwaltet gleichsam einen unendlichen Vorrat an guten Kräften, die sie im richtigen Maß der Erde und den Menschen zukommen läßt. Alle Begriffe sind von menschlichen Erfahrungen her entwickelt und beinhalten das unfaßbare Mehr des göttlichen Seins. Darin ist Jahwes Transzendenz begründet.

Daraus ergibt sich bei fortschreitender Monotheisierung auch die universale Bedeutung des göttlichen Lebens für die gesamte Menschheit. Ist hier im Ansatz bereits männliche Engführung gegeben, die manche feministischen Theologen und Theologinnen der alttestamentlichen Überlieferung pauschal vorwerfen (vgl. M. Daly; E. Sorge; G. Weiler)? Sind die theologischen Konzepte der Bibel bis in die unerforschliche Existenz Gottes hinein von einseitig maskulinen Vorstellungen her verfälscht?

Aus den vier ausgewählten Vorstellungsbereichen kämen m. E. nur der Machtkomplex, vielleicht noch die Heiligkeitsvorstellungen als typisch männliche Bildsprache in Frage. »Leben« und »Dauerhaftigkeit« haben allgemein menschliche Bedeutung, wenn auch die fehlenden weiblichen Metaphern bei Schöpfung und Lebensfürsorge mit Recht bemängelt werden. Die Zuwendung zu den Menschen ist dann (s. u. Nr. 3) noch mehr in »weiblichen« Verhaltensmustern und Kategorien geschildert. Mir scheint, man dürfte mit gutem Gewissen sagen: Das Gottesbild der Bibel ist zwar von Männern artikuliert und deshalb ergänzungsbedürftig. Aber es ist nicht absichtlich maskulin gestaltet, es ist nicht bewußt sexistisch diskriminierend angelegt. Es beschreibt vielmehr die weltüberlegene transzendente Gottheit für beide Geschlechter und für die gesamte Menschengemeinschaft. Weibliche und außerisraelitische Gotteserfahrungen sind mit in die Theologie des Alten Testaments eingegangen.

In diesem Zusammenhang muß auch noch einmal die bekannte Zurückhaltung der biblischen Theologen beachtet werden, Gott mit irgendwelchen menschlichen Zugeständnissen zu vergleichen oder gar zu identifizieren (5 Mose 4,15–18; 5,8–10). Die alttestamentlichen Zeugen sprechen mit Betroffenheit, Freude, Schaudern oder Furcht von der Weltüberlegenheit Gottes, aber sie versuchen kaum je, weiter gedanklich in sie einzudringen. Sie versagen es sich im Bewußtsein der eigenen Begrenztheit, menschliche Differenzierungen, besonders auch die sexuelle Unterschiedlichkeit, in die Gottheit hineinzuprojizieren. Das spricht nicht für eine reflektierte und absolute patriarchale Einstellung. Als Mose vom Berg herunterkommt, bringt er etwas von dem Glanz der himmlischen Welt mit, der Furcht verbreitet (2 Mose 34,29 f). Die Fremdheit des transzendenten Gottes wird sichtbar und die Ratlosigkeit derer, die dem überirdischen Schein ausgesetzt sind. Die israelitischen Erzähler begegnen dem Problem aber nicht nur mit Bestürzung und Furcht. Sie sind sogar fähig, die menschliche Kleinheit gegenüber dem übermächtigen Gott humorvoll abzuhandeln:

Mose sprach: Laß mich deine Herrlichkeit sehen! Und er

(Jahwe) sprach: Ich will vor deinem Angesicht all meine Güte vorübergehen lassen und will vor dir kundtun den Namen des Herren: Wem ich gnädig bin, dem bin ich gnädig, und wessen ich mich erbarme, dessen erbarme ich mich. Und er sprach weiter: Mein Angesicht kannst du nicht sehen; denn kein Mensch wird leben, der mich sieht. Und der Herr sprach weiter: Siehe, es ist ein Raum bei mir, da sollst du auf dem Fels stehen. Wenn dann meine Herrlichkeit vorübergeht, will ich dich in die Felskluft stellen und meine Hand über dir halten, bis ich vorübergegangen bin. Dann will ich meine Hand von dir tun, und du darfst hinter mir hersehen; aber mein Angesicht kann man nicht sehen (2 Mose 33,18–23).

Abgesehen von textlichen Ungereimtheiten und schwierigen literarischen Kompositionsfragen ist die Komik unübersehbar: Gott steht neben Mose, verdeckt ihm mit der Hand die Augen und läßt ihn das große »Nachsehen« haben. Selbst der Größte der israelitisch-jüdischen Glaubensgeschichte, Mose, wird augenzwinkernd als ahnungsloser Schuljunge dargestellt. Zwar gibt es andere, vielleicht ältere Stellen, die unbefangener vom Schauen Gottes reden (2 Mose 24,9–11; Ps 17,15). Aber die Weiterverarbeitung der Sinaibegegnung des Mose in der Eliageschichte läßt weitere theologische Arbeit erkennen.

Der Herr sprach: Geh heraus und tritt auf den Berg vor den Herrn! Und siehe, der Herr wird vorübergehen. Und ein großer, starker Wind, der die Berge zerriß und die Felsen zerbrach, kam vor dem Herrn her; der Herr aber war nicht im Winde. Nach dem Wind aber kam ein Erdbeben; aber der Herr war nicht im Erdbeben. Und nach dem Erdbeben kam ein Feuer; aber der Herr war nicht im Feuer. Und nach dem Feuer kam ein stilles sanftes Sausen. Als das Elia hörte, verhüllte er sein Antlitz mit seinem Mantel und ging hinaus und trat in den Eingang der Höhle (1 Kön 19,11–13).

Der Erzähler macht sich Gedanken, wo und wie Jahwe ist. Er kritisiert die herkömmlichen Machterweise der Gotteserscheinungen, auch die von 2 Mose 19! Jahwe ist nicht in Sturm, Erdbeben oder Feuer. Aber aus einem vergleichsweise unbedeutenden Ereignis heraus spricht er und stellt den Propheten zur Rede. Gott setzt die Unfaßbarkeit seiner Existenz um in die kleine Münze alltäglicher Erfahrungen.

3) Der biblische Gott ist Liebe; er ist bei den Leidenden. Christliche Reflexion über Gottesvorstellungen kann nicht von der eigenen Glaubensvoraussetzung, Jesus Christus und dem Neuen Testament, abstrahieren. Was bedeutet es für unser Gottesver-

ständnis, wenn wir uns Christen nennen? Welche Inhalte und Kriterien sind uns mit dem Leben, Reden, Sterben und Auferstehen Jesu gegeben und welches sind die Perspektiven der christlichen Gemeinde?

Gott ist nicht erst in Jesus Mensch geworden. Er war durch alle Wandlungen der Glaubensgeschichte Israels hindurch der menschliche Gott. Aber in der konkreten Gestalt des Jesus von Nazareth hat sich die Zuwendung Gottes unter den Bedingungen des römischen Imperiums und der hellenistisch-römischen Kultur in Palästina ganz neu konkretisiert. Für Christinnen und Christen ist das ein besonderes Datum. Gottes Wirken setzt, wie auch schon im Alten Testament, bei der Heilsverkündigung für und mit der Rettung der Unterdrückten ein. Jesus kommt als Angehöriger der Unterschicht zur Welt. Er wendet sich in seiner ganzen Tätigkeit vorzugsweise an die Ausgestoßenen, Kranken, Verlorenen. Von daher gewinnt das frühe Christentum seinen zwar oft verratenen, aber unverlierbaren Charakter einer Religion für Minderprivilegierte, wie F. Nietzsche voller Ärger festgestellt hat. In Jesus zeigt sich Gott noch einmal als ein »Gott der kleinen Leute«.

Dem geistigen und religiösen Klima der Zeit entsprechend kleidet sich das Evangelium für die Armen in apokalyptische Gewänder und Erwartungen. Die Erwartungen des Reiches Gottes, das endgültige Gerechtigkeit für das zerschundene Volk Israel bringen würde, hatte sich nach dem babylonischen Exil – vielleicht oder wahrscheinlich auch unter dem Einfluß dualistischer iranischer Vorstellungen vom Ablauf der Äonen und der bevorstehenden Entscheidungsschlacht zwischen Gut und Böse – immer weiter aufgebaut und erreichte zur Zeit Jesu und danach fiebrige Höhen. Neu ist der ungestüme Glaube, mit dem man den Umbruch der Weltzeiten zu erkennen meint und zu feiern beginnt. Das Eigentliche und Wesentliche soll nicht mehr im Hintergrund und in der Ferne, nicht mehr in einer zu respektierenden Tabuzone bleiben, in der Menschen von Natur aus nichts zu suchen haben. Gott wird sich in Kürze in seiner ganzen Wahrheit und Gerechtigkeit, Liebe und Lebensfreundlichkeit durchsetzen. Apokalyptik bedeutet Enthüllung. Wir werden sehen »von Angesicht zu Angesicht«, meint Paulus (1 Kor 13,12). Die bedrückenden Zustände dieser Welt sind irreparabel, sie müssen überwunden, radikal und endgültig erneuert werden. Das »Seufzen der Kreatur« (Röm 8,19) ist nicht mehr zu überhören. Auch sie soll frei werden »von der Knechtschaft des vergänglichen Wesens zu der herrlichen Freiheit der Kinder Gottes« (V. 21). »Solange wir in dieser Hütte sind, seufzen wir und sind beschwert, weil wir lieber wollen nicht *ent*kleidet, sondern *über*kleidet werden, auf daß das Sterbliche würde verschlungen von dem Leben« (2 Kor 5,4). Die ersten Christen suchen und erwarten die baldige Transformation in die Unsterblichkeit. Dann erfüllen sich alle alttestamentlichen Verheißungen:

… Bis auf den heutigen Tag bleibt diese Decke unaufgedeckt über dem Alten Testament, wenn sie es lesen, weil sie nur in Christus abgetan wird. Doch bis auf den heutigen Tag, wenn Mose gelesen wird, hängt die Decke vor ihrem Herzen. Wenn Israel aber sich bekehrt zu dem Herrn, so wird die Decke abgetan. Der Herr ist der Geist; wo aber der Geist des Herrn ist, da ist Freiheit. Nun aber spiegelt sich bei uns allen die Herrlichkeit des Herrn in unserem aufgedeckten Angesicht, und wir werden verklärt in sein Bild von einer Herrlichkeit zur andern von dem Herrn, der der Geist ist (2 Kor 3,14–18).

Diese Endzeiterwartung bildet im Jahrhundert des Jesus von Nazareth den Hintergrund, vor dem Gottes Liebe zu den Menschen sich erfüllt. Angelegt ist die Liebe Gottes tief im Glauben des alten Israel. Jahwe und andere Gottheiten vor und neben ihm haben sich immer um die Bedrängten, seien es Männer, Frauen, Kinder, Sklaven, Fremde, gekümmert. Der Gott Israels, so die Überlieferung, begleitet das aus dem Paradies vertriebene Paar (1 Mose 3,21). Er bleibt dem Brudermörder zur Seite (1 Mose 4,15). Er sorgt für das Überleben einiger Menschen zur Zeit der großen Flut (1 Mose 6,8; 7,1–8). Er erscheint der in der Wüste verirrten Hagar (1 Mose 16,7–11). Er begleitet die Erzväter Abraham, Isaak und Jakob. Er führt Josef durch schwere Versuchungen zu dem Gipfel der Macht (1 Mose 37–50). Die Beispiele lassen sich vermehren: Durch die ganze erzählte Geschichte Israels hindurch hört Jahwe »das Geschrei der Elenden« (vgl. 2 Mose 2,24; 3,7; 6,5; 22,22.26; 5 Mose 26,7; Ri 2,18; 1 Kön 8,28 f; 2 Kön 22,19; Ps 12,6) und solidarisiert sich mit ihrem Schicksal. Derselbe Befund ist in den gesetzlichen Partien und den prophetischen und gottesdienstlichen Büchern des Alten Testaments zu erheben. Nur die Weisheitsschriften scheinen gelegentlich resignatives Verhalten zu empfehlen (Spr 29,13; Pred 4,1–2). Gott ist in den biblischen Zeugnissen meistens auf der Seite der Armen zu finden. Das dürfte das theologische Resultat der jahrhundertelangen Leidenserfahrungen Israels auf allen sozialen Ebenen sein.

Der Inhalt der theologischen Konzeptionen von göttlicher Liebe und Solidarität ist – wie könnte es anders sein – Abglanz menschlicher Erfahrungen, vor allem im Kleingruppenverband von Familie, Sippe und Ortsgemeinde. Die hebräischen Ausdrücke schließen gegenseitige Verpflichtung, Opferbereitschaft, Gerechtigkeitssinn, Menschenwürde, kollektives und individuelles Ansehen mit ein. Wir können sagen, die wesentliche Wurzel der biblischen Bezeugung der Liebe Gottes ist von Anfang an der Glaube der Kleingruppe gewesen. Dieser elementare Glaube ist aber, wie wir sahen, ganz tief von weiblicher Religiosität mitgeformt. Frauen waren kraft ihrer häuslichen Verantwortung im Innenraum der Lebensgemeinschaft entscheidend wichtig und tonangebend. Wenn historisch von spezifisch weiblichen Beiträgen zum Gottesverständnis geredet werden soll, dann an dieser Stelle. Die Hausgöttinnen der Fruchtbarkeit und des Segens sind vermutlich auch Hüterinnen der innerfamiliären Gemeinschaft, Solidarität und Liebe gewesen. Daß die gegenüber den leitenden Männern schwächeren Glieder der Gemeinschaft (Kranke, Alte, Kinder, Sklaven, Frauen) andererseits nicht selten zu Opfern werden konnten (vgl. Ps 71), gehört zu den strukturellen Ungerechtigkeiten, die im zeitgenössischen Kontext oft nicht bewußt werden. Sie stehen für uns im Augenblick auf einem anderen Blatt.

Es mag befremden, daß der ordnende und strafende Gott hier keine besondere Erwähnung findet. Ganz gewiß ist er in den biblischen Schriften massiv vertreten. Zum Teil ist Zucht, Züchtigung, Eifersucht, Strafe sogar in die Solidarität Gottes mit seinem Volk integriert. Soweit das im Einzelfall möglich und notwendig ist, würde ich auch die Berechtigung eines theologischen Ordnungsdenkens anerkennen. Aber heutzutage sind alle geltenden Systeme hierarchischer, imperialistischer, wirtschaftlicher, kultureller, völkischer und patriarchaler Art so gründlich überholt, daß christliche Theologie sie nicht mehr als vorgegebenen Ausgangspunkt akzeptieren kann. Die im Widerspruch zu traditionellen Theologien denkenden Theologinnen und Theologen gehen darum mit Recht von der dynamischen, umgestaltenden Liebe Gottes aus.

4) Der biblische Gott ist ein befreiender Gott. Es genügt nicht, göttliches Mitleiden mit den Schwachen als einzigen theologischen Grundsatz für unser Gottesverständnis festzuhalten. In unserer hypnotisch auf Absicherung bestehender Herrschaftsverhältnisse fixierten Gesellschaft muß mit allem Nachdruck betont werden: Der biblische Gott forderte zu seiner Zeit mehr als einmal die Beseitigung von Unrechtsverhältnissen. Natürlich trat er auch hier und da (vgl. 2 Sam 7; Ps 2) für die Bewahrung bestehender Herrschaftssysteme ein oder er wurde um die Wiedererrichtung solcher imperialen Ordnungen angegangen (vgl. Ps 89). Natürlich gibt es neben den politischen Ordnungsvorstellungen im Alten Testament auch schon die rein geistliche Variante einer Welt, die in Sünde und Unreinheit versinkt und nur durch tägliche

priesterliche Opferrituale erhalten werden kann (vgl. 3 Mose 9; 4 Mose 28,1–8. Sie werden allerdings schon damals zum Teil heftig angegriffen und in Frage gestellt: vgl. Am 5,21–24; Ps 50 u. ö). Aber aus unserer heutigen Situation heraus müssen wir m. E. angesichts des erdrückenden Übergewichtes von Unrecht und Gewalt, Menschenverachtung und Gotteslästerung in unserer Welt auf die befreienden, radikal umgestaltenden Traditionen der Bibel zurückgreifen und sie auf uns anwenden.

Die »befreienden« Traditionen der Bibel sind in der »Dritten« Welt, vor allem in Lateinamerika, wiederentdeckt worden. Der Exodus der versklavten Hebräer (2 Mose 1–15) ist das große Paradigma aus der Anfangszeit Israels. Die Rettergeschichten der vorstaatlichen Zeit (z. B. Ri 4–5; 7; 11; 13–16; 1 Sam 11; 13) gehören in dieselbe Kategorie. Jahwe befreit sein Volk durch seine geistbegabten Anführer. Frauen spielen gerade in diesen Urereignissen, die die Identität Israels begründen, eine entscheidende Rolle. Das Ende der babylonischen Vorherrschaft wird genauso als Befreiung gefeiert (vgl. Jes 43,14–21; 48,20 f; 51,11; 52,4–6). In den gottesdienstlichen, liturgischen Texten, den Psalmen, klingen die Befreiungen des Volks mächtig nach (vgl. summarisch Ps 66,12: »Wir sind in Feuer und Wasser geraten, aber du hast uns herausgeführt ...«; Ps 68; 105; 136). Hinzu kommt als urtümlicheres Zeugnis der Dank derer, die aus Bedrängnissen des Alltags, wie Krankheit, Hunger, falsche Anklage, Schuldverstrickung, Achtung durch Mitmenschen, entkommen sind. Ihre persönliche Gottheit hat sie in einen »weiten, freien Raum gebracht« (Ps 31,9), dem Höllenrachen oder dem Unterweltsgrab entrissen (vgl. Ps 30,2.4; 40,3; 116,8). Ganz erstaunlich ist das Engagement der Gesetzgeber im Alten Testament für die Sache der Elenden. Die eigentlichen Rechtssätze sehen, wie in den vergleichbaren altorientalischen Gesetzessammlungen, einen gewissen Schutz für minderprivilegierte Personen vor. Die ermahnenden, erklärenden, wohl aus der gottesdienstlichen Praxis stammenden Zusätze dagegen reden vom aktiven Eingreifen Gottes für die Schwachen (vgl. 2 Mose 22,20–23; 5 Mose 15; 3 Mose 25). Am Beispiel der Schuldsklaven, Witwen und Waisen, der Körperbehinderten und der ausländischen Mitbürger (vgl. zusätzlich noch Jer 34; Neh 5; 3 Mose 19,9 f.14 f.33 f) wird das Problem der Randgruppen immer wieder aufgegriffen. Die Theologen der Zeit kämpfen aktiv für die strukturelle Beseitigung der Ungleichheit, weil sie wissen, daß ein Gott da ist, der alle Familien als ebenbürtig anerkennt und Klassenunterschiede nicht zuläßt. Sie stoßen dabei fast bis zu gesellschaftlichen Theoriebildungen vor: »Es dürften eigentlich keine Armen unter euch sein«

(5 Mose 15,4). Es soll »keiner über den andern herrschen mit Härte« (3 Mose 25,46). Der hier zu Tage kommende Gleichheitsgrundsatz ist jedesmal durch die Theologie, das Gottesbild, begründet. Jahwe bzw. eine vorjahwistische Gottheit gebietet Solidarität mit dem Nächsten und aktives Eingreifen zu seinen Gunsten. Die Gottheit ist mit den bestehenden Ordnungen, den geübten mitmenschlichen Beziehungen und gar mit dem Normensystem nicht zufrieden. Sie gebietet Veränderung, Überwindung entmenschlichender Systeme, Befreiung aus Herrschaftszwängen. Diese Tendenz färbt sogar gelegentlich auf die eher konservative Weisheit ab: »Befreie, die man zu Tode schleppt« (Spr 24,11). Und sie beflügelt, wie allgemein bekannt ist, die prophetischen Stimmen in der ganzen Bibel. Von Amos und Hosea über Jesaja, Micha, Jeremia bis hin zu nachexilischen, prophetischen Predigern (vgl. Jes 56; 58; Sach 7) finden sich zahlreiche Angriffe gegen etablierte Ausbeutungsmechanismen, gegen räuberische Eliten und seien es Kleriker, und für die Elenden des Volkes Israel und der ganzen Erde. »Befreiung« ist darum zu Recht als ein Zentralthema der Bibel wiedererkannt worden (vgl. Jes 61,1–3 und Lk 4,16–19). Für die »Verdammten dieser Erde« (F. Fanon) ist sie tatsächlich der Mittelpunkt christlicher Theologie. Für die reichen Industrieländer der Nordhalbkugel müßte sie das mit umgekehrten Vorzeichen werden, wenn die Erde nicht an ihrem Größenwahn zugrunde gehen soll (vgl. A. Tevoedjre).

Noch einmal werden Kontrollfragen unausweichlich. Bin ich mit den vier genannten biblischen Kriterien für ein Gottesverständnis heute auf einem patriarchalen Gleis geblieben? Lassen sich theologische Ansätze der biblischen Zeugen überhaupt in unsere Zeit hinein verlängern? Vor allem: Ist Gott/Göttin heute Befreier/Befreierin auch in den andersartigen Gesellschaftsstrukturen unserer Zeit, d. h. zum Beispiel der weltwirtschaftlich Ausgebeuteten, der bedrohten ethnischen und religiösen Minderheiten und ganz besonders der Frauen? Ich für meinen Teil möchte diese Fragen entschieden zugunsten des biblischen (alttestamentlichen) Gottesverständnisses beantworten. Das uns in der jüdisch-christlichen Überlieferung vorgegebene, in unserer Kultur und unserem Glauben fortwirkende Gottesbild hat nicht ausgedient. Wesentliche Voraussetzungen für die Kontinuität biblischer Theologie ist allerdings – wie schon zu biblischen Zeiten – eine gründliche Kenntnisnahme der aktuellen Wirklichkeit in Kirche und Theologie. Ohne Zeitanalyse und Zeitkritik ist biblische Theologie damals wie heute unmöglich. Dazu gehört auch die sorgfältige Beachtung, Erörterung und Aufnahme der feministischen Gotteskritik. Ein solches Unterfangen, in Für und Wider ausgeführt, würde leicht weitere Bücher füllen. Ich beschränke mich zum Abschluß auf eine Reihe von zusammenfassenden Thesen und Fragen, welche die Schwierigkeiten einer heutigen Theologie stärker einbeziehen sollen.

(1) Wir sind Menschen, die auf die Wende zum 3. Jahrtausend n. Chr. hinleben. Das bedeutet: Wir erfahren die Welt in der jetzigen soziopolitischen Verfassung und werden von ihr geprägt. Wir deuten sie mit den heute üblichen empirischen und geistigen Mitteln, Denkmodellen, die seit der Aufklärungszeit und unter dem Einfluß der Naturwissenschaften entwickelt wurden. Die neuzeitliche Geschichte hat die Menschheit in immer schnellerem Tempo zusammenwachsen lassen. Eine wichtige Konsequenz daraus ist: Unsere Theologie darf im Ziel nur global oder universal sein, d. h., sie muß das Geschick der ganzen Erde und der ganzen Menschheit im Blick haben. Wir wissen aber nur zu gut, daß jede einzelne Theologin und jeder einzelne Theologe genau wie jede Gemeinde und jede Kirchengemeinschaft nur jeweils eine beschränkte Perspektive auf das Ganze haben können. Regionale, kulturelle, klassenspezifische und viele andere Begrenztheiten, darunter auch die durch das Geschlecht vorgegebene Beschränktheit, behindern ernsthaft unsere Universalität. Globale Theologie von begrenzten, durchaus nicht universalen Menschen: Liegt darin nicht eine große Chance zur Selbstbescheidung und zur Verständigung mit anderen?

(2) Theologie hat es immer mit dem Grund und dem Sinn der ganzen Welt, mit allen ihren Geschöpfen und Gegebenheiten, Verhältnissen und Beziehungen zu tun. Theologie ist besonders auf das Leben schlechthin bezogen, ohne die unbelebte Natur, Grundlage jedes Lebens, auszuklammern. Christliche Theologie orientiert sich vor allem an der durch Jesus von Nazareth überkommenen, gelebten und neu begründeten Tradition. Sie stellt die eine Gottheit, die Liebe, Gerechtigkeit und Hoffnung ist, in den Mittelpunkt ihres Denkens und den Menschen ohne Ansehen von Geschlecht, Rasse, Konfession neben die Gottheit. Christlicher Glaube hat überwiegend an der Einheit der Welt festgehalten und hat immer wieder um des Mitmenschen willen jeder dualistischen Zerspaltung der Welt in einander ausschließende Prinzipien widersprochen (aber es gibt und gab innerhalb und außerhalb der »offiziellen« Religion dualistische Glaubensmodelle). Dennoch haben Christen aktiv und passiv gegen das Böse Stellung bezogen, ebenfalls um des Nächsten willen. Leiden, Kreuz und Tod sind im Hauptstrom christlicher Überlieferung als gegengöttliche Mächte

bekämpft und gleichzeitig im universalen Ratschluß der Gottheit aufgehoben worden. Werden feministische Theologie und weibliche Erfahrung neue Dimensionen der Einheit der Welt erschließen? Oder laufen manche Emanzipations- und Befreiungsmodelle auf neue (alte) Seinsdualismen hinaus? Kann es von einer Theorie der völlig autonomen Einzelwesen her überhaupt irgendwelche Gemeinsamkeiten geben?

(3) Das jahrtausendealte Herrschafts-, Vormachts- und Konkurrenzdenken unter den Menschen gefährdet heute das Überleben des Planeten Erde. Viele Millionen von Lebewesen gehen daran jährlich zugrunde, Menschen eingeschlossen. Christlicher Glaube und das christliche Gottesbild dürfen nicht mehr zur Legitimation von Herrschaft und Ausbeutung mißbraucht werden. Die Gleichheitsgrundsätze der Bibel und die Menschenrechtserklärungen der Moderne sind für die christliche Theologie verbindlich. Wir werden ferner nach Kräften versuchen müssen, die Ursachen des Allmachtswahns unter den Menschen zu erkennen. Historisch gesehen geht Dominanzverhalten sicherlich mehr zu Lasten der Männer, die seit Jahrtausenden den Außendienst der Gruppe versahen und dabei lernten, durch Aggressivität Gefahren vorzubeugen und durch Machtausübung eigene Positionen zu konsolidieren. Doch sind auch Frauen für die Verlockungen der Herrschaft über andere nicht immun. Wie können wir gemeinsam von ganz unten her bis zu den Spitzen der Weltmächte Herrschaftsgelüste abbauen oder in Dienstbereitschaft verwandeln?

(4) Jedes Wesen braucht einen ihm gemäßen Zugang zur Gottheit. Manche biblischen Stellen und die mittelalterlichen Altarbildmaler schließen die Tiere ausdrücklich in diese Forderung ein. Muß jeder Mensch, jede Gemeinde, jede Klasse, Rasse und jedes Geschlecht darum einen eigenen Gott entwerfen? Oder einen speziellen Schutzpatron haben? Kann der/die Eine allen Alles werden? Elitäre, klerikale, sexistische oder sonstige Barrieren zwischen Mensch und Gottheit sind jedenfalls auszuschließen. Jeder Mensch ist gottunmittelbar, und keinem darf aus irgendwelchem Rollenklischeedenken die religiöse Selbstverwirklichung versagt werden. Das gilt auch im Rahmen der jeweiligen Religionsgemeinschaften für den Zugang zu den geistlichen Ämtern. Unsere egalitären Grundsätze schließen Diskriminierungen genauso aus, wie die Grundströmung der biblischen Überlieferungen es tut. Müssen wir aber nicht trotzdem an der Einheit Gottes festhalten? Muß das Gottesbild nicht variabel sein? Wie regionale Eigenheiten in der Theologie sichtbare Realität sind, so können auch individuelle, gemeindliche, ständische, klassenmäßige Differenzen in der Rede

von der Gottheit auftauchen. Auch diese verschiedenen Gottesbilder müßten auf das globale Ganze bezogen und dafür transparent sein. Individuelle Theologien bedürfen darum des austauschenden Gespräches. Sie können keinen isolierten Wahrheitsanspruch erheben. Nur im Dialog untereinander findet der richtige Glaubensprozeß, die wahre Gotteserkenntnis statt. Weibliche Gottheiten neben männlichen, proletarische zwischen kapitalistischen, schwarze neben weißen würden die Klassen- und Rassenstrukturen unserer Welt nur in das Absolute hinein verlängern.

(5) »Gott ist Liebe; und wer in der Liebe bleibt, der bleibt in Gott und Gott in ihm« (1 Joh 4,16). Wie verhält sich die göttliche Liebe zur Ausübung und Anwendung von Macht und Gewalt? Was trennt oder verbindet Liebe als Grundkraft unserer Welt mit der erotischen Liebe? Zum ersten, Liebe lehrt kämpfen, auch mit der Waffe in der Hand: So argumentierten die Prüfungskommissionen für Wehrdienstverweigerer in der Bundesrepublik. So argumentieren aber auch manche Gruppe von Basischristen und -christinnen in Lateinamerika. Militante Liebe ist das Stichwort. Muß es militante Liebe neben der sich hingebenden oder der allumfassenden, alles harmonisch in sich aufnehmenden Liebe geben? So wahr Konflikte und Gegensätze nicht aussterben, wird es auch militante Liebe geben müssen. Aber sie muß Liebe bleiben. Gewaltanwendung darf nur im Rahmen einer übergeordneten Solidarität geschehen. In aller Regel beschränkt sich militante Liebe auf nicht verletzenden, passiven Widerstand und die innere Transformation des Leidens und der Ungerechtigkeit. – Wie steht es um die Aufnahme der erotischen Liebe? Das Christentum sah in ihr fast durchgehend einen bedenklichen Störfaktor. Leibfeindlichkeit, Prüderie und allerlei neurotische Verdrängungen und Verklemmungen sind die Folge. Im Alten Testament andererseits fanden wir eine erstaunlich unbefangene Verwendung der Liebesmetapher für das Verhältnis Gottes zu seinem Volk. Es ist tatsächlich an der Zeit, innerhalb der jüdisch-christlichen Tradition die unterschwellige, dualistische Abspaltung des Leiblichen und Sinnlichen vom »höheren« Geistigen und Männlichen zu überwinden. Jede Verdrängung des Erotischen führt in der Männergesellschaft notwendig zur Herabsetzung der Frau. Die Aufnahme aller Arten von Liebe in das Gottesverständnis ist also dringend erforderlich. Daß es Verkehrung und Mißbrauch von Liebe gibt, ist damit keineswegs bestritten. Aber eine Gottheit, die Quelle des Lebens ist, hat auch Raum für den Eros.

(6) In einer Welt, die von tödlichen Gegensätzen zerteilt wird, ist eine umfassende Veränderung des Bewußtseins und der gesell-

schaftlichen Strukturen notwendig. Es geht um das Überleben der Menschheit und das Weiterbestehen des Lebens überhaupt. Die von den biblischen Theologien her angedeutete und aus unserer heutigen Wirklichkeitserfahrung zu fordernde Befreiung betrifft alle Menschen und alles Leben. Jahr für Jahr werden zahlreiche Pflanzen- und Tierarten auf der Erde unwiederbringlich vernichtet. An manchen Orten sind Ureinwohner durch das gierige Vordringen der »Zivilisation« von der Ausrottung bedroht (Beispiele: die Yanomani-Indianer in Brasilien; die australischen Aborigines). Das wirtschaftliche Ausbeutungsgefälle, beschönigend Nord-Süd-Konflikt gemeint, hält weit mehr als die Hälfte der gesamten Menschheit in einer menschenunwürdigen Abhängigkeit. Auf der Südhalbkugel verhungern täglich Menschen, oder sie müssen von den Müllhalden der Reichen, vom Verbrechen oder der Prostitution leben. Quer durch alle Gesellschaften ziehen sich Klassen- und Rassengegensätze. Die Ausnutzung und Degradierung der Frau geschieht noch einmal quer zu allen bisher genannten Schichtungen. Frauenemanzipation, so meinte schon A. Bebel, ist wesentlicher Teil der »sozialen Frage«. Wenn nicht die Gleichstellung der Frau im öffentlichen Leben erreicht wird, kann keines der Menschheitsprobleme als gelöst gelten. Umgekehrt aber gilt auch: Das Geflecht von wirtschaftlicher, politischer, rassistischer Unterdrückung muß bei der Diskussion feministischer Anliegen im Blick bleiben. Sonst könnten sich aus dem berechtigten Emanzipationsbegehren unversehens neue Unterdrückungsstrukturen entwickeln bzw. die alten sich festigen. Wir sind auf der Suche nach einer Theologie, die Gerechtigkeit, Frieden und Liebe für alle bringt.

Bibelexegese und biblische Theologie angesichts feministischer Kritik

Vorbemerkung: Der Konsensus der Bibelwissenschaftler, der in den fünfziger und sechziger Jahren bestanden haben soll, hat einer theologischen Meinungsvielfalt Platz gemacht. Unsere hermeneutischen Grundregeln, unsere exegetischen Erkenntnisse und biblischen Theologien werden zunehmend in Frage gestellt, insbesondere durch Christen aus den Ländern der Dritten und Vierten Welt, durch nachdenkliche Zeitgenossen, die sich um Menschenrechte, Friedenspolitik und das Überleben der natürlichen Umwelt Sorge machen, und durch feministisch orientierte Theologinnen und Theologen. Allen Anfragen aus den verschiedenen Lebensbereichen ist gemeinsam: Sie stellen die Grundlagen unseres herkömmlichen biblischen Glaubens auf die Probe. Darin liegt eine »Bedrohung« für die bestehenden kirchlichen und gesellschaftlichen Strukturen, aber darin liegt auch die Chance einer radikalen, evangeliumsgemäßen Erneuerung unseres Lebens.

Im folgenden möchte ich nur auf einige Anfragen aus der feministischen Theologie eingehen. Ich verstehe sie aber durchaus im Rahmen des oben angedeuteten globalen Wandlungsprozesses.

1. Die feministische Kritik entzündet sich an den heute noch herrschenden patriarchalen Verhältnissen: In Kirche und Gesellschaft dominieren – trotz des Vordringens weiblicher »Führungskräfte« auf den unteren Ebenen – wie eh und je die Männer. Die jüdisch-christliche Tradition wird in der Rückschau als mehr oder weniger frauenfeindlich anerkannt. Und die Wurzeln dieser Diskriminierung liegen – trotz einiger emanzipatorisch zu verstehender Passagen – in den normativen biblischen Schriften und dem darin zu Tage kommenden überwiegend patriarchalen Gottesbild.

Aus exegetischer Sicht möchte ich dazu folgendes sagen:

1.1 Die Patriarchatskritik ist aufs ganze gesehen berechtigt. Frauen haben in der jüdisch-christlichen Geschichte in der Regel die Last der Arbeit und oft genug die zusätzliche Bürde religiöser Verdächtigung bis hin zur Verketzerung getragen. Sie sind heute noch weitgehend von der Mitbestimmung in höheren Entscheidungsgremien ausgeschlossen. Männliche Hybris hat sich auf weite Strecken hin am Negativbild der Frau zu profilieren versucht. Die noch heute vorwiegend von Männern geleitete Kirche und die von Männern bestimmten theologischen Schulen haben allen Anlaß, auch an dieser Stelle Buße zu tun und Fehlentwicklungen einzugestehen.

1.2 Kritik an den patriarchalen Strukturen ist in der Bibel nur sehr gedämpft und in der Kirchengeschichte selten zu finden. »Das Patriarchat« konnte erst grundsätzlich in Frage gestellt werden, seitdem in der Aufklärung die Einzelperson mit ihrer naturgegebenen Würde und ihren unveräußerlichen Rechten an die Spitze der ethischen Wertskala gerückt wurde. Damit trat das früher gültige korporative Denken in den Hintergrund. Aus dieser geschichtlichen Perspektive folgt: Wir können die heute gültigen emanzipatorischen Kriterien nicht einfach rückwärts in die jüdisch-christliche Tradition hineinprojizieren. Den biblischen Zeugen war die Vorrangstellung des Individuums in der modernen Form nicht bekannt.

1.3 Darum sind die biblischen Texte zunächst vor dem zeitgenössischen Hintergrund zu interpretieren. Im gesamten Alten Orient herrschten ohne Zweifel patriarchale Verhältnisse. Frauen, Kinder, Sklaven waren dem Familienoberhaupt untergeordnet. Doch verstand sich die Großfamilie oder Sippe als ein organisches Ganzes, in dem jedes Mitglied die traditionell zugewiesenen Funktionen zu übernehmen und an seiner Stelle Solidarität mit den anderen zu üben hatte. Auch die patriarchale Leitfigur unterstand den Normen und Zwängen der Gruppe und konnte nicht willkürlich aus egoistischen Motiven die anderen Gruppenmitglieder ausnutzen (vgl. 1 Mose 38, bes. V. 26).

1.4 Der patriarchale Gott Jahwe, wie er uns seit der exilischen Zeit im exklusiv-monotheistischen Bekenntnis Israels begegnet (Deuterojesaja), ist – menschlich gesprochen – ein Spiegelbild der in der israelitischen Gesellschaft bekannten Vatergestalt. Er wird auch König, Herr, Vater genannt und zeigt sich solidarisch mit seinem Volk (vgl. Hos 11, 1–9; Ps 103, 6–13). Er bringt das unterlegene, ausgeraubte und mißhandelte Volk, das er im neuen Bund wieder zu seiner Familie macht, zu Ehren und Wohlstand (vgl. Jes 60–62; Jer 30–31; Ez 36–37). Noch in der exilisch-nachexilischen Zeit ist nach patriarchalisch-kooperativem Verständnis das weibliche Element auch im Gottesbild mitgedacht (vgl. Jes 66, 13: »... trösten, wie einen seine Mutter tröstet«).

1.5 Daß in der vorexilischen Zeit in den Glaubensäußerungen Israels keinerlei Diskriminierung des Weiblichen festzustellen ist, wird aufgrund neuerer Forschungen immer deutlicher (vgl. Urs Winter, Frau und Göttin, 1983; Othmar Keel, Hg., Monotheismus im Alten Israel und in seiner Umwelt, 1980). Wir erkennen zunehmend einen pragmatischen Patriarchalismus, der auf einer gleichgewichtigen Funktionsteilung der Geschlechter innerhalb der Wirtschaftseinheit Großfamilie basiert. Die Frau besitzt vermutlich in jener Zeit unangefochten einen eigenen religiösen und kultischen Handlungsraum (vgl. 1 Mose 31, 19.34; Jer 44, 17–19), und in den Tempeln des Landes wurden vielerorts »Jahwe und seine Aschera« angebetet (vgl. die neugefundenen Inschriften von Kuntíllet Adschrud und Chirbet el-Qom, bei U. Winter S. 486–490).

1.6 Erst mit der Konzentration auf einen einzigen ausschließlichen Gott in der exilisch-nachexilischen Zeit wurden im Zuge der Abgrenzung von allen Fremdkulturen auch die weiblichen Kultpraktiken und die Verehrung von Göttinnen unterdrückt. Erst jetzt konnten auch in priesterlichen Kreisen diskriminierende Anschauungen über die feminine Religiosität entstehen. Aufgrund uralter Tabu-Regeln hinsichtlich der Vermischbarkeit von zweierlei Substanzen (vgl. 5 Mose 22, 9–11) und Machtsphären mußten die Priester ihren Kultbetrieb von jedem weiblichen Einfluß freihalten (vgl. 3 Mose 18, 19–29; und schon 1 Sam 21, 5–7). Die Ausgrenzung der Frauen aus dem Männern vorbehaltenen Kult für Jahwe bei gleichzeitigem Verbot jeder anderen kultischen Betätigung führt dazu, daß Frauenkulte nur im Untergrund weiterbestehen können. Dort sind sie eine andauernde Gefahr für den offiziellen, priesterlichen Kult. Die Religiosität der Frau wird als gottfeindlich und minderwertig gebrandmarkt (vgl. 1 Sam 28, 4 ff; Jer 44, 15 ff), und die Frau bekommt den Stempel der sexuellen und religiösen Verführerin (Eva; Isebel).

1.7 Das Bilderverbot (2 Mose 20, 4–6 vgl. 5 Mose 4, 16) beweist gleichzeitig, daß Israels Theologen ein ausgeprägtes Bewußtsein von der Transzendenz Gottes hatten. Jahwe hat keinerlei Gestalt, die mit irgendwelchen Wesen aus der Erfahrungswelt identisch wäre. Besonders transzendiert er die geschlechtliche Differenzierung (5 Mose 4, 16). Die in der Tat diskriminatorische Praxis gegenüber den Frauen (Ausschluß vom Priesteramt; Reinheitsgebote; Auflösung der »Mischehen«) wird also im Alten Testament nicht in theologischen Aussagen festgeschrieben. Das geschieht im Neuen Testament unter Berufung auf die Schöpfungsordnung (vgl. 1 Kor 11, 2–16; 14, 34 f; Eph 5, 22–24). Doch wird das Wesen Gottes an keiner Stelle ausdrücklich geschlechtsspezifisch fixiert.

1.8 Bei der Auswertung der Glaubensgeschichte Israels müssen wir auch hinsichtlich des zur Debatte stehenden Punktes entschlossen die seither veränderten gesellschaftlichen und ethnischen Bedingungen zum Ausgangspunkt unserer theologischen

Überlegungen machen. Die bis zur Aufklärungsepoche in Geltung stehenden patriarchalen Strukturen und Vorstellungen sind heute im Bereich von Wirtschaft, Bildung, Kultur zum Teil überwunden und in Grundrechtserklärungen, Gesetzgebung und Rechtspraxis oft schon effektiv abgebaut. Patriarchales Denken ist theoretisch antiquiert, im Lebensvollzug allerdings noch sehr wirksam. Die Verkündigung des erbarmenden und befreienden Gottes der Bibel muß der Gegenwartslage Rechnung tragen. Befreiung zu wahren, in der Schöpfung intendiertes Menschsein schließt heute die Emanzipation der wirtschaftlich ausgebeuteten Mehrheit der Weltbevölkerung ebenso ein wie die volle Gleichberechtigung der »farbigen« Völker und der Frauen.

2. Feministische Theologinnen und Theologen geben der Patriarchatskritik oft dadurch Nachdruck, daß sie die auf J. J. Bachofen (Das Mutterrecht, 1861) zurückgehende Matriarchatshypothese aufgreifen. Danach soll in vor- und frühgeschichtlicher Zeit die große Erd-, Mond- und Muttergöttin oberste Gottheit gewesen sein. Entsprechend der Vorrangstellung der Göttin sei auch die Frau in der menschlichen Gesellschaft tonangebend gewesen und habe dem Leben eine weibliche Orientierung gegeben. Den Männern seien im Himmel und auf Erden lediglich dienende Funktionen zugekommen (vgl. Heide Göttner-Abendroth, Die Göttin und ihr Heros, 1980). Unter der Leitung von Frauen habe ein Zustand des Friedens, der Harmonie und des Glücks angedauert, bis männliche Aggressivität dem fast paradiesischen Zustand ein Ende gesetzt hätten.

Aus der Sicht des Exegeten möchte ich dazu folgendes anmerken:

2.1 Die Zuweisung von spezifisch weiblichen Eigenschaften an die Frau hat von Aristoteles bis C. G. Jung und darüber hinaus eine lange Tradition. Das weibliche Wesen soll vor allem durch passive und emotionale Momente ausgezeichnet sein. Bisweilen wird Weiblichkeit als eine eigene Seinskategorie beschrieben und als solche metaphysisch verankert. Aus den Literaturen des Alten Orients sind solche Spekulationen nicht zu beweisen. Judith Ochshorn, The Female Experience and the Nature of the Divine, 1981, belegt eindrücklich die altorientalischen Vorstellungen, nach denen »weibliche« Eigenschaften (z. B. Liebesfähigkeit; Fruchtbarkeit) und »männliche« Attribute (z. B. Willenskraft; Brutalität) in den Mythologien jener Kulturkreise in keiner Weise geschlechtsspezifisch aufgeteilt, sondern von Göttern und Göttinnen gleichermaßen ausgesagt wurden.

2.2 In den feministischen Theologien begegnet oft eine idealistische Überhöhung der angeblich weiblichen Wesensmerkmale. Das weibliche Sein und die weibliche Spiritualität sollen dem Leben und dem Guten nahestehen, während männliches Sein und männliches Streben einen Hang zum Bösen und zum Tode haben. Diese dualistische Spaltung des Seins hält einer psychologischen und empirischen Nachprüfung nicht stand (vgl. Margarete Mitscherlich, Die friedfertige Frau, 1987) und ist theologisch unhaltbar. Die biblischen Zeugen sehen das Menschsein trotz aller Geschlechterrollendifferenzierung als ein ungeteiltes an. Selbst die auf Teilung und Abgrenzung so erpichten Priester halten Mann und Frau in *einer* species beisammen (1 Mose 1, 27). An Verschuldung und Verheißung partizipieren in der Bibel die Menschen beiderlei Geschlechts, und sehr oft nicht als einzelne, sondern im sozialen Verband.

2.3 Die umfassende Matriarchatshypothese (Matriarchat = Paradieseszeit; Patriarchat = Sündenfall und Elendsgeschichte) ist geschichtlich nicht beweisbar. Sicherlich existierten oder existieren Gesellschaften, in denen Frauen mehr öffentliche Macht und Verantwortung ausübten als im patriarchal strukturierten Alten Orient. Wo der patriarchale Gesellschaftsaufbau nicht ontologisch, sondern pragmatisch-funktional verstanden wird, kann die Frau in besonderen Situationen die Funktionen des Mannes übernehmen (vgl. Debora; Jael; Abigail; Hulda; Atalja; die Sunamitin usw. in der Bibel). Die ethnologisch nachprüfbare Regel ist, daß infolge der Aufgabenteilung in der Wirtschaftseinheit Familie, wahrscheinlich von Anfang der Menschheitsgeschichte an, der Mann die Außenverpflichtungen (Jagd; Krieg; Feldbestellung; Tierzucht) und die Frau die häuslichen Aufgaben (Sorge für Kind; Küche; Garten; Haustiere) übernommen hat (vgl. Simone de Beauvoir, Das andere Geschlecht, 1949).

2.4 In der biblischen Religion wie in den Religionen des Alten Orients wird die weibliche Identität wahrgenommen und in der Verehrung von Göttinnen bzw. weiblicher Züge des patriarchalen Gottes sichtbar zur Geltung gebracht. Die biblischen Texte lassen vermuten, und die Entdeckung zahlreicher Darstellungen der nackten Göttin in israelitischen Städten der Königszeit (vgl. U. Winter) bestätigt diese Vermutung, daß Israel bis zum Zusammenbruch von 587 v. Chr. den häuslichen und tempelgebundenen Göttinnenkult zugelassen hat. Wie die Personennamen des Alten Testaments ausweisen, gab es auch dezidierte Anhängerinnen Jahwes (vgl. Jochebed, 2 Mose 6, 20; Noadjah, Neh 6, 14). Im Alten Orient war der Kult für Götterpaare anscheinend bei Männern und Frauen weit verbreitet. Alles dies spricht für die Anerkennung geschlechtsspezifischer Religiosität und gegen die dualistische Zerspaltung des Glaubens.

2.5 Die brennende theologische Frage heute ist, wie unter den veränderten gesellschaftlichen Bedingungen das legitime Bedürfnis nach positiver Resonanz des Weiblichen im Gottesbild unserer Zeit zum Ausdruck gebracht werden kann. Weil die patriarchale Gottesvorstellung in keiner Form mehr unserer erstrebten Lebenswirklichkeit entspricht, müssen theologische Aussagen weibliche und männliche Individualität (neben der Überbrückung von rassischen, nationalen, ideologischen, sozialen Gegensätzen) in sich aufnehmen oder für beide Geschlechter offen sein. Konkret sehe ich vier Möglichkeiten:

2.5.1 Die Ablösung des exklusiv männlichen durch ein exklusiv weibliches Gottesverständnis (»Zurück zur Göttin«). Die bloße Umkehr patriarchaler Herrschaftsformen würde aber nicht in vollem Sinne erneuernd und befreiend wirken.

2.5.2 Wir machen den ernsthaften Versuch, den einen Gott der Spätzeit des Alten Testaments, des Neuen Testaments und der gesamten jüdisch-christlichen Gemeinde gleichgewichtig als Mutter und Vater, Vater und Mutter zu verstehen. Der bisher fast ausschließlich männliche Gott wird zum zweigeschlechtlichen Wesen. In den USA ist diese Bemühung, das einseitig patriarchale Denken zu überwinden, weit vorgeschritten. Von Gott wird auch im Gottesdienst meistens als einer Er/Sie-Person gesprochen.

2.5.3 Alternativ könnten wir neben dem männlichen Gott eine weibliche Gottheit anrufen. Die Schwierigkeit besteht darin, daß besonders in der protestantischen Tradition keinerlei Anknüpfungspunkte an die Verehrung von Götterpaaren in vergangenen Zeiten vorhanden ist. Unter den gegebenen Umständen würde eine Zweiteilung Gottes wahrscheinlich auch eine Spaltung der Kirche zur Folge haben.

2.5.4 Mir scheint es am aussichtsreichsten, die männliche Usurpation des Gottesbildes dadurch zu überwinden, daß wir konsequent geschlechtsneutrale Metaphern nutzen. Diese theologische Redeweise hat seit der altorientalischen Antike viele Vorbilder. Im Alten Testament wird Gott mit Wind, Geist, Lichtglanz, Feuer, Güte, Weite, Vergebung usw. in Verbindung gebracht. Seither sind viele andere geschlechtsneutrale Assoziationen benutzt worden. Wir können auf herrschaftsträchtiges und traditionell geschlechtsspezifisches Vokabular verzichten.

2.6 Eine Neubesinnung im zentralen Raum der Theologie da, wo es um die Rede zu und über Gott geht, muß die Anliegen der Frauen berücksichtigen. Diese Neubesinnung hat natürlich Konsequenzen für das Zusammenleben der Geschlechter in Familie, Gesellschaft und Kirche. Die Formen des gemeindlichen Lebens (Gottesdienst; Arbeitsgruppen; Vereinsarbeit) müssen genauso überdacht und rekonstruiert werden wie die theologische Forschung und Lehre, die Kirchenordnungen und Verwaltungsstrukturen.

3.1 Die Diskussion um die Grundlagen und Ziele unseres Glaubens ist an mehreren Stellen im Gange (Weltwirtschaft; Ökumenizität; Menschenbild; Rassismus; Friedenspolitik; Ökologie). Sie wird z. T. heftig geführt. Das notwendige Gespräch mit den feministischen Theologien macht davon keine Ausnahme. Es gehört mit zu den Auseinandersetzungen in der Kirche, welche tiefgreifende Folgen nach sich ziehen müssen. Not tut ein sachliches Gespräch, das dem Ernst der Problematik angemessen ist. In diesem Gespräch müssen alle Teilnehmerinnen und Teilnehmer bereit sein, aufeinander zu hören, Abstriche an der eigenen Position vorzunehmen und konstruktiv, in Verantwortung vor Vergangenheit und Zukunft, nach gemeinsamen Lösungen zu suchen.

3.2 Das eben muß das Ziel unserer theologischen Reflexion sein: In einer Zeit, in der die äußerste Individualisierung als ein Grundprinzip des Lebens erscheint, können Christen mit Hilfe der Gottheit, die die Einheit und Harmonie der Schöpfung will, nach neuen Weisen des Zusammenlebens suchen. Die Bibel enthält an vielen Stellen eine revolutionierende Herrschaftskritik (vgl. Ri 9; Jes 52/53; Lk 1/2; Joh 13). Die Absicht ist klar: Leben, Würde, Rechte besonders der Schwachen sollen umhegt werden. »Du sollst nicht mit Härte über sie herrschen, sondern dich fürchten vor deinem Gott«, sagt schon 3 Mose 25, 43 im Blick auf die Schuldsklaven. Die biblische Botschaft ist auf die Befreiung aller Menschen ausgerichtet und muß uns darin bis heute Richtschnur sein. Befreiung hat aber nach biblischem Verständnis herrschaftsfreie Gemeinschaft zur Voraussetzung und zum Endzweck.

3.3 Für alle Gespräche, die wir heute als Theologinnen und Theologen führen müssen, ist Offenheit und Leidenschaft vonnöten. Doch haben wir auch nach Kriterien der Wahrheitsfindung zu suchen. Wie bei aller Exegese unumgänglich, vollzieht sich die Diskussion einerseits zwischen den Gesprächspartnerinnen und Gesprächspartnern in der Gegenwart. Dabei sind die eigenen Standorte sorgfältig und selbstkritisch zu klären, und es ist eine Analyse der heutigen Situation zu unternehmen, welche Aufschlüsse über den Grad der Versklavung von Menschengruppen und -schichten, über säkulare Befreiungsversuche, über Funktion und Reformierbarkeit der bestehenden Strukturen gibt. Gleichzeitig muß der Dialog mit den Glaubensmüttern und Glaubensvätern bis in die biblische Vergangenheit geführt werden. Allein dieser Dialog kann uns vor Sackgassen und Irrwegen bewahren. Was als Verheißung über die Stadt Jerusalem gesagt ist, kann uns, patriarchal entschränkt, Wegweiser sein:

>Man soll in ihr nicht mehr hören die Stimme des Weinens noch die Stimme des Klagens. Es sollen keine Kinder mehr da sein, die nur einige Tage leben, oder Alte, die ihre Jahre nicht erfüllen, sondern als jung gilt, wer hundert Jahre alt stirbt, und wer die hundert Jahre nicht erreicht, gilt als verflucht.« (Jes 65, 19 f)

>Denn siehe, ich will einen neuen Himmel und eine neue Erde schaffen, daß man der vorigen nicht mehr gedenken und sie nicht mehr zu Herzen nehmen wird.« (Jes 65, 17)

Bibliographie

ALBERTZ, RAINER, Persönliche Frömmigkeit und offizielle Religion. Religionsinterner Pluralismus in Israel und Babylon, Stuttgart 1978

ALT, ALBRECHT, Der Gott der Väter, in: ders., Kleine Schriften zur Geschichte Israels, Bd. I, München 1953, 1–78

ASHER-GREVE, JULIA M., Frauen in altsumerischer Zeit, Malibu 1985

BACHOFEN, JOHANN JAKOB, Das Mutterrecht, Frankfurt ⁵1984

BADINTER, ELISABETH, Ich bin Du. Die neue Beziehung zwischen Mann und Frau oder Die androgyne Revolution, München ²1988

BEAUVOIR, SIMONE DE, Das andere Geschlecht, Hamburg 1951

BEBEL, AUGUST, Die Frau und der Sozialismus (1879), Berlin 1979

BECKER-SCHMIDT, REGINA, und KNAPP, GUDRUN, Geschlechtertrennung – Geschlechterdifferenzierung, Bonn 1987

BEYERLIN, WALTER (Hg.), Religionsgeschichtliches Textbuch zum Alten Testament, Göttingen 1975

BORNEMAN, ERNEST, Das Patriarchat, Frankfurt 1975

BRENNER, ATHALYA, Female Social Behavior: Two Descriptive Patterns within the »Birth of Hero« Paradigm, VT 36, 1986, 257–273

BRUNNER-TRAUT, EMMA, Die alten Ägypter. Verborgenes Leben unter Pharaonen, Stuttgart ⁴1987

BURKERT, WALTER, Homo necans. Interpretationen altgriechischer Opferriten und Mythen, Berlin 1972

BURNS, RITA, Has the Lord indeed Spoken only through Moses?, Atlanta 1987

CROSS, FRANK M., Yahweh and the Gods of the Patriarchs, HThR 55, 1962, 225–259

CRÜSEMANN, FRANK, »... er aber soll dein Herr sein«. Genesis 3,16, in: F. Crüsemann, H. Thyen, Als Mann und Frau geschaffen, Gelnhausen/Berlin 1978

DALY, MARY, The Church and the Second Sex, Boston 1968

DALY, MARY, Jenseits von Gottvater & Co., München 1980

DALY, MARY, Gyn/Ökologie, München 1981

DURKHEIM, ÉMILE, Die elementaren Formen des religiösen Lebens (1968), Frankfurt ³1984

FANON, FRANTZ, Die Verdammten dieser Erde (1961), Frankfurt 1981

FIRESTONE, SHULAMITH, Frauenbefreiung und sexuelle Revolution, Frankfurt 1987

Die FRAU in Familie, Kirche und Gesellschaft, hg. von der Kirchenkanzlei der EKD, Gütersloh ²1980

FRIEDAN, BETTY, Der Weiblichkeitswahn oder Die Mystifizierung der Frau, Hamburg 1966

GALLING, KURT, Textbuch zur Geschichte Israels, Tübingen ²1968

GERSTENBERGER, ERHARD S. und SCHRAGE, WOLFGANG, Frau und Mann, Stuttgart 1980

GLENNON, LYNDA M., Woman and Dualism, New York 1979

GÖTTNER-ABENDROTH, Die Göttin und ihr Heros, München ⁶1984

HAAG, ERNST, Gott, der einzige, Freiburg 1985

HALKES, CATHARINA J. M., Suchen, was verloren ging, Gütersloh 1985

HINKELAMMERT, FRANZ J., Die ideologischen Waffen des Todes, Münster 1985

HITE, SHERE, Woman and Love, a Cultural Revolution in Progress, New York 1987

HUBBLETHWAITE, MARGARET, Motherhood and God, London 1984

ILLICH, IVAN, Genus, Reinbek 1982

JEREMIAS, JOACHIM, Abba, in: ders., Abba, Studien zur neutestamentlichen Theologie und Zeitgeschichte, Göttingen 1966, 15–67

JEREMIAS, JÖRG, Theophanie, Neukirchen-Vluyn ²1977

KEEL, OTHMAR, Die Welt der altorientalischen Bildsymbolik und das Alte Testament, Neukirchen-Vluyn/Zürich 1972

KEEL, OTHMAR (Hg.), Monotheismus im Alten Israel und seiner Umwelt, Fribourg 1980

KLUCKHOHN, CLYDE und LEIGHTON, DOROTHEA, The Navaho (1946), Garden City 1962

LANG, BERNHARD (Hg.), Der einzige Gott, München 1981

LEIPOLDT, JOHANNES, Die Frau in der antiken Welt und im Urchristentum, Leipzig 1954

LEWENHAK, SHEILA, Frauenarbeit. Ihre soziale Stellung von der Steinzeit bis heute, München 1981

LOTH, HEINRICH, Die Frau im Alten Afrika, Leipzig 1986

MEAD, MARGARET, Mann und Weib, Hamburg 1963

MENZEL, BRIGITTE, Assyrische Tempel, 2 Bde., Rom 1981

MEYERS, CAROL L., Gender Roles and Genesis 3:16 Revisited, in: dies. (Hg.in), The Word of the Lord Shall Go Forth, Winona Lake 1983, 337–354

MITSCHERLICH, ALEXANDER, Auf dem Weg zur vaterlosen Gesellschaft, München 1971

MITSCHERLICH, MARGARETE, Die friedfertige Frau, Frankfurt 1987

MOLTMANN-WENDEL, ELISABETH (Hg.in), Frau und Religion, Frankfurt 1983

MOLTMANN-WENDEL, ELISABETH, Das Land, wo Milch und Honig fließt, Gütersloh 1985

MULACK, CHRISTA, Die Weiblichkeit Gottes, Stuttgart 1983

MURPHY, YOLANDA und MURPHY, ROBERT, Woman of the Forest, New York 1974

NIEBUHR, H. RICHARD, Radical Monotheism and Western Culture (1943), New York 1960

OCHSHORN, JUDITH, The Female Experience and the Nature of the Divine, Bloomington 1981

PATAI, RAPHAEL, The Hebrew Goddess, Philadelphia 1967

PAUL, DIANA Y., Die Frau im Buddhismus, Hamburg 1981

PEREIRA, NUNES, Moronguetá. Un Decameron indigena, 2 Bde., Rio de Janeiro ²1980

RAMING, IDA, Der Ausschluß der Frau vom priesterlichen Amt, Köln/Wien 1973

RANKE-GRAVES, ROBERT von, Die Weiße Göttin (1948), Reinbek 1985

RICHTER, HORST EBERHARD, Der Gotteskomplex, Hamburg 1979

RÖMER, WILLEM H. PH., Frauenbriefe über Religion, Politik und Privatleben in Mari, Neukirchen-Vluyn 1971

ROSE, MARTIN, Der Ausschließlichkeitsanspruch Jahwes, Stuttgart 1975

RUETHER, ROSEMARY R., Sexismus und die Rede von Gott, Gütersloh 1985

SCHOTTROFF, LUISE, Maria Magdalena und die Frauen am Grabe Jesu, EvTh 42, 1982, 3–25

SCHRAGE, WOLFGANG, Frau und Mann (s. GERSTENBERGER, E. S.)

SCHÜNGEL-STRAUMANN, HELEN, Gott als Mutter in Hosea 11, ThQ 166, 1986, 119–134

SCHÜSSLER-FIORENZA, ELIZABETH, In Memory of Her, New York 1983

SEIBERT, ILSE, Die Frau im Alten Orient, Leipzig 1973

SIGRIST, CHRISTIAN, Regulierte Anarchie (1967), Frankfurt 1979

SMELIK, KLAAS A. D., Historische Dokumente aus dem alten Israel, Göttingen 1987

SÖLLE, DOROTHEE, Aus der Zeit der Verzweiflung, JK 48, 1987, 614–620

SORGE, ELGA, Religion und Frau, Stuttgart [5]1988

SPRINGER, SALLY und DEUTSCH, GEORG, Left Brain, Right Brain, San Francisco 1981

STADEN, HANS, Brasilien. Die wahrhaftige Historie der wilden, nackten, grimmigen Menschenfresser-Leute (1550), Tübingen [2]1984

STAMM, JOHANN JAKOB, Hebräische Frauennamen, in: ders., Beiträge zur hebräischen und altorientalischen Namenkunde, Fribourg/Göttingen 1980, 97–135

TERRIEN, SAMUEL, Till the Heart Sings. A Biblical Theology of Manhood and Womanhood, Philadelphia 1985

TEVOEDJRE, ALBERT, Armut, Reichtum der Völker (1978), Wuppertal 1980

THIEL, WINFRIED, Die soziale Entwicklung Israels in vorstaatlicher Zeit, Neukirchen-Vluyn [2]1985

TIGAY, JEFFREY H., You Shall Have no Other Gods, Atlanta 1986

TRIBLE, PHYLLIS, God and the Rhetoric of Sexuality, Philadelphia 1978

TRIBLE, PHYLLIS, Mein Gott, warum hast du mich vergessen! Gütersloh 1987

TÜRCK, ULRIKE, Die Stellung der Frau in Elephantine als Ergebnis persisch-babylonischen Rechtseinflusses, ZAW 46, 1928, 166–169

TURNER, VICTOR W., The Ritual Process, Chicago 1969

UNDERHILL, RUTH, Red Man's Religion, Chicago [2]1972

VORLÄNDER, HERMANN, Mein Gott, Neukirchen-Vluyn/Kevelaer 1975

WEILER, GERDA, Ich verwerfe im Lande die Kriege. Das verborgene Matriarchat im Alten Testament, München 1984

WENCK, INGE, Gott ist im Mann zu kurz gekommen, Gütersloh 1982

WESEL, ULRICH, Der Mythos vom Matriarchat, Frankfurt 1980

WINTER, URS, Frau und Göttin, Fribourg/Göttingen 1983

WOLKSTEIN, DIANE und KRAMER, SAMUEL N., Inanna, Queen of Heaven and Earth, London 1984

Bibelstellen (in Auswahl)

Kohlhammer

Verlag W. Kohlhammer
Stuttgart · Berlin · Köln · Mainz